İslami İlimler Giriş Serisi



# FIKHA GİRİŞ

## Tarih, Usul, Yorum

Prof. Dr. Saffet Köse

PLURAL
Köln 2019

**Prof. Dr. Saffet Köse**

1964'te Balıkesir'de doğdu. 1982'de Balıkesir İmam-Hatip Lisesi'nden, 1986'da Marmara Üniversitesi İlahiyat Fakültesi'nden mezun oldu. 1988 yılında *İslam Hukukunda Bulunmuş Mal ve Çocuk* adlı çalışmasıyla yüksek lisansını ve Ocak 1994'te *İslam Hukukunda Kanuna Karşı Hile* adlı tezi ile doktorasını tamamladı. 1996'da yardımcı doçent, 1997'de doçent oldu. 1999-2002 yılları arasında Bakü Devlet Üniversitesi İlahiyat Fakültesinde İslam Hukuku hocalığı ve dekan yardımcılığı yaptı. Mart 2003 tarihinde profesör oldu. Hâlen İzmir Katip Çelebi Üniversitesi rektörü olarak görevini sürdürmektedir. Evli ve iki çocuk babasıdır.

**Telif Kitapları**

*İslam Hukukunda Hakkın Kötüye Kullanılması*, MÜİF Vakfı Yayınları, İstanbul 1997.

*İslam Hukuku Açısından Din ve Vicdan Hürriyeti*, Adiloğlu Yayıncılık, Bakü 2002; İZ Yayıncılık, İstanbul 2003.

*Âzâdi-i Dîn ü Endîşe ez Dîdegâh Fıkh-i İslâmî* (trc. Nasıruddin Mazhari), Pakistan 1389 (bir önceki eserin Farsçaya tercümesi).

*Saîd b. Ali es-Semerkandî'nin Cennetü'l-ahkâm cünnetü'l-hisâm fi'l-hiyel ve'l-mehâric adlı eserinin tahkîkli neşri* (edition critiqué) Dâru Sâdır, Beyrut 2006.

*İslam İş ve Ticaret Ahlakı*, İGİAD Yayınları, İstanbul 2012.

*Fıkhi Mezhepler*, Yazıgen Yayınevi, İstanbul 2016.

*Menschenrechte aus islamischer Perspektive* (trc. Melahat Kişi-Hakkı Arslan), Lang-Ed., Frankfurt 2013.

*Kur'ân ve Sünnete Göre Mut'a Nikâhı*, TİMAŞ Yayınları, İstanbul 2014.

*Genetiğiyle Oynanmış Kavramlar ve Aile Medeniyetinin Sonu*, Mehir Vakfı, İstanbul 2014.

*İbadetten Kulluk Şuuruna*, Erkam Yayınları, İstanbul 2016.

*Fıkha Giriş*, PLURAL Yayınevi, Köln 2017.

*İslam'ın Dinamiği - Cihat*, PLURAL Yayınevi, Köln 2019.

Meryem

# İÇERİK

Beşinci Bölüm

## ŞERİ HÜKÜMLER: KAYNAK, DELİL, YÖNTEM VE İLKELERİ



Altıncı Bölüm

## FIKHIN GELİŞİM DÖNEMLERİ VE ÖZELLİKLERİ

Yedinci Bölüm

## FIKHÎ MEZHEPLER

# ÖNSÖZ

Allah'a hamd, sevgili Resulü'ne, âline, ashabına ve etbâına salâtü selâm olsun.

İnsanın yaratılış sürecinin bir kesitinde Allah'ın kendileri ile yapmış olduğu Rab-Kul Sözleşmesine (A'râf suresi, 7:172) dair hükümlerin en son ve en kâmil biçimi İslam, bu hükümlerin saklandığı hazine de Kur'ân-ı Kerîm'dir. Sünnet ise ilahî mesajın beşer formundaki ifadesidir. Hz. Âişe'nin ifadesiyle sünnet, Resûlullâh'ın yaşadığı Kur'an'dır. Bu sebeple de O, kemâlâtı şahsında cem etmesi sebebiyle (Kalem suresi, 68:4) ilahî mesajı anlama ve yaşamanın yegâne modelidir (Ahzâb suresi, 33:21).

Müslümanların iki önemli hazinesinden birisi olan Kur'ân-ı Kerîm'in korunmasını bizzat Allah Teâlâ üstlenmiştir ve bu Yüce Kelam, bir harfi bile değişmeden geldiği gibi orijinalliğini muhafaza etmektedir. Sünnet malzemesi de Müslümanların titiz gayretleriyle veri kaybı olmaksızın tespit edilmiş ve günümüze ulaşmıştır. Bu iki kaynağın korunmuş olması ümmet-i Muhammed'in ayrıcalığıdır.

İslam bilgi geleneğinde üç boyutlu bir tecrübe ortaya çıkmıştır. Bunlar ilim, irfan ve hikmettir. İslami disiplinler Kur'an ve sünneti bu farklı boyutlarından derinlemesine incelemişler, ortaya çok yönlü bir hazine çıkmıştır. Söz gelimi tefsir ilmi Kur'an'ın anlamını; kıraat ilmi okunmasını; Arap dili, belagatini; fıkıh ilmi ahkâmını; kelam-akait ilmi inanç değerlerini; tasavvuf ve ahlak, züht hayatı ve ahlaki esaslarını; felsefe hikmet boyutunu incelemiştir. Bu alanlarda çok değerli eserler yazılmıştır.

Fıkıh, Hz. Peygamber örnekliğinde insan-Allah, insan-insan ve insan-âlem ilişkilerini kuran ilmin adıdır. Bunun yöntemini belirleyen de fıkıh usulüdür.

Fıkıh, Kur'an-sünnet doğrultusunda ihtiyaçlar ölçüsünde müçtehit hukukçularca geliştirilmiş ve Müslüman toplumların hukuk düzeni olarak asırlar boyunca yürürlükte kalmış, sonuçta başarılı bir tecrübe oluşmuş ve zengin bir hukuk mirası doğmuştur. Haklı olarak bu birikim Batı'da ve Doğu'da bilimsel çevrelerin büyük ilgisini çekmiş, araştırmalara konu olmuş, kuruluş devrinden günümüze gelinceye kadar bu alanda zengin bir literatür oluşmuştur.

Ana hatlarıyla bir ilmî disiplinin çerçevesini tanımı, konusu, amacı, yöntemi, kaynakları, kavramları, ekolleri, tarihi, diğer disiplinlerle olan ilişkisi, problemleri çizer. O sahayı yeterince tanımak, anlamak ya da bu alanın herhangi bir konusuyla ilgili söz söyleyebilmek ancak bu hususları ihata etmekle mümkün olabilir. Elinizdeki bu kitap, daha önce birçok baskısı yapılan ve Türkiye'deki İlahiyat ile İslami İlimler fakültelerinde ders kitabı olarak okutulan *İslam Hukukuna Giriş* kitabımızdan istifade ile Avrupa ülkelerindeki ihtiyaçlar dikkate alınarak hazırlanmıştır.

Giriş kitapları söz konusu ilmin anahtarlarını verirler. Bununla da o alanda bir tasavvur oluşturmayı, o ilmin diğer disiplinler içindeki yerini belirlemeyi, o alanı tanıtmayı hedeflerler. *Fıkha Giriş* kitabında da bu gözetilmiş, bu alanda çalışma yapmak isteyenlerin ileri okumalarına zemin teşkil edecek ön bilgilere yer vermeye çaba sarf edilmiştir.

Bu çalışmanın halk nezdinde asgari ölçüde de olsa beklentileri karşılaması, Hak indinde de bir sadaka-i câriye değeri kazanması dileğimizdir. Kitabın ortaya çıkmasından basımına varıncaya kadar emeği geçen herkese teşekkür ederim.

Gayret bizden tevfik Rabbimizden.

**Prof. Dr. Saffet Köse**

# GİRİŞ

# İSLAM TOPLUMU VE FIKHA OLAN İHTİYAÇ

Fıtrat: Din Duygusunun Bütün İnsanlarda Mevcudiyeti

Kur'ân-ı Kerîm'de Allah Teâlâ'nın insanlarla, kendisinin Yaratıcı-Rab (ulûhiyyet) insanların da Onun kulu (ubûdiyyet) olduğuna dair bir sözleşme yaptığı anlatılır.[1] Bunun doğal sonucu, bir yaratılış gerçekliği (fıtrat) olarak din duygusunun bütün insanlarda mevcut oluşudur. Nitekim dinler tarihi araştırmaları çok farklı sebeplere bağlı olarak insanın, insanüstü bir varlığa bağlanma, onu kutsama ve onunla bütünleşme gereğini daima hissettiğini tespit etmiş, tarih boyunca dinsiz bir topluluğa rastlanmadığını belirlemiştir. Bu gerçekliğin fıkhı ilgilendiren tarafı ise insan ile Allah arasındaki ilişkinin din üzerinden tanımlanmasıdır. İnsanın beslenmesinden çevresiyle ilişkilerine varıncaya kadar hayatın her alanında belirleyici kurumlardan birisi hatta birincisi dindir. İşte fıkıh hayat ile dinin bağlantısını kuran ilmin adıdır.

İlahî dinler dikkate alındığında denilebilir ki din, insanların Allah Teâlâ ile yapmış oldukları ve vahiy meleği Cebrail (a.s.) vasıtasıyla peygamberlerine bildirdikleri, onların da ümmetlerine tebliğ ettiği sözleşme hükümlerinden ibarettir. Bu görevi yerine getiren peygamberlerin sonuncusu Hz. Muhammed (s.a.v.), sözleşme hükümlerinin toplandığı son ilahî kitap ise Kur'ân-ı Kerîm'dir.

Evrensel ve süreklilik özelliği taşıyan bu sözleşme hükümlerine insanların ne derece uyduğuna dair hesap, "din günü"[2] denilen ahiret yurdunda kurulacak büyük mahkeme ile açığa çıkacak[3] ve herkes söz ve eylemlerinin karşılığını tam olarak burada bulacaktır.

Din Nedir?

Buna göre dinî hükümler insanın yaratılış amacı olan kulluğun[4] nasıl yapılacağını düzenleyen esaslardan oluşur. Klasik kaynaklarda dinin bu özelliği öne çıkarılarak "akıl

1 A'râf suresi, 7:172.
2 Fâtihâ suresi, 2:4.
3 İsrâ suresi, 17:13-15; Hâkka suresi, 69:18-34; Abese suresi, 80:37; İnfitâr suresi, 82:19; İnşikâk suresi, 84:6-15.
4 Zâriyât suresi, 51:56.

sahibi insanları kendi tercihleriyle bizzat hayırlı olan şeylere götüren ilahî kanunlar/prensipler bütünü" olarak tanımlanır.[5]

İslam

İlahî dinler birbirlerini tasdik ederek gelmiştir.[6] Bu, bütün semavi dinlerin temel esaslarda ortak olduğuna işaret eder.[7] Bu sebeple İslam aslı bozulmamış bütün dinlerin ortak adıdır. İnsanların zaman içinde dinî hükümleri tahrif etmesi[8] sebebiyle bizzat Allah tarafından yeni bir peygamber gönderilerek bunlar düzeltilmiştir. Bu sözleşme hükümlerinin en son ve en mükemmel hâli Kur'ân-ı Kerîm; dinin adı da İslam'dır.[9] Peygamberler zincirinin en son halkası ise Hz. Muhammed'dir.[10] Şu hâlde fıkıh, son din olan İslam ile hayatın bağlantısını kuran ilmin adıdır.

5 Ebü'l-Bekâ, *el-Külliyyât* (nşr. Adnan Derviş-Muhammed el-Mısrî), Müessesetü'r-Risâle, Beyrut, ts., s. 694.

6 Bakara suresi, 2:53,185; Âl-i İmrân suresi, 3:4; Enbiyâ suresi, 21:48; Furkân suresi, 25:1.

7 Günay Tümer, "Din", *DİA*, IX, 313.

8 Bkz. Âl-i İmrân suresi, 3:71, Âl-i İmrân suresi, 3:78; Bakara suresi, 2:79; Tevbe suresi, 9:34 vd.

9 Âl-i İmrân suresi, 3:19, 85; Mâide suresi, 5:3.

10 Ahzâb suresi, 33:40.

# BİRİNCİ BÖLÜM

# FIKHIN MAHİYETİ

# FIKHIN TANIMI

Fıkıh, günlük hayatta dinî pratikleri belirleyen ilimdir. Bu bağlamda insanın, Rabbi, diğer insanlar, devleti ve devletlerin birbirleri ile olan ilişkilerini konu alır. Geleneksel sınıflamadan farklı olarak günümüzde fıkhın ibadet konuları ilmihâl olarak isimlendirilen özel bir ilme bırakılmış; hukuka ilişkin konular ise İslam hukuku ilminde incelemeye tabi tutulmuştur.

## Fıkhın Kelime Anlamı

Kelime olarak fıkıh, "bir şeyi incelikleri ile bilmek, anlamak, kavramak";[11] "bir söz söyleyenin o sözüyle neyi kastettiğini bilmek"[12] demektir. Şu ayette bu anlam açıkça gözükür:

فَمَا لِهَؤُلَاءِ الْقَوْمِ لَا يَكَادُونَ يَفْقَهُونَ حَدِيثًا

*"Bu adamlara ne oldu ki bir türlü sözü anlayamıyorlar!"*[13]

Tefakkuh: Dinin İnceliklerini Anlamak

Yine Kur'ân-ı Kerîm'in savaşa giden bir topluluk içinden bir grubun geride kalarak dinin inceliklerini anlamakla meşgul olmalarını istediği ayetteki (لِيَتَفَقَّهُوا فِي الدِّينِ) ifadesi[14] bu anlamdadır. Kelimenin ıstılah anlamında da görüleceği üzere bu ilim dalına fıkıh isminin seçilmiş olması onun dildeki anlamıyla da bağlantılıdır.

Fıkıh kelimesi, Kur'ân-ı Kerîm'de bahsedilen anlamında çeşitli fiil kalıplarıyla birçok ayette geçmektedir. Hz. Peygamber'in: «مَنْ يُرِدِ اللَّهُ بِهِ خَيْرًا يُفَقِّهْهُ فِي الدِّينِ» *"Allah*

---

11 Cevherî, *es-Sıhâh* (nşr. Ahmed Abdülgafûr Attâr), Beyrut, 1987, VI, 2243, "fkh" md.; Zebîdî, *Tâcü'l-'arûs*, ts., XXXVI, 456, "fkh" md.

12 Fahreddîn er-Râzî, *el-Mahsûl* (nşr. Taha Câbir el-Alvânî), Beyrut, 1997, I, 78; Ebü'l-Bekâ, *el-Külliyyât*, s. 67.

13 Nisâ suresi, 4:78.

14 Tevbe suresi, 9:122.

*kimin için bir hayır dileyecek olursa, onu dinin inceliklerini anlamada da maharet (tefakkuh) sahibi kılar."*[15] hadisi ile onun Abdullah b. Abbâs için yaptığı: «اَللَّهُمَّ فَقِّهْهُ فِي الدِّينِ» "Yâ Rabbi! Onu dinde fakih (dinin inceliklerini anlamada maharet sahibi) kıl."[16] duası bu anlamdadır.

Kelime anlamında da görüleceği üzere fıkıh kapsamında değerlendirilebilecek bir bilgiye ulaşabilmek için belirli bir birikim, zihinsel çaba ve yeteneğin bulunması gerekir. Bu özellik onun dikkat çekici yönünü oluşturur. Çünkü eşyanın hakikatine, inceliklerine vakıf olmak belirli ölçüde kabiliyeti, samimi çaba ve ilgiyi gerektirir. Nitekim Kur'ân-ı Kerîm'de:

وَطُبِعَ عَلَى قُلُوبِهِمْ فَهُمْ لَا يَفْقَهُونَ

*"Kalpleri üzerine mühür vurulmuştur, bu yüzden anlayamazlar."* ayetinde[17] bu anlam dikkati çekmektedir.

Fıkıh: Görünenden Görünmeyenin Bilgisine Ulaşmak

Râgıb el-İsfahânî'nin, sonrasında birçok âlim tarafından da tekrarlanan "Fıkıh, görünenden görünmeyenin bilgisine ulaşmaktır."[18] şeklindeki tanımı da fıkıh bilgisinin bir tür zihinsel çabayı gerektirdiğini anlatır. Bunun için yaratılıştan gelen bir yeteneğin bulunması da lazımdır.

Hz. Peygamber'in:

«نَضَّرَ اللَّهُ امْرَأً سَمِعَ مِنَّا حَدِيثًا، فَحَفِظَهُ حَتَّى يُبَلِّغَهُ، فَرُبَّ حَامِلِ فِقْهٍ إِلَى مَنْ هُوَ أَفْقَهُ مِنْهُ، وَرُبَّ حَامِلِ فِقْهٍ لَيْسَ بِفَقِيهٍ»

*"Allah, bizim bir sözümüzü tam olarak ezberleyip bir başkasına aktaranın yüzünü ak etsin. Başkalarına fıkıh (incelikleri ihtiva eden hadis) nakleden nice kişiler vardır, naklettiği şahıs ondan daha fakihtir (yani o hadisin inceliklerini o kişiden daha iyi anlayabilir)."* Yine:

15 Buhârî, "İlim", 10, "İ'tisâm", 10; Müslim, "İmâret", 175.
16 Buhârî, "Vudû", 10; Müslim, "Fezâilü's-sahâbe", 138.
17 Tevbe suresi, 9:87.
18 Râgıb el-Isfahânî, *el-Müfredât*, Dımaşk-Beyrut, 1992, s. 642.

«وَرُبَّ حَامِلِ فِقْهٍ لَيْسَ بِفَقِيهٍ»

*"Nice fıkıh nakleden kişiler vardır fakih değildir."* hadisi[19] dinin ana kaynaklarını anlamak için belirli bir çaba ve yeteneğin bulunması gerektiğine işaret ederken fıkıh kelimesinin anlamına da işaret etmektedir.

Görüldüğü üzere kelime olarak fıkıh bir şeyi bilmek ve özellikle sözü söyleyenin maksadını anlamak demektir. Söz açıksa bunu doğrudan doğruya, değilse düşünme ve araştırma yoluyla anlamak, fıkhın ana özelliğini oluşturur. Bir ilmin adı olarak fıkıh, özellikle Kur'ân-ı Kerîm ve Hz. Peygamber'in sünnetini anlama ilmi demektir. Bu onun terim anlamı ile ilgili bir husustur.

## Fıkhın Terim Anlamı

Terimler veya ıstılahlar, bir ilim dalına mensup âlimlerin aralarında görüş birliğine vararak bir kelimenin sözlük manasının dışında başka bir anlamda kullanılmasıyla oluşur. Terimler, bir ilmin özel dilini oluşturduğu için o dili bilmeyenlerin söz konusu ilmi anlamaları mümkün değildir. Bu açıdan terimler önemlidir. Meşhur terimler sözlüğü *Keşşâfu ıstılâhâtı'l-fünûn*'un yazarı Tehânevî (ö. 1158/1745?) her ilmin özel dilinin yani terimlerinin bilindiği takdirde o ilmin tahsilinde hocalara "teberrüken" (bereket beklemek için) ihtiyaç kalacağını söyler ve eserini de bu sebeple kaleme alır.[20]

Fıkhın sözlük anlamı ile terim anlamı arasında bir ilişki bulunmaktadır. Çünkü fıkıh, nasların inceliklerini anlama ve kavrama ile ilgili bir ilimdir. İslam toplumunda 2. (8.) yüzyılın ikinci yarısından itibaren dinî

---

19 Ebû Dâvûd, "İlim", 10; Tirmizî, "İlim", 7; İbn Mâce, "Mukaddime", 18, "Menâsik", 76.

20 Tehânevî, *Keşşâfu ıstılâhâtı'l-funûn* (nşr. Ali Dehrûc), Beyrut, 1996, I, 1.

ilimlerin oluşum dönemiyle birlikte dinin ahkâm boyutunu konu edinen fıkhın çeşitli tanımları yapılmıştır. Bu bağlamda İmâm-ı Âzam Ebû Hanîfe (ö. 150/767): (لَهَا مَا كَسَبَتْ وَعَلَيْهَا مَا اكْتَسَبَتْ) *"Herkesin kazandığı hayır kendisine, yaptığı kötülüğün zararı yine kendisinedir."*[21] ayetinin işaretiyle fıkhı şöyle tanımlamıştır:

اَلْفِقْهُ: مَعْرِفَةُ النَّفْسِ مَا لَهَا وَمَا عَلَيْهَا

İmâm-ı Âzam'ın Fıkıh Tanımı

"Fıkıh, kişinin lehine ve aleyhine olan şeyleri bilmesidir."[22] Kişinin lehine olanlar, haklarını, faydasına ya da hayrına olanları, sevap getiren eylemlerini; aleyhine olanlar ise yükümlülüklerini, zararına olanları, günah olan eylemlerini ifade eder. Bütün bu eylemlerin dinî, hukuki, ahlaki bir karşılığı vardır. Dolayısıyla tanım, sadece hukuki anlamda haklar ve vazifeleri değil, aynı zamanda inanç/itikat ve ahlakı ilgilendiren hususları da içermektedir.

Dinin farklı boyutlarının değişik ilim dallarının konusu hâline gelmesiyle birlikte bu tanıma "amelen" kaydı eklenerek fıkhın alanı belirlenmiştir. Bu kayıtla inanç konuları akaid ve kelama; ahlak konuları tasavvuf ve ahlak ilmine terk edilerek fıkıh, şeri-amelî hükümlerin ilmi hâline gelmiştir. Böylece fıkıh, gündelik hayatta Allah ile insan, insan ile insan, insan ile devlet, devlet ile diğer devletler arasındaki hak ve ödevler ilişkisine ait kuralların ilmi olarak karşımıza çıkmıştır.

Şâfiî mezhebine mensup âlimler ise fıkhı şöyle tarif etmişlerdir:

اَلْفِقْهُ اِصْطِلاَحًا: اَلْعِلْمُ بِالْأَحْكَامِ الشَّرْعِيَّةِ الْعَمَلِيَّةِ الْمُكْتَسَبَةِ مِنْ أَدِلَّتِهَا التَّفْصِيلِيَّةِ.

21 Bakara suresi, 2:286.
22 Sadruşşerîa, *Tenkîhu'l-usûl*, Kahire, ts., I, 16-17.

Fıkhın İlgili Olduğu Hükümler

Fıkıh: "Şeri-amelî hükümleri özel delillerinden çıkararak bilmektir."[23] Tanımda geçen şeri hükümler ifadesi fıkhın ilgili olduğu hükümlerin kaynağının din olduğuna işaret eder. Buna göre tatma, koklama ve dokunma gibi kaynağı duyu organları (havâss-ı selîme) olan duyusal hükümler ya da matematik formülleri gibi kaynağı salt akıl olan matematiksel hükümler, fıkhın konusuna dâhil değildir.

Tanımda geçen hükümler ifadesinin amelî (el-ameliyye) ifadesiyle kaydı, fıkhın gündelik hayatta mükelleflerin eylemlerine ilişkin hükümleri incelediğini gösterir. Bununla inanç ve ahlakı ilgilendiren konuların fıkhın alanı dışında olduğuna işaret edilir.

Hükümlerin delillerden çıkarılmış olması ise, onların zihnî çaba ve akıl yürütme (nazar ve istidlal) sonucu elde edildiğini göstermektedir. Bu kayıt ile Allah ve Resulü'nün bilgisi tanımın dışında bırakılmak istenmiştir. Çünkü Allah'ın bilgisi zatî olup, nazarî ve istidlalî değildir; ilahî bilginin nazarî ve istidlalî olduğunu söylemek Onun için noksanlık ifade eder, Allah ise her türlü eksiklikten uzaktır. Hz. Peygamber de vahye muhatap olması sebebiyle dinde bilginin kaynağıdır, bu nedenle onun da nazar ve istidlale ihtiyacı yoktur. Delilini bilmeyerek bir görüşe tabi olan kişi anlamına gelen "mukallid"in bilgisi de bu tanımın dışında kalır. Çünkü onun bilgisinde delile bağlı zihinsel çaba yoktur. O sadece bir âlimin görüşünün peşine takılmıştır.

Tafsîlî Delil

Tafsîlî delile cüzi delil de denir. Bundan maksat herhangi bir meselenin hükmünü düzenleyen özel delil demektir. Buna göre hükme kaynaklık eden ilgili ayet veya hadis tafsîlî delil olmaktadır. Mesela evlenilmesi yasak olanları belirleyen Nisâ suresinin 23. ayeti tafsîlî delildir. Bununla da

23 Sübkî, *el-İbhâc*, Beyrut, 1995, I, 28; İsnevî, *Nihâyetü's-sûl*, Beyrut, 1999, s. 11; a.mlf., *et-Temhîd* (nşr. Muhammed Hasan Heyto), Beyrut, 1400, I, 50.

fıkıh usulünde incelenen Kitap, Sünnet, İcma ve Kıyas gibi hükmün kaynakları ve yöntemleri tanımın dışında tutulmak istenmiştir.

Osmanlı'nın son döneminde Hanefî fıkhı esas alınarak daha çok borçlar, eşya ve yargılama hukuku alanındaki hükümleri kanunlaştıran *Mecelle-i Ahkâm-ı Adliyye*'nin 1. maddesinde yer alan:

اَلْفِقْهُ : عِلْمٌ بِالْمَسَائِلِ الشَّرْعِيَّةِ الْعَمَلِيَّةِ

"İlm-i Fıkıh: Mesâil-i şer'iyye-i ameliyyeyi bilmektir." şeklindeki tanımı, Şâfiîlerin fıkıh tanımıyla uyum gösteren daha özlü bir özelliğe sahiptir. Bu tanımda geçen "bilmek" ifadesi, usulüne uygun biçimde delillerden hüküm çıkarabilme bilgisine/melekesine sahip olmak demektir. Buna göre bilmek, birtakım ilke ve kaideleri içselleştirerek karşılaşılan meseleleri çözebilme kabiliyetine sahip olmayı ifade etmektedir. "Mesâil" kelimesi de delile dayanarak hükmü belirlenen meseleler demektir.

Fıkıh ilmiyle uğraşan kişiye "fakih" (çoğulu "fukahâ") denir ki dinin temel kaynaklarından hüküm çıkarabilecek yeti ve donanıma sahip âlim demektir. Bu manada "müçtehit" ile "fakih" aynı anlama gelir.

## Fıkhın Kısımları

Fıkıh, "furû-ı fıkıh" ve "usûl-i fıkıh" olmak üzere iki kısımda ele alınır. Birincisi delillerden çıkarılmış hükümlerden oluşur. Fıkhın kökleri, temelleri, esasları anlamına gelen "usûl-i fıkıh" ise müçtehidin tafsîlî, yani özel delillerden şeri-amelî hükümleri çıkarabilmesine yarayan kaidelerin ve yöntem bilgisinin ilmidir. Kısaca söylemek gerekirse, "usûl-i fıkıh", "furû-ı fıkıh"ta yer alan hükümlerin çıkarılmasına yarayan bir ilimdir.

İslam âlimleri:

أَلَمْ تَرَ كَيْفَ ضَرَبَ اللَّهُ مَثَلًا كَلِمَةً طَيِّبَةً كَشَجَرَةٍ طَيِّبَةٍ أَصْلُهَا ثَابِتٌ وَفَرْعُهَا فِي السَّمَاءِ

*"Görmedin mi? Allah nasıl bir misal verdi. Tatlı bir söz, kökü yerde sabit, dalları gökte olan şirin bir ağaç gibidir. O ağaç Rabbinin izniyle her zaman meyve verir."*[24] ayetinden yola çıkarak fıkhı ve usulünü meyveli bir ağaca benzetirler.[25] Buna göre fıkhın iki kaynağı, Kur'an ve sünnet, meyve veren ağaçtır (müsmir). Hükümler, meyvelerdir (semere). Meyveyi devşiren (müstesmir) ise müçtehittir. Delillerin hükme delalet şekilleri (istismâr), uygulanan yöntemlerdir.[26]

Günümüzde fıkıh özellikle akademik çevrelerde, dinin hukuki boyutunu teşkil eden "İslam Hukuku" tabiriyle karşılanmaktadır. Ancak İslam Hukukunda, fıkıhtan farklı olarak Allah ile kul arasındaki ilişkileri düzenleyen ibadet bahisleri (ibâdât) yer almamakta, bu alan daha çok ilmihâl türü eserlere bırakılmaktadır. İslam hukukunda insan-insan, birey-devlet ve devlet-devlet arası ilişkileri (muamelat ve ukûbât) ilgilendiren konulara yer verilmiştir.

## FIKHIN ÖZELLİKLERİ

Fıkhın hukuk boyutunu oluşturan İslam hukukunun özelliklerini iki grupta ele almak mümkündür. Birincisi değişmez ve yapısal karakter arz edenler, ikincisi ise bunların doğrultusunda İslam hukukçularının çabaları sonucu şekillenen hususiyetlerdir. Yapısal anlamda vahiy kaynaklı hukuk oluşu, İslam hukukunun değişmez özelliğidir. Diğer iki özelliği olan din-ahlak-hukuk bütünlüğü ile çift yönlü müeyyideye

24 İbrâhîm suresi, 14:24.
25 Sadruşşerîa, *Tenkîhu'l-usûl*, I, 2; Ali el-Kârî, *Fethu bâbi'l-inâye*, I, 36.
26 Gazzâlî, *el-Mustasfâ fî usûli'l-fıkh*, Beyrut, 1993, I, 5.

sahip oluşu da bu özeliğinin tabii sonucudur. Gelişim süreci itibariyle hukukçuların kattığı değer de onun hukukçuların çabalarıyla oluşan özellikleridir. İslam hukukunun sivil bir çabanın ürünü olarak haricî baskıdan bağımsız olarak kendi tabii ortamında gelişmiş olması, meseleci yönteme bağlı bir gelişim göstermesi ve özgün sistematiğinin bulunması onun hususiyetleri arasındadır. Şimdi bu özellikleri detaylı bir şekilde ele alabiliriz.

## Fıkhın/İslam Hukukunun Yapısal Özellikleri

### Vahiy Kaynaklı Oluş ve Buna Yapılan Eleştiriler

İslam Hukukunun Vahiy Kaynaklı Oluşu

İslam hukukunun vahiy kaynaklı oluşu onun en dikkat çekici yönünü oluşturur. Ana kaynakları Kur'ân-ı Kerîm ve Hz. Peygamber'in sünnetidir. Dinî literatürde bu iki kaynağa ortak bir isimlendirme ile "nas" adı verilir.

Hüküm çıkarabilecek donanıma sahip olan âlimlerin öncelikle bu iki kaynağa başvurmaları gerekir. Allah ve Resulü'ne itaati emreden ayetler[27] bu konuda delil olduğu gibi şu ayet de bunu açıkça ortaya koyar:

وَمَا كَانَ لِمُؤْمِنٍ وَلَا مُؤْمِنَةٍ إِذَا قَضَى اللَّهُ وَرَسُولُهُ أَمْرًا أَنْ يَكُونَ لَهُمُ الْخِيَرَةُ مِنْ
أَمْرِهِمْ وَمَنْ يَعْصِ اللَّهَ وَرَسُولَهُ فَقَدْ ضَلَّ ضَلَالًا مُبِينًا

*"Allah ve Resulü bir işte hüküm verdiği zaman artık mümin bir erkek ve kadın için o konuda başka bir seçenek yoktur. Kim Allah'a ve Resulü'ne karşı gelirse apaçık bir sapıklığa düşmüş olur."*[28]

İçtihatta Muâz b. Cebel'in Örneği

Belirli bir meseleyle ilgili olarak söz konusu iki kaynakta açık hüküm yer alıyorsa, ona aynen uymak gerekir, aksi takdirde hüküm içtihat yoluyla tespit edilecektir. Bu konuda takip edilecek yönteme, Hz. Peygamber (s.a.v.) ile onun Yemen'e

27 Âl-i İmrân suresi, 3:32; Nisâ suresi, 4:59; Enfâl suresi, 8:20; Nûr suresi, 24:54; Muhammed suresi, 47:33.

28 Ahzâb suresi, 33:36.

gönderdiği Muâz b. Cebel arasında geçen şu meşhur diyalog açıkça işaret eder:

Hz. Peygamber: *Sana bir uyuşmazlık getirildiğinde neye göre hüküm vereceksin?*

Muâz: Allah'ın kitabındakine göre.

Hz. Peygamber: *Allah'ın kitabında açık bir hüküm bulamazsan?*

Muâz: Resûlullah'ın sünnetine bakarım.

Hz. Peygamber: *Onda da açık bir hüküm bulamazsan?*

Muâz: Re'yimle içtihat ederim, meseleyi sürüncemede bırakmam.

Bu cevaplar üzerine Hz. Peygamber memnuniyetini ifade ederek Allah'a hamdetmiştir.[29] Bu diyalogda fıkhın ilahî kaynaklı oluşuna vurgu yapılırken insanın çabasının önemine de açık biçimde yer verilmiştir.

**Vahiy Kaynaklı Oluşuna Yöneltilen Eleştiriler**

İslam hukukunun vahiy kaynaklı bir hukuk sistemi oluşu bazı araştırmacılarca olumsuz bir özellik olarak görülmüş ve bu karakterin İslam hukukunu statik bir yapı içerisinde bıraktığı iddia edilmiştir. Özellikle hukukun diğer normatif disiplinlerle ilişkisinin ele alındığı bazı modern çalışmalarda bu husus çok açık biçimde ifade edilmiştir. Bu iddiayı şöyle özetleyebiliriz:

Dinin kuralları sabittir, değişmez. Gündelik hayatta karşılaşılan olaylar ise sürekli gelişme ve değişme hâlindedir. Değişmeyen/statik din kurallarıyla, değişen hayatın ihtiyaçlarını karşılamak mümkün değildir. İslam hukuku da dine dayalı bir hukuk sistemi olduğuna göre o da değişmez kurallara sahiptir ve bu açıdan statik özellik taşımakta,

29 Ebû Dâvûd, "Akdiye", 11; Tirmizî, "Ahkâm", 3.

dolayısıyla değişen ve gelişen hayatın ihtiyaçlarına cevap verememektedir. Hayatı dondurmamak ve önüne engel koymamak için, din kuralları ile hukuk birbirinden büsbütün ayrılmalıdır.[30]

İslam'ın Evrensellik ve Süreklilik Karakteri

Dikkatli ve objektif bir şekilde bakıldığında İslam hukukunun dinamik bir yapıya sahip olduğu görülür. Din olarak İslam'ın evrensellik ve süreklilik özelliği onun hukukunun da dinamik olmasını zaruri kılar. Aşağıdaki ayetler dinin evrenselliğini açık bir biçimde ortaya koyar:

*"De ki: Ey insanlar! Gerçekten ben göklerin ve yerin hükümranlığı kendisine ait olan O'ndan başka tanrı bulunmayan, dirilten ve öldüren Allah'ın hepinize gönderdiği elçisiyim."*[31]

*"Seni ancak âlemlere rahmet olarak gönderdik."*[32]

*"Âlemlere uyarıcı olsun diye kuluna Furkân'ı indiren Allah ne kutludur!"*[33]

*"Biz seni başka değil, ancak müjdeleyici ve uyarıcı olarak bütün insanlara gönderdik; fakat insanların çoğu bunu bilmek istemiyorlar."*[34]

Aynı zamanda *"Diğer peygamberler sadece kendi kavmine gönderilirken ben, insanların tamamına gönderildim."*[35] hadisi de aynı gerçekliği ifade etmektedir.

30 Jean Baz, *Essai sur la fraude a la loi en droit musulman*, s. 1-4, 8; Emile Tyan, "La Procedure du 'de faut' en droit musulman", s. 127-128; Mir Siadat Ali Khan, "The Mohemmedan Laws against Usury and How They are Evaded", s. 238-239; M. Fuad Köprülü, "Fıkıh", *İA*, IV, 614; Vasfi Raşid Sevig, "Fıkıh ve Medeni Kanun", *AÜHFM*, VIII/3-4, s. 229, 231; Sulhi Dönmezer, "Hukuk ve Hayat", *İÜHFM*, c. 21, Sayı 1-4 (1957), s. 427; Sadri Maksudi Arsal, "Hukuk İlmi ve Sosyoloji I: Hukuk Kavaidi ve Hukuk İlmi", *AÜHFD*, Ankara, 1964, s. 21; Hıfzı Veldet, *Medeni Hukuk*, s. 24-25; Necip Bilge, *Hukuk Başlangıcı*, s. 26-28; Esat Arsebük, *Medeni Hukuk*, s. 17; Zahit İmre, *Medeni Hukuka Giriş*, s. 26-27; A. Şeref Gözübüyük, *Hukuka Giriş ve Hukukun Temel Kavramları*, s. 12-14.

31 A'râf suresi, 7:158.

32 Enbiyâ suresi, 21:107.

33 Furkân suresi, 25:1.

34 Sebe suresi, 34:28.

35 Buhârî, "Teyemmüm", 1, "Salât", 56; Nesâî, "Gusl", 26.

Ayetlerde, Hz. Muhammed (s.a.v.)'in peygamberlerin sonuncusu olduğu,[36] Allah nezdinde hak dinin İslam olduğu,[37] bu sebeple de Allah'ın din tercihinde sadece İslam'a rıza göstereceği,[38] İslam'dan başka bir dinin asla kabul edilmeyeceği;[39] Kur'an'ın da Allah'ın koruması altında bulunduğu[40] gibi hususların vurgulanması İslam dininin evrensellik ve sürekliliğini göstermektedir.

İslam'ın söz konusu iki özelliğinden iki önemli sonuç orta çıkar. 1) Evrensellik, bir başka ifadeyle bütün insanlığı kendisine tabi olmaya davet edişi, onun mekân farkı gözetmeksizin bütün problemleri çözebilecek özellikte olmasını gerektirir. 2) Süreklilik, yani İslam'dan başka bir dinin gelmeyecek oluşu, dünya hayatı sona erinceye kadar insanların ihtiyaçlarını karşılayabilecek güçte olmasını zorunlu kılar. İşte bu noktada dinin en önemli aracı hukuk olmaktadır. Nitekim 1932 yılında Lahey'de toplanan Uluslararası Modern Hukuk Kongresi'nde Müslüman hukukçular tarafından alınan şu üç karar İslam hukukunun dinamizmini açık bir dille ifade etmektedir:

1) İslam hukuku (fıkıh) orijinaldir, hiçbir hukuk sisteminden etkilenmemiştir.

2) İslam hukuku dinamiktir, güncel ihtiyaçları karşılayabilecek dinamik bir yapıya sahiptir.

3) Söz konusu özellikleriyle İslam hukuku çağdaş hukukun kaynaklarından birisidir.

İslam hukukunu evrensel ve sürekli kılan, bir başka ifadeyle ona dinamizm kazandıran ana özelliklerini şöyle özetleyebiliriz:[41]

36 Ahzâb suresi, 33:40.
37 Âl-i İmrân suresi, 3:19.
38 Mâide suresi, 5:3.
39 Âl-i İmrân suresi, 3:85.
40 Hicr suresi, 15:9; Fussilet suresi, 41:41-42.
41 Bu bölüm için bk. Saffet Köse, "İslam Hukukunun Statik Olduğu İddiasının Tahlili", *SÜİFD*, sy. 6, Konya, 1996, s. 155-295 ve buradaki referanslar.

Kur'an ve Sünnet'in İşlevi

**Birinci Dinamik - Temel İlkeler:** İslam hukukunun iki temel kaynağı Kur'ân-ı Kerim ibadetler, evlenme ve boşanma ile ilgili bazı hususlar, bazı cezalar, miras hükümleri gibi kendilerinde maslahatın sabit olduğu nadir meseleler dışında ayrıntıya girmemiş ve yeterli miktarda temel ilkeler ve genel prensipler getirmiştir. Evrensel karakter taşıyan bu genel çerçeveli prensipler tüm zaman ve mekânlarda ihtiyaç duyulan hükümleri bünyesinde taşımaktadır. Bu sebeple, her türlü problemin çözümü için bu esaslarda bir temel bulunabilmektedir. Söz konusu ilkelerle İslam hukuku tüm zamanların ve coğrafyaların sorunlarına çözüm üretebilecek potansiyele sahip olmuştur.[42]

İçtihat

**İkinci Dinamik - İçtihat Zorunluluğu:** Fıkıh, dinin hayatla buluştuğu dinamik ilişkiyi ifade eder. İmam Şâfiî'nin (ö. 204/819): "İnsanın karşılaştığı her meseleyle ilgili Allah'ın mutlaka bir hükmü vardır. Bu hüküm açıkça belirlenmişse ona aynen uymak gerekir, eğer hüküm açık değilse içtihat yoluyla keşfedilir." sözü[43] fıkhın işlevini ortaya koyduğu gibi bunun içtihat yoluyla gerçekleşeceğini de tespit eder.

Fıkhın iki temel kaynağının ortaya koyduğu genel prensiplerin yaşanan hayat açısından pratik bir değer taşıması onların işletilmesine bağlıdır. Bu ilkeleri, insanların bütün ihtiyaçlarını karşılayabilecek durumda olan, anahtarı insanlara verilmiş, yeri ve yolları gösterilmiş büyük bir hazineye benzetmek mümkündür. Hazine değerinden hiçbir şey kaybetmemekle beraber insan açısından bir anlam taşıması, yoluna düşüp anahtarıyla kapısından içeriye girip ihtiyacı giderecek ölçüde ondan almakla gerçekleşir. İşte bu hazine, nasların temel prensipleri; anahtarı da içtihattır.

42 M. Tahir b. Âşûr, *Makâsıdü'ş-şerî'ati'l-İslâmiyye*, Tunus, 1973, s. 88, 92-93.
43 İmâm Şâfiî, *er-Risâle* (nşr. Ahmed Muhammed Şakir), Kahire, 1979, s. 477, nr. 1326.

Re'y

İçtihat, benimsenen metot doğrultusunda karşılaşılan meselenin Kur'an ve sünnetteki temel ilkelerle bağlantısını kurarak şeri hükme ulaşma çabasından ibarettir. Söz konusu iki kaynakta yeni bir olayın açık hükmü bulunamayınca, genel prensipler ve dinin ruhundan hareket ederek varılan hüküm re'y olarak isimlendirilmektedir. Re'y sübjektif bir yargı değil, metodik bir bilgiye dayalı olarak naslardan çıkarılan sonuçtur.

İçtihadın İşlevi

Sınırsız olaylara ilişkin şeri hükümlerin temel ilkelerden çıkarılmasını sağlayan dinamik güç kuşkusuz içtihattır. Bundan dolayı içtihat dinî bir görev olduğu kadar hayati bir zorunluluktur. Çünkü dinin hemen her olaya yönelik getirdiği bir hüküm mevcuttur ve çoğu zaman bu hükümler açık değildir. Bu durum içtihadın yerine göre "farz-ı ayn", yerine göre de "farz-ı kifâye" olduğunu göstermektedir.[44] Öyleyse İslam hukukunun dinamizminin pratik hayata yansımasının sırrı onun içtihada verdiği önemde saklıdır. Hatta Kur'ân-ı Kerîm'in savaş hâlindeki bir topluluk içinden bir grubun savaşa katılmayarak dinin inceliklerini anlamak (tefakkuh) için ilimle meşgul olmalarını emretmesi,[45] Allah yolunda savaşma ile dini anlamak üzere ilim yapmayı eşit tutması, Hz. Peygamber'in de içtihat melekesini elde etmiş âlimlerin (müçtehit), belirli bir meselede hataya düşmeleri hâlinde bile bir ecir kazanacaklarını bildirmesi[46] içtihadın önemine işaret etmektedir. Kuşkusuz bu durum, İslam dininin hayata intibakının fıkıhla, fıkhın dinamizminin ise içtihatla sağlanacağını göstermektedir.

Hz. Peygamber'in Muâz b. Cebel'i Yemen'e gönderirken ona sorduğu *"Sana bir uyuşmazlık getirildiğinde neye göre*

---

44 bk. Hayreddin Karaman, *İslâm Hukukunda İctihad*, Diyanet İşleri Başkanlığı Yayınları, Ankara, ts., s. 27-33; Nâdiye Şerif el-Ömerî, *el-İctihâd*, Beyrut, 1985, s.121 vd.; Abdülmün'im en-Nemr, *el-İctihâd*, Kahire, 1987, s. 63-68.

45 Tevbe suresi, 9:122.

46 Buhârî, "İ'tisâm", 20, 21; Müslim, "Akdiye", 15; Ebû Dâvûd, "Akdiye", 2.

*hüküm vereceksin?*" sorusuna, Muâz'ın Kur'an ve sünnette açık bir hüküm bulamadığı olaylarda içtihatla sonuca varacağını söylemesi üzerine Hz. Peygamber'in Allah'a hamdetmesi de[47] esasında içtihada verilen değeri gösterir.

İçtihat Kapısı Tartışması

Bununla birlikte 4. (10.) yüzyıldan itibaren içtihat kapısının kapandığına dair bir fikir ortaya atılmıştır. Özellikle mezhep hukukunun istikrar kazandığı 4. (10.) yüzyıldan itibaren mutlak müçtehitlerin yerini daha çok mezhep içi istidlal anlamına gelen "tahrîc" yöntemini uygulayan âlimler almış, halkta da "ittiba" ve "taklit" öne çıkmıştır. Bu dönemden itibaren içtihat kapısının kapandığına dair bir intiba oluşmuş ve özellikle bu mesele günümüz araştırmacılarını oldukça fazla meşgul etmiştir.

Wael b. Hallaq, 4. (10.) yüzyıldan sonraki dönemlere doğru kronolojik olarak ilgili literatürü inceledikten sonra, içtihat kapısının kapandığı iddiasının isabetli olmadığını dört açıdan reddetmektedir:

1) Hemen hemen her dönemde içtihat yapabilecek bilgi birikimine sahip âlimler mevcut olmuştur.

2) Fıkıh ekollerinin oluşumundan sonra furû fıkhı (positive law) geliştirmek için içtihat kullanılmıştır.

3) Hicri 500 yılına kadar "içtihat kapısının kapandığı" (*insidâdü bâbi'l-ictihâd*) tabirine ya da içtihadın sona erdiğini ima edecek herhangi bir ifadeye rastlanmamıştır. 4) İçtihat kapısının kapandığı ve müctehitlerin kalmadığı noktasındaki tartışma fukahanın, içtihadın sona erdiği konusunda bir görüş birliğine varmalarını engellemiştir.[48]

Bütün bunlarla birlikte içtihat kapısının kapandığına dair bir düşüncenin niçin ortaya atıldığı ve bu düşüncenin

47 Ebû Dâvûd, "Akdiye", 11; Tirmizî, "Ahkâm", 3.
48 Wael b. Hallaq, "Was the Gate of ijtihad Closed", *IJMES*, London-New York, 1984, s. 4.

hangi gerekçeye dayalı olarak ilk defa hangi eserde dile getirildiği konusunda kesin bir bilgiye şu ana kadar ulaşılabilmiş değildir. Öyleyse 4. (10.) yüzyılda içtihat kapısının kapandığına dair iler sürülen iddianın sebebinin ne olduğunu ya da bu düşünceyle tam olarak neyin kastedildiğini soruşturmamız gerekmektedir ?

Bu noktadaki değerlendirmeleri üç noktada toplamak mümkündür:

1) İçtihat kapısı kapanmamıştır. Bu, şu anlama gelir: Mezheplerin kurumsallaşmasıyla birlikte artık mutlak içtihada gerek kalmamıştır. Çünkü bu konuda söylenebilecekler söylenmiş ve yapılabilecekler yapılmış, içtihada ilişkin bütün esaslar belirlenmiştir. Gerçekten tarihî süreç içinde mezhep üzerinden din ile kurulan bağlantı herhangi bir sorun oluşturmamış ve mezhep içi istidlal anlamına gelen tahrîc yöntemiyle sorunlar aşılmıştır. Dinî bilginin mezhep üzerinden denetlenebilmesi sebebiyle bir istikrar sağlanmış, zihinsel kaos ve kargaşa ortamı engellenmiştir. Üstelik Moğol istilası gibi çeşitli dönemlerde ortaya çıkan siyasal ve sosyal krizler dahi bu yapıyı bozamamış, dinî bilginin üretilmesindeki güçlü gelenek tarihte olduğu gibi bugün de varlığını sürdürmektedir.

2) Mezheplerin kurumsal kimlik kazanmasıyla birlikte her devlet hukuki istikrarı sağlamak amacıyla bunlardan birini esas almış, mahkemelerde bireysel içtihat ve diğer mezhep görüşleriyle amel etmenin kapısı kapanmıştır. İçtihat kapısının kapandığı iddiası bu anlamda mecazen kullanılmıştır.

3) Hanefîler gibi bazı mezheplerin eğitim-öğretim faaliyetlerinde farazi meselelere ağırlık vermesiyle çoğalan içtihatlar, hiç vaki olmayacak meselelere bile çözümler üretilmesini doğurmuş, bu nedenle artık içtihada gerek kalmadığı,

neredeyse bütün meselelerin halledildiği anlamında içtihat kapısının kapandığı yönünde bir eğilim ortaya çıkmıştır. Tarihte, günümüzdeki gibi komplike problemlerle karşılaşılmaması, daha çok birbiriyle benzeşen olayların yaşanması, problemlerin, meselelerin birbirine kıyas edilmesi ya da basit tahrîclerle çözüme ulaşılması, mecazi anlamda içtihat kapısının kapandığı yönünde bir eğilimin oluşmasında etkili olmuş olabilir.

Sonuç olarak gerçek anlamıyla içtihat kapısı kapanmış değildir. Çünkü içtihat, hayatın din ile bağlantısını kuran ana dinamik olduğu için onun kapısının kapatılması mümkün olmadığı gibi içtihat kapısının kapandığını söylemek bizzat kendisi bir içtihat olması açısından da kendi içinde tutarsız ve çelişik bir durumdur. Öyleyse içtihat kapısının kapandığına dair bir ifade ancak mecazi olarak anlaşılmalıdır.

Hukukta Kolaylık İlkesi

**Üçüncü Dinamik - Hükümlerde Esneklik (*Mürûnet*):** Bu ilkeyle kastedilen şey zaruret, özür, ihtiyaç, sıkıntı, ikrah, acziyet ve zaaf gibi fertlerin ve toplumunun karşı karşıya kaldığı olağanüstü hâllerin dikkate alınarak bunlarda yer alan güçlüğü kaldıracak, kişiye kolaylık sağlayacak ve bazı mükellefiyetleri hafifletecek tedbirlere imkân tanınmasıdır. Bunun için istisnai kaideler vazedilmiş, insanların örf ve âdetlerinin dikkate alınması, maslahata riayet edilmesi prensibi benimsenmiştir.

Hastalık, yolculuk, ikrah, hata, unutma, uyku gibi hâllerde birtakım ruhsatların bulunması bu esasa dayanmaktadır. İnsanın gücünü aşan hükümlerin dinde yer almayışı da kolaylık ilkesinin gözetilmesinin bir sonucudur.

Zaruret

"Dinin yasak ettiği bir şeyi yapmaya zorlayan durum" anlamına gelen zaruret hâli[49] kolaylık ilkesinin özel bir uygulamasıdır. Kur'ân-ı Kerîm bu durumlarda zaruret

49 Ali Haydar, *Dürerü'l-hükkâm şerhu Mecelleti'l-ahkâm*, İstanbul, 1330, I, 76, 79.

hâlini ortadan kaldıracak kadar haramların çiğnenmesine izin vermiştir.[50] "Zaruretler yasakları mübah kılar."[51] şeklinde külli kaideyle ifade edilen bu hükmün çerçevesi, "Zaruretler kendi miktarınca takdir olunur."[52] kaidesiyle çizilmiştir. Buna göre zaruret hâlinde haramdan yararlanma sadece mecbur kalınan durumu giderecek miktarla sınırlıdır. Bu durumu aşmak caiz değildir. Söz gelimi açlık sebebiyle ölüm tehlikesiyle karşı karşıya kalan birisi bulduğu domuz etinden sadece ölmeyecek miktarda yiyebilir.

Tedricîlik İlkesi

İslam'ın geldiği ilk yıllarda bireysel ya da toplumsal bünyenin bağımlılığı sebebiyle birdenbire kaldırma imkânı bulunmayan *mefsedet*lerden kurtulmanın zamana yayılarak tedricî olarak çözülmesi de hükümlerde esnekliğin bir başka göstergesidir. Bünyenin bir anda kopmaya izin vermediği alışkanlıkların radikal bir kararla bir anda yasaklanması, bütün dengeleri alt üst ederek ya beklenen neticeyi vermeyecek ya da bünyenin çöküşüne sebep olacaktı. Bu ise istenen bir durum değildi. Bireysel anlamda içkinin,[53] toplumsal anlamda ise faizin dört aşamada,[54] belirli bir eğitim sürecinin sonucunda yasaklanması bunun örneğidir. Günümüzde de birey ya da toplumun bağımlılık kazandığı ve bir anda kopmaya bünyenin izin vermediği kötü alışkanlık ve uygulamalarda da aynı yöntemin geçerli olduğu söylenebilir.

**Dördüncü Dinamik - Ta'lîl Edilebilirliğin Esas, Taabbüdîliğin İstisna Oluşu:** *Ta'lîl* ve *taabbüd* kavramlarının merkezinde *illet* vardır. İllet hükmün kendisine dayandığı

---

50 Bakara suresi, 2:173; Mâide suresi, 5:3; En'âm suresi, 6:119, 145; Nahl suresi, 16:115.
51 *Mecelle*, md. 21.
52 *Mecelle*, md. 22.
53 Sırasıyla: Nahl suresi, 16:67; Bakara suresi, 2: 219; Nisâ suresi, 4:43; Mâide suresi, 5:90-91.
54 Sırasıyla: Rûm suresi, 30:39; Nisâ suresi, 4:160-161; Âl-i İmrân suresi, 3:130; Bakara suresi, 2: 278-279.

açık ve belirli bir standardı olan vasıf demektir. Taabbüdî hükümler, Allah'a kulluğu belirli şekillere bağlayan ve bu özelliğiyle illeti akıl yoluyla kavranamadığından içtihada kapalı olan, niçininin araştırılmasının anlamsız olduğu hükümlerdir. Söz gelimi öğle namazının farzının niçin dört rekât olduğu sorgulanamaz. Bunların dışındaki dinî-hukuki hükümlerin ise amaçları, hangi illete bağlı olarak vazedildiği anlaşılabilir. Amaç ve illetlerin belirlenebilmesi faaliyetine *ta'lîl*; bu hükümlere ise talilî hükümler denir.

Talilî ve Taabbüdî Hükümler Ayrımı

Taabbüdî hükümler değişmesine ihtiyaç duyulmayan, özünde bulunan hikmetlerin bütün zaman ve coğrafyalarda geçerlilik arz ettiği, insanlar açısından kendilerindeki maslahatın sabit olduğu esaslardan oluşur. Bu açıdan onların içerdiği menfaatin zaman ve mekâna göre farklılık göstermemesi sebebiyle sabit kalmasında bir sıkıntı yoktur. Tam aksine bu tür hükümlerde değişikliğe gidilmesi toplum düzenini ve ahengi bozar.

Taabbüdî hükümlerde asıl olan istenilen şeyi eksiksiz, noksansız yerine getirmek ve istenildiği şekilde yapmaktır. Bu tür konularda herhangi bir yoruma gitmek ve hükmü esnetmek de mümkün değildir. İnanç esasları (*itikâdât*), ibadet hükümleri (*ibâdât*), haramlar ve helaller, miktarı belirlenmiş olanlar (*mukadderât-ı şer'iyye*) bu alana dâhildir.

İnanç esasları bütün dinlerin ortak noktasını oluşturan ve dinlerin gönderilişinin esas amacı olan tevhit akidesi ile ilgili olup Allah'ın insan üzerindeki hakkıdır. Bu nedenle değişmez. İbadetler de kulun Allah'a karşı bağlılığını gösteren ve sırf Onun emri olarak yerine getirilen sözlü ya da fiilî eylemlerdir. Miktarları ve şekilleri bizzat Allah Teâlâ tarafından belirlenmiş, Hz. Peygamber de ümmetine bunları öğretmiştir. Belirlenen miktar ve şekil dışında, ibadetlerde insana tasarruf yetkisi verilmemiştir. Dolayısıyla ibadetlerin özü ile ilgili yapılacak herhangi bir değişiklik ya da ilave, bidat (uydurulmuş yenilik) ve dalalet (sapıklık) kabul edilerek reddedilmiştir.[55]

Miktarı bizzat Allah ve Resulü tarafından belirlenen hükümler tartışma ve değişmeye kapalıdır. Bunlara fıkıh dilinde "mukadderât-ı şer'iyye" denir. Hadd cezalarındaki miktarlar,[56] miras hükümleri,[57] kocasından ayrılan kadına ait bekleme süreleri (iddet),[58] namazın vakti[59] ve rekâtları, ramazan orucu,[60] zekâtta nisap ve yükümlülük miktarları, kefaretler,[61] evlenme ve boşanmayı sınırlayan sayılar,[62] îlâ müddeti[63] gibi hükümlerin illeti anlaşılamadığından ya da illette kesinlik saptanamadığından bunlar değişim sahasının dışında yer alırlar.

Helal ve haram kılma konusunda tek yetkili Allah Teâlâ'dır.[64] İlke olarak Onun helal kıldığı bir şey haram, haram kıldığı da helal kılınamaz. Bu yüzden Kur'ân-ı Kerîm, helal-haram kılma konusunda kendilerini yetkili gören din adamlarını "rab" edinen önceki ümmetleri tenkit eder.[65]

Hükümlerde Makasıd ve Vesâil

Oruç gibi meşru kılınması itibarıyla bizzat kendileri amaç (makâsıd) olan hükümler ile ezan gibi sembol (şiar) değeri taşıyan hükümler değişmez.

Sırf maksadın gerçekleşmesine aracılık eden vasıta (vesâil) türünden hükümler, o amacı gerçekleştirici başka

55 Müslim, "Cum'a", 43; Ebû Dâvûd, "Sünnet", 6; İbn Mâce, "Mukaddime", 7.
56 Bakara suresi, 2:178-179; Nisâ suresi, 4:92; Mâide suresi, 5:33-34, 38; Nûr suresi, 24:2, 4.
57 Nisâ suresi, 4:11-12, 176.
58 Bakara suresi, 2: 228, 234-235; Ahzâb suresi, 33: 49; Talâk suresi, 65:1, 4.
59 Nisâ suresi, 4: 103.
60 Bakara suresi, 2: 183-185.
61 Bakara suresi, 2:196; Nisâ suresi, 4:92; Mâide suresi, 5:89, 95; Mücâdele suresi, 58:2-4.
62 Bakara suresi, 2:229.
63 Bakara suresi, 2: 226-227.
64 Nahl suresi, 16:116.
65 Tevbe suresi, 9:31.

vasıta niteliğindeki hükümlerle değiştirilebilir. Mesela ramazan ayının başlangıç ve bitişinin, hilalin çıplak gözle görülmesiyle (rüyet) tespit edileceğini ifade eden hadis[66] bu açıdan örnek olarak zikredilebilir. Burada bizzat hilalin tespiti ibadet değil, ibadetin vasıtasıdır.

O dönemde hilalin çıplak gözle görme dışında başka bir tespit yolu bulunmadığından Hz. Peygamber bunu tavsiye etmişti: *"Biz okuması yazması olmayan bir toplumuz. Hesap yapmayı da bilmeyiz. Ay şöyle şöyledir, yani bir kere yirmi dokuz, bir kere otuz (gündür)."*[67] *"Hilali görmedikçe oruç tutmayız ve onu görmedikçe de oruca son vermeyiz. Hava bulutlu olursa siz onu takdir ediniz."*[68]

Allah Teâlâ'nın Kur'ân-ı Kerîm'de her şeyi bir ölçüye göre yarattığını, ay ve güneşin belirli bir sistem (*hüsbân/hesaplar*) dâhilinde hareket ettiğini,[69] evrendeki mükemmel nizamda bir düzensizlik ve sapmanın olmayacağını[70] bildirmiş olması da hilalin tespitinde hesabın esas alınabileceğini göstermektedir.

Sübut ve Delalette Kesinlik

Sübutu ve delaleti kati, yani kesin olan nasların belirlediği hükümlerde değişme olmaz. *Mecelle*'nin "Mevrid-i nasta içtihada mesağ yoktur." şeklindeki 14. maddesi bunu ifade eder. Sübutu kati olan naslar, *ayet*ler ve *mütevatir* hadislerdir. Bunların sabit olduğu konusunda en ufak bir şüphe söz konusu değildir. Ancak nasların manaya delaleti aynı açıklıkta olmayabilir. Şayet nasların manaya delaleti kapalı ya da farklı şekilde anlaşılması muhtemel ise hükme delaleti de zanni olacaktır. Çünkü bu durumda hükümler içtihat sonucu elde edilmiştir, içtihat da "zann" bildirdiğinden kesin bilgi vermeyecektir.

---

66 Buhârî, "Savm", 11; Müslim, "Sıyâm", 4, 18, 19, 20; Tirmizî, "Savm", 25.
67 Buhârî, "Savm", 13; Müslim, "Sıyâm", 15; Ebû Dâvûd, "Savm", 4.
68 Mâlik, *el-Muvatta*, "Sıyâm", 1.
69 Rahmân suresi, 55:5.
70 Mülk suresi, 67:3-4.

Eğer nasların manaya delaleti kesin ise ilgili hüküm doğrudan doğruya Allah'ın muradını ortaya koyacak açıklıkta olduğu için tartışılmaz ve değişmez karakter arz eder. Mesela Kur'ân-ı Kerîm'de evlenilmesi yasak olanlarla ilgili hükümler, sübûtu ve delâleti kati olan naslar tarafından belirlendiği için değişmezdir.

Ta'lîl edilebilir nitelikteki hükümlere taabbüdîlik özelliğinin yüklenmesinin hayatın önünde önemli bir engel oluşturacağı, burada işaret edilmesi gereken önemli bir husustur. Günümüzde fıtır sadakasının ifasında malın değerinin değil, bizzat aslının, mesela buğdayın verilmesinin taabbüdî bir hüküm olduğunu savunan, Hanefîler dışındaki üç mezhebin görüşü böyle bir probleme sebep olmaktadır. Keza ramazan hilalinin çıplak gözle görülmesinin taabbüdî bir emir olduğunu savunanlar, ciddi sıkıntılara yol açmaktadırlar. Bunların dışında kalan ve özellikle muamelat alanına giren hükümler, ta'lîl edilebilir niteliğe sahiptir ve ilke olarak içtihada açıktır.

Hükümlerde Değişim

*Mecelle*'de değişmenin sınırlarını belirleyen iki külli kaide mevcuttur. "Ezmânın tegayyürüyle ahkâmın tegayyürü inkâr olunamaz." şeklindeki 39. maddede ifade edildiği üzere zamanın değişmesiyle, hükümlerin de değişmesi inkâr götürmez bir gerçekliktir. Örfle ilgili maddeler içinde zikredildiği de dikkate alınarak bu madde belirli bir örfe veya illete bağlı olarak gelmiş olan hükümlerin, o örfün veya illetin değişmesiyle değişeceğini ifade etmektedir. Söz gelimi içkinin yasak kılınmasının illeti, sarhoş edicilik (*iskâr*) vasfına sahip olmasıdır. İçkinin bu özelliğinin kaybolması, mesela sirkeye dönüşmesi hâlinde haram hükmü değişir ve yeni sıvı bu hâliyle helal olmuş olur. Örf ise insanların çoğunluğunun benimseyip alışkanlık hâline getirdikleri eylemler veya belirli bir anlam yükledikleri sözlerdir. "*Taze*

Hükümlerde Örfün Belirleyiciliği

*et yiyesiniz diye denizi emrinize veren o Allah'tır."*[71] ayetinde deniz ürünleri, mesela balık "et" olarak isimlendirilmiştir. Eğer belirli bir yörenin örfünde "beyaz et" ve "balık" kendi isimleriyle anılır hâle gelmiş ve et ifadesi sadece "kırmızı et"e tahsis edilmişse, et yemeyeceğine dair yemin eden birinin yemini, balık ya da tavuk yemesiyle bozulmuş olmaz. Kur'an'da, balığa et denildiği öne sürülerek bu kişinin yemininin bozulduğuna hükmedilmez. Böyle bir ayırımın olmadığı yerde ise yemin bozulmuş olur. İşte burada hükmün farklı olmasının sebebi örftür.

Diğer bir örnek olarak şunu zikredebiliriz: Satın alınan bir beyaz eşyayı eve kimin teslim edeceği alıcı ile satıcı arasında akit esnasında karara bağlanmamışsa bunun kimin sorumluluğunda olduğunu belirleyen örftür. Bu, bir şehirde alıcıya; başka bir şehirde ise satıcıya ait olabilir; ya da aynı şehirdeki bir uygulama bir müddet sonra başka bir hükme dönüşebilir. İki şehirdeki ya da farklı zamanlardaki hüküm farkının sebebi örftür. *Mecelle*'nin "Âdet muhakkemdir. Örfün hakemliği esastır." (md. 36); "Örfen şart kılınan şey konuşularak şart kılınmış gibidir."; ya da "Örfle belirlilik kazanan şey konuşularak belirlenmiş gibidir." (md. 43, 45) maddeleri bu hususta belirleyici kuralları ifade eder. Bu nedenle fıkıh kitaplarında benzer meselelere yönelik farklı hükümlerin yer almasının sebebi daha çok yörelerin örfünden ya da zaman içinde örfün değişmesinden kaynaklanmaktadır.

Fıkhın ve onun hukukunu ifade eden İslam hukukunun dinamizmine işaret eden birçok örnekten bahsedilebilir. Özellikle günümüz hukukuna 19. yüzyılın ikici yarısından sonra girebilmiş ve fıkıh kitaplarında başlangıçtan itibaren mevcut olan borcun nakli, hakkın kötüye kullanılması, beklenmeyen hâl, gayr-ı müyeyyiz sabilere

---

71 Nahl suresi, 16:14.

ait eylemlerin hukuki sonuçlarının bulunması gibi konular fıkhın dinamizmine işaret eden örneklerdendir. Bunun yanında uluslararası hukuka dair ilkeler ve bu hukuk dalının kuruluşunda Müslüman âlimlerin çabaları da fıkhın değerini gösteren bir veri olarak öne sürülebilir.[72]

Hukuk düzeninin temel amacı hakların ihlali ve vazifelerin ihmalini önlemektir. Toplumda bu bilincin yerleşmesi, hukukun cebrî gücüne ihtiyacı azaltır. Bu da toplumun huzur ve güveni açısından son derece önemlidir. Amir hükümlerin varlık sebebi de budur. İslam, emir ve yasakları din ile irtibatlandırmak suretiyle insan karakterini güçlendirmeyi hedeflemiştir. İbadetler bunun araçlarından birisidir.

### Hukuk Düzenini İnşada İbadetlerin İşlevi

Her türlü ibadet Allah'ın huzurunda bulunuşu ifade eder ve Allah'a inancı, O'na bağlılığı simgeler. Bu özelliğiyle ibadetler insan tabiatında ve ruhunda yerleşmiş bulunan ve birbirleriyle çatışma hâlindeki iyi ve kötü eğilimler içinde iyi yönlerin gelişip olgunlaşmasını, fertte bir iç disiplinin oluşmasını ve iradenin güçlenmesini sağlar. İbadetler vasıtasıyla ferdin vicdanında sabitleşen "kendi kendini denetleme" (oto-kontrol) mekanizması da hukukun denetim sahasını ve faaliyetlerini daraltır. Çünkü kişinin Allah'ın huzurunda bulunduğu bilincinin canlı tutulması onun emir ve yasaklarına karşı itaatsizliği, dolayısıyla ona karşı yapılacak saygısızlığı önleyici bir rol oynar.

İnsanın hareketli, irade eden ve nefis sahibi bir varlık olması, ayrıca iç dünyasının zengin ve karmaşık bir yapıda bulunması onu sadece hukukun haricî mekanizmasıyla, yani maddi müeyyidesiyle kontrol altına almayı güçleştirmektedir. Dolayısıyla toplumsal hayatta düzen ve istikra-

---

72 Bu konuyla ilgili daha ayrıntılı bilgi için bk. Saffet Köse, "İslam Hukukunun Modern Hukuka Katkıları Konusunda Bir Deneme", *Çağdaş İhtiyaçlar ve İslam Hukuku,* İstanbul, 2004, s. 95-133; ayrıca bk. buradaki referanslar.

rı sağlamak için hukuk kurallarının yeterli olamayacağı bilinen bir gerçektir. Çünkü insanın dış dünyasından ayrı bir de iç dünyası vardır ve onu yönlendiren de burasıdır. Bu sebeple onun doğal istikamette seyretmesini sağlayabilmek için öncelikle onun bu iç dünyasında etkin olmak gerekir. Bunun için ise hukukun haricî mekanizması kâfi değildir. İnsanlar kanunlarla ne kadar bağlanırlarsa bağlansınlar bazı zayıf eğilimleri sebebiyle onlardan kaçınma yollarını bulabilirler. Kişiler, fiil ve hareketlerini düzenleyen hükümlerin nüfuzundan çeşitli yollarla sıyrılabilirler.[73] İşte din, insanı dıştan ve içten kuşatan, onu duygu, sezgi, inanç ve düşünceleriyle bir bütün hâlinde kavrayan ve yönlendiren bir kurum olarak en sıkı nizam ve kanunlardan daha etkili bir kontrol sağlar.[74]

Dinin gücü, hukukun ulaşamadığı alanlarda ve ihlallerin engellenmesinde kendini gösterir. Cibrîl hadisi olarak meşhur olan diyalogda Cebrail (a.s.)'ın "İhsan nedir?" sorusuna Hz. Peygamber (s.a.v.)'in verdiği *"Allah'ı görür gibi kulluk yapmandır; çünkü sen O'nu görmesen de O seni görmektedir."*[75] cevabıyla, insanın bütün fiillerinden sorumlu olduğu, her söz ve eyleminde Allah'ın gözetimi altında bulunduğu ifade edilmiştir. Burada bahse konu olan "kulluk" sadece ibadetleri (insan-Allah ilişkisi) değil, aynı zamanda insan-insan ve insan-âlem ilişkisini bütün yönleriyle kapsayan geniş bir kavramdır. Bu kulluğun muhasebesi "din günü"nde yapılacaktır.[76]

Öyleyse Allah'a iman etmiş bir Müslüman'ın, geçici dünya hayatının ebedî olan ahiret hayatını[77] şekillendireceği,

---

73 *İslam Hukuku*, İstanbul, 2004, s. 95-133; ayrıca bk. buradaki referanslar. Birsen, Kemaleddin, "Medeni Kanun ve Hâkim", *Medeni Kanun'un XV. Yıldönümü İçin*, İstanbul, 1944, s. 107.

74 bk. Günay Tümer, "Din", *DİA*, IX, 317.

75 Buhârî, "Tefsir", 31/2, "Îmân", 37; Müslim, "Îmân", l.

76 Fâtihâ suresi, 1:4.

77 En'âm suresi, 6:32; Tevbe suresi, 9:38; Hûd suresi, 11: 15; Ankebût suresi,

hiçbir şeyin Allah'a gizli kalmadığı[78] ve onun her şeyi bildiği,[79] bu dünya hayatının kayda alındığı,[80] bütün davranışlarından Allah'ın huzurunda hesaba çekilip zerre miktarı da olsa yaptığı iyilik ve kötülüğün karşılığını göreceği[81] bilinci, kendi şahsi hürriyetinden ve bağımsız yönelişinden vazgeçerek, ilahî iradeye teslim olup bağlanmasını, Allah'ın mutlak hâkimiyet ve otoritesini kabul ederek buna baş eğmesini, Onun emir ve yasakları çerçevesinde hayatına yön vermesini sağlamaktadır. Bir anlamda onun imanı, kendi aczini bilerek, kendisinin sadece ilahî emirlerin uygulayıcısı olduğunu hissettirmekte, görevini en güzel şekilde ve en üst derecede yerine getirmesini temin etmektedir. Aynı zamanda bu bilinç ona güçlü bir "ödev ve sorumluluk" duygusu kazandırmakta ve hukukun ispatı mümkün olmayacak şekilde ihlal edilmesine engel olmaktadır. İnsanın yapısı itibariyle hem irade sahibi hem bencil hem cedelci hem de toplum hâlinde yaşama mecburiyetinde olması dikkate alınırsa, ona bütün yönleriyle hâkim olabilen dinin ifade ettiği anlam daha iyi anlaşılır.

Dinin Hukuka Katkısı

Bu yönüyle din, iddia edildiğinin aksine hukuka engel bir kurum değil, tam aksine onun işlevselliğine katkı sağlayan bir mekanizmadır.

Bu noktayı "otomobil metaforu"yla daha anlaşılır bir biçimde ifade etmek mümkündür: Hukuk kaideleri, eğimi fazla olan yolda boşa alınmış bir otomobili durdurmak için tekerlerine konulan takozlara benzer. Takozun ona uyguladığı engelleyici dış baskı kalktığı an bu otomobil aşağı doğru gider. Takoz alınmasa dahi dışarıdan kendisine itici bir güç uygulandığında takozu aşarak tekerleri dönerek gi-

---

29:64; Muhammed suresi, 47:36.

78 Gâfir suresi, 40:19; İbrâhîm suresi, 14:38.

79 Bakara suresi, 2: 282, 283; En'âm suresi, 6: 101.

80 İsrâ suresi, 17:13; İnfitâr suresi, 82:10-12.

81 En'âm suresi, 6:164; A'râf suresi, 7:8-9; Tâhâ suresi, 20:74-76; Zâriyât suresi, 51:6; Tekvîr suresi, 81:10-15; Gâşiye suresi, 88:25-26; Zilzâl suresi, 99:7-8.

der. Bu hukuk kurallarını sembolize eder ve bu durumdaki kontrol mekanizmalarının ne kadar zayıf ve etkisiz olduğunu gösterir. Bu otomobilin, içeriden frenlenmesi durumunda onu tutmaya gerek yoktur. Bu da kişinin vicdanı, yani ahlakıdır. Bu durumdaki aracın tekerlerine takoz konulması ise onun bulunduğu yerdeki eğime rağmen daha güvenli bir şekilde sabit kalmasını sağlar. Tekerlerinde takoz bulunsun veya bulunmasın araç, içeriden frenlendiği hâlde kendisine dışarıdan daha büyük itici bir güç uygulandığında yine hareket edebilir. Ancak bu defa tekerleri dönmez ve araç sürüklenir. İşte vicdanın hükmü de buna benzer. Bu durumda kural ihlalinde bulunmak zorunda kalan (zaruret hâli) ve sabit durmaya güç yetiremeyen kişi (ikrah hâli) vicdanen huzurlu ve mazur durumda bulunur. Burada içteki fren vicdanı, dolayısıyla ahlakı; takoz ise engelleyici müeyyideyi, yani hukuku sembolize etmektedir.

Ödevlerini sadece hukuk baskısı altında yerine getiren bireyin hâli birinci durumun tipik örneğidir. Kanunların etkisinden çıktığı an, zayıf eğilimlerinin etkisiyle bildiğini yapabilir. İçeriden frenlenmiş araç, din destekli vicdani kontrolün nefsani eğilimlere karşı güçlü bir kontrol mekanizması oluşturduğu ve hukukun ulaşamayacağı ya da zayıf kalacağı alanlarda kuvvetli bir etki göstereceğini anlatmaktadır. Bundan dolayı Hz. Ömer hilafet görevini üstlendiği gün ilk hitabesinde tıpkı Hz. Peygamber gibi "*Hesaba çekilmeden önce kendi kendinizi hesaba çekin.*"[82] uyarısını yaptıktan sonra "*O gün huzura alınacaksınız ve o gün hiçbir şey gizli kalmaksızın hesabı görülecek.*"[83] ayetini okuyarak vicdanlara seslenmişti.[84]

---

82 Tirmizî, "Kıyâmet", 25; Muttakî el-Hindî, *Kenzü'l-'ummâl*, XVI, 159, 166-167.
83 Hâkka suresi, 69:18.
84 İbn Ebî Şeybe, *el-Musannef* (nşr. Muhammed Avvâme), Beyrut, 2006, XIX, 143 (XIII, 270).

## Din-Ahlak-Hukuk Bütünlüğünün Mevcudiyeti

Din, Ahlak ve Hukuk Birlikteliği

İslam hukukunun yapısal özelliklerinden biri de din-ahlak-hukuk arasındaki sıkı ilişkidir. Konumu gereği din değeri belirler, ahlak onu yaşam biçimine dönüştürerek toplum kültürünü inşa eder, hukuk da bu esasları yazılı kural hâline getirerek maddi müeyyideye bağlar.

İslam açısından bakıldığında din-ahlak-kültürel formlar-hukuk amaç birliğine sahiptir. Mesela din adam öldürme, hırsızlık, gasp gibi istenmeyen bir davranışı günah sayar ve uhrevi ceza öngörür; ahlak onu kötü sayar dolayısıyla toplum ayıp telakki eder, toplum onun kültürel dokusunu örer; hukuk da gayrimeşru görerek maddi müeyyideye bağlar. İstenen davranışlara da din sevap ve mükâfat öngörür; ahlak onu iyi sayar, toplum takdir eder.

Bu normatif kurumlar, insanı içerden ve dışarıdan kavrar/kuşatır ve amacın kolayca gerçekleşmesini sağlar. Abdullah b. Ömer (r.a.)'ın bir grup arkadaşıyla çıktığı bir yolculukta rastladıkları bir çobandan kesmek üzere bir koyun istemeleri ve çobanın sürünün efendisine ait olduğunu söylemesi üzerine İbn Ömer'in denemek amacıyla: "Kayboldu veya kurt kaptı dersin." sözü üzerine çobanın: "Allah da bilmiyor mu?" şeklindeki cevabı konuyu özetler niteliktedir.

Bu olayda çobanın, hukukun ulaşamadığı bir alanda içselleştirdiği bir eylemle haksızlığa karşı duruşu, emanete riayet gibi ahlakın en temel değerlerinden birisine sahip çıktığı; din, ahlak ve hukukun birbirini tamamladığı ve hukuka ihtiyacı azalttığını göstermektedir.

Anomi: Değerler Karmaşası

Normatif yapılar arasında bir çelişki olduğunda mesela dinin haram saydığı bir şeyin hukuk tarafından meşru görülmesi hâlinde "anomi" (değerler karmaşası) oluşur.

Din-ahlak-kültürel doku-hukuk arasındaki ilişkinin somutlaşabilmesi ve ahlak kuralının hukuk kuralına dönüşmesini "Îsâr" örneği üzerinden analiz edebiliriz:

Îsâr, yani bir başkasını kendisine tercih etme, İslami bir ahlak ilkesi olarak Kur'ân-ı Kerîm'in teşvik ettiği bir erdemdir.[85] Bu ilke, şehir içi toplu taşıma araçlarında, oturan birisinin kendisinden daha güçsüz ya da daha fazla ihtiyaç içinde olan kişilere yer vermesi gibi bir davranış biçimi geliştirmiştir. Mesela yaşlıya, engelliye, hamileye, hastaya yer vermek toplumda ahlaki bir davranış biçimi olarak yerleşmiş ve tasvip görmüştür. Buna aykırı davranan ise kınanmıştır. Bu sebeple genellikle herkes buna göre hareket eder. Ancak bazı bireyler bunun iyi bir davranış biçimi olduğuna inansa da toplumun kınama, dışlama, alaya alma gibi baskı araçlarına aldırmadan zaman zaman ihmallerde bulunabilir. İşte bu durumda bu türden istisnai davranışları engellemek için ilgili kurum belirli koltukları bu gruptan olan yolculara tahsis eder ve bu kuralı bildiren bir levha astığında ahlak kuralı kanuna dönüşmüş olur. Artık hiç kimse bu amir hükmün dışına çıkamaz. Böylece vicdani müeyyide ile himaye edilen bir uygulama hukuk kuralına dönüşerek maddi müeyyide ile korunur hâle gelir. Bu aşamadan sonra hukuk, ahlakı da himaye eden bir mekanizma şeklini alır. Ancak din olumlu davranışlara ödül vererek, ahlak da toplumsal duyarlılığı dinamik tutarak hukukun işini kolaylaştırır. Burada dikkate değer olan husus toplumda herkesin böyle bir davranış biçiminin iyi olduğuna inanmış olmasıdır.

Davranışlarda Ahlakilik-Hukukilik Ayrımı

Bir davranışın ahlaki veya hukuki olduğunun ayırıcı kriteri eylemin hangi itici güçle (bâis/saik/motiv) yapıldığıyla ilgilidir. Eğer bir kimse kanuni müeyyideden dolayı mesela toplu taşıma aracında bir yaşlıya yer veriyorsa ya da borcunu,

85 Haşr suresi, 59:9.

ifa zamanı geldiğinde ödüyorsa bu hukuka uygundur. Çünkü hukuk bir görevin kurala uygun olarak yerine getirilmesini talep eder. Ahlak ise aynı davranışı vazife telakki etmeyi emreder. İkisi arasındaki ayırıcı çizgi şudur: Bir davranışın ahlaki olabilmesi için onun içselleştirilmesi ve bir yaşam biçimi olarak benimsenmesi, iyi niyetle yapılması gerekir. Hukukun amir hükmü olmasaydı dahi aynı davranış sergilenecek idiyse işte ahlaki olan budur.

Son tahlilde ahlak, yaşam biçimi hâline gelmiş iradi, bilinçli (huya dönüşmüş) ve özgür bir bireyin farklı seçeneklere sahip olduğu yerde herhangi bir müeyyide saiki olmaksızın davranış ve kabullerini ifade eder. Vicdan kabullendiğinde bunlar sabitleşir, huya dönüşür. Öyle hâl alır ki irade otomatikleşir. Hükümdarın eğitmesiyle, saraya gelen misafirlere kahve ikram eden kedinin, konuklardan birisinin cebinden çıkarıp önüne attığı fareyi görünce kahveyi fırlatıp onun peşinden gitmesinde olduğu gibi zaafların terbiye edilip dizginlenemediği, haricî bir beklenti ya da müeyyide ile kontrol edildiği durumlarda ahlak oluşmuş sayılmaz. Bu sebeple bilinçli kabulün olmadığı ve vicdanın devreye girmediği davranış müstekar/yerleşik hâle gelmediğinden ahlak hâlini almaz. Bir başkasının iradesini merkeze alarak (maddi-manevi müeyyideden çekinme ya da beklenti içinde olma gibi) sebeplerle yapılan eylem ahlakilik vasfını almaz.

Din, ahlakın oluşmasında tek kaynak olmasa da büyük bir itici güce sahiptir ve onun işlevselliğinde önemli rol oynar. Din, ahlaki ve hukuki karakter arz eden kuralları manevi müeyyide ile güçlendirir. Çünkü din açısından hukuk kuralının ihlali aynı zamanda Allah hakkının da ihlalidir. Buna göre bahsedilen üç normatif disiplinin, toplumsal düzeni sağlamadaki etkisi son derece güçlüdür.

Yukarıdaki ifadelerden anlaşılacağı üzere genel anlamda kanunların, ahlak kurallarının maddi müeyyideye bağlanmış somut, formel hâli olduğu dikkate alınırsa yasallık ile ahlakiliğin örtüştüğü söylenebilir. Bu sebeple Georg Jellinek'in (ö. 1911) "Hukuk, asgari ahlaktır."[86] özdeyişi oldukça isabetli bir tespittir.

Hukukun nihai gayesi olan adalet aynı zamanda ahlakın da hedefidir. Bu noktada iki müessese birleşmekle birlikte ahlak asgari sınırın ötesinde bir yükümlülük öngörür. Ayrıldıkları noktalardan biri burasıdır. Hukuk, cemiyet hayatı için gerekli düzenin sağlanması amacıyla sadece zaruri olan kurallardan oluşur. Onun asgari ahlak oluşu buradan gelir. Ancak toplumsal ilişkilerde derinliği, adaleti aşan değerler belirler. Din ve ahlakın öngörmüş olduğu vazifeler ve bu yönde oluşacak bilinç haklarla sınırlı olan hukukun alanını aşar ve onun ötesine geçerek fedakârca ilişkileri besler, geliştirir ve yaygınlaştırır. Bu durum, hukukun işini kolaylaştırır ve yükünü azaltır.

Vicdanın Temeli: Din ve Ahlak

Hukuk vicdanlara dayandığı ölçüde güç kazanır. Vicdanın da din ve ahlaktan oluşan iki temeli vardır.[87] Vicdan, soranın ve cevaplandıranın kişinin kendisi olduğu hesaplaşma dünyasıdır. Orada elde edilen hüküm hasbidir (karşılıksız) ve menfaat hissinden uzak olarak temiz bir şekilde kendiliğinden ortaya çıkar. Onu maneviyat tesirinden başka hiçbir kuvvet baskı altına alamaz.[88]

Kur'ân-ı Kerim'in ifadesine göre Allah'ın zikrini ve uyarısını kabul etmeyip kalpleri kaskatı kesilerek[89] kötülük karşısındaki duyarlılığını kaybetmemiş insanların vicdanı,

86 Abdülhak Kemal Yörük, *Hukuk Felsefesi Dersleri*, İstanbul, 1958, s. 160, 166.
87 A. Refik Gür, *Hukuk Devleti*, İstanbul, 1958, s. 7.
88 Gür, *Hukuk Devleti*, s. 7, 8.
89 Mâide suresi, 5:13; Zümer suresi, 39:22.

güçlü ve selimdir.[90] Bu özellikteki bir insanın vicdan duygusu haksızlık yapması hâlinde kendisini kınayan bir güç[91] olarak devreye girebilir.[92] İşte bütün bunlardan dolayı gerçek manada adalete böyle bir vicdan hükmüne uygun kanun ve mahkeme hükmü ile ulaşılabilir.[93] Bu sebeple Hz. Peygamber (s.a.v.): *"Müftüler fetva verse de sen fetvanı vicdanından al."*[94], *"İyilik ahlak güzelliğidir, günah ise seni huzursuz eden ve başkalarının bilmesini istemediğin şeydir."*[95] buyurarak vicdanın vereceği hükmün önemine dikkat çekmiştir.

Hz. Peygamber mahkemeye intikal eden uyuşmazlıklarda tarafların vicdanlarına seslenerek onları şu şekilde uyarmıştır:

*"Siz bana aranızdaki anlaşmazlıklar sebebiyle davaya geliyorsunuz. Belki bazılarınız delilini diğerinden daha iyi sunar (Bu sebeple ben de onun lehine hükmedebilirim). Ben kimin lehine (onun sözünü dikkate alarak) kardeşinin hakkından bir şey hükmetmiş isem, ona ancak ateşten bir pay vermişimdir. Sakın o hükümle verdiğim bu payı almasın."*[96]

Hz. Peygamber vicdanlara hitap ederek, ispatı mümkün olmayan haksızlıklar karşısında sadece hukuk kaidelerinin yapabileceği bir şeyin bulunmadığını ifade etmektedir. Hukuk, tesirini, bağlayıcı ve zorlayıcı olma özelliğinden ziyade vicdanen uyulması gereken bir değerler dizisi olduğun-

---

90 Gür, *Hukuk Devleti*, s. 7.
91 Kıyâme suresi, 75:2
92 bk. Mustafa Çağrıcı, "Ahlâk", *DİA*, II, 2.
93 Gür, *Hukuk Devleti*, s. 8.
94 Dârimi, "Büyû'", 2; Ahmed b. Hanbel, *el-Müsned*, Bulak, 1313, IV, 194, 227, 228.
95 Müslim, "Birr", 14, 15; Tirmizi, "Zühd", 52; Ahmed b. Hanbel, *el-Müsned*, IV, 182, 227, 228; V, 251, 252, 256.
96 Buhârî, "Şehadât", 28, "Hiyel", 10, "Ahkâm", 20; Müslim, "Akdiye", 4; Ebû Dâvûd, "Edeb", 87; Tirmizî, "Ahkâm", 11, 18; Nesâî, "Kudat", 12, 33; İbn Mâce, "Ahkâm", 5; Mâlik, *el-Muvatta*, "Akdiye", 1; Ahmed b. Hanbel, *el-Müsned*, II, 232; VI, 203, 290, 307, 308, 320.

da gösterebilir. Zira karşısındakinin hakkını tanıyan ve haksızlığa tahammül edemeyen akıl değil, vicdan ve kalptir.[97] Bu sebeple Kur'an "*Gözler değil göğüslerdeki kalpler kör olur.*" ifadesiyle sağduyu ve vicdana atıfta bulunur.[98]

Ahlakın Hukuka Önceliği

Arka planında güçlü bir vicdani zemin olmayan hukuk kurallarının ihlali bir yaşam biçimi hâlini alabilir. Vicdanlarda yer bulmayan bir hükmün, kanunun uzanamayacağı yerlerde ihlal edilmesi vicdanları sızlatmaz, rahatsız etmez. Hatta bu durumda ihlal ayrı bir zevk hâlini de alabilir. Çünkü her kural mutlak hürriyete bir müdahaledir ve makul olmaması durumunda işlevselliğini kaybeder. İşte bu sebeple ahlakın hukuka öncelenmesi zaruridir.

Din ve Ahlakın Hakların Kötüye Kullanılmasını Önleyiciliği

Din ve ahlak, hukuk kurallarının istismarı anlamına gelen kanuna karşı hile veya hakkın ya da yetkinin amacından saptırılarak suistimal edilmesi yoluyla dolaylı ihlallerde engelleyici rol oynar. Yetki, hak ya da inisiyatif kullanımının söz konusu olduğu her yerde hukuk her zaman kontrol edici işlevini yerine getiremeyebilir. Bu durumda en temel dinamik din ve ahlaktır. Bu iki yapı devreden çıkarıldığında orada hukukun şekilciliği dışında bir şey kalmaz. Türkçedeki "işi kitabına uydurmak" ya da "minareyi çalanın kılıfını hazırlaması" gibi tabirler bu hususu izah etmektedir. Söz gelimi malının zekâtını vermemek için senenin dolmasına az bir zaman kala eşine bağışlayan, ertesi sene aynı şekilde yıl dolmadan kocasına bağışta bulunan bir kadının işlemleri şekil itibariyle hibe olsa da kanuna karşı hiledir.

Bir koca, evlilik her iki taraf için de çekilmez hâle geldiğinde eşini boşayabilir. Bu kendisine tanınmış bir hak ya da yetkidir. Ancak ölümle sonuçlanan hastalık hâlinde

---

97 Von Hippel, Ernst, *Elemente des Naturrechts*, s. 21-23'ten naklen Vecdi Aral, "Hukuka İlişkin Değişik Görüşler", *İÜHFM*, XXXIX/1-4 (1974), s. 348.

98 Hac suresi, 22:46.

(marazü'l-mevt) karısını sırf mirastan mahrum bırakmak kastıyla boşuyorsa (talâku'l-fârr) burada bir hakkın kötüye kullanılması söz konusudur. Hukukun tanıdığı bir hak yine hukukun tanıdığı bir başka hakkı ortadan kaldırmak için süiniyetle kullanılmış ve amacından saptırılmıştır.

Yine bir kimse kendi mülkünde tasarrufta bulunma hakkına sahiptir. Mesela binasının üzerine baca inşa edebilir. Ama bu bacayı komşusunun manzarasını kesmek amacıyla inşa ediyorsa burada mülkiyet hakkının suistimali söz konusudur.

İslam Hukukunda Ahlakın Hukuka Dönüştürülmesi

İslam hukukçularının başlangıçtan itibaren davranışlara yön veren saiki dikkate alarak ahlak kuralını hukuk kuralına dönüştürdükleri dikkati çekmektedir. Bu yolla onların kanuna karşı hile ile hak ve yetkinin kötüye kullanılmasını önleyici tedbirler geliştirdikleri dikkati çekmektedir.

Bütün bunlardan sonra bir noktanın altını çizmek gerekir: Din-ahlak-hukuk arasındaki ilişki ne kadar güçlü ve sıkı olursa olsun, onun toplum içindeki sorunları bütünüyle önlemesi mümkün değildir. Nitekim Hz. Peygamber'i gören, vahyin nüzul sürecine tanıklık etmiş sahâbîler arasında bile zaman zaman çeşitli ihlaller yaşanmıştır. Esasında ihlali olmayan bir sistemden söz etmek mümkün olmadığı için önemli olan söz konusu ihlallerin düzeni bozacak seviyeye ulaşmamasıdır.

Hukukun Ahlaka; Ahlakın Dine Dayanma Mecburiyeti

Fıkhın Hz. Peygamber dönemi incelendiğinde dikkati çeken şudur: Vahyin gelmeye başladığı ilk günlerden itibaren kurulmak istenen İslam toplumunda öncelikle ilişkileri belirleyecek hukuk kurallarının arka planındaki ahlakın oluşturulması cihetine gidilmiş (Mekke devri), peşinden de bu oluşan ahlak kuralları kanun formuna dönüştürülmüştür (Medine devri). Bunun için de titiz bir çalışmayla bilginin bilince dönüşmesi, farkındalık oluşturulması, bireysel ve toplumsal vicdanın aktif hale getirilmesi sağlanmış, hukuki düzenlemeler bunun peşinden gelmiştir. İslam'ın Mekke ve Medine dönemlerinin ayırıcı özelliği budur. Nitekim Kur'an'ın ihtiyaca göre parça parça gelişinin[99] amaçlarından birisi, onun kalplere yerleştirilerek bir yaşam biçimine dönüşmesi, yani hükümlerinin içselleştirilmesidir. Sonuç olarak ahlakı oluşturulmamış bir kuralın kalıcılığı yoktur. Ahlak da dine dayanmıyorsa sağlam köklere sahip değildir. Fıkhın değeri de daha çok buradan gelmektedir.

## Dünyevi ve Uhrevi Müeyyide Öngörmesi

Müeyyide, hukuk kuralının ayrılmaz parçasıdır. Bütün hukuk sistemlerinde kural ihlalinin bir müeyyidesi vardır. Bu müeyyideler mahiyeti açısından hakkın telafisini amaçlayan (medeni müeyyide) ya da kuralı ihlal eden kişinin bedenine, haklarına, hürriyetine, malına yönelik yaptırımlar (cezai müeyyide) şeklinde ortaya çıkar. Bu tür yaptırımlara yer vermesi bakımından İslam hukukunun diğerlerinden bir farkı yoktur. Ancak buna ek olarak İslam hukuku dünyevi hukuk sistemlerinde bulunmayan uhrevi müeyyideye de yer vermiştir.

İslam Hukukunda Uhrevi Müeyyide

Bu hususu kısaca şöyle izah edebiliriz: Ortaya çıkan uyuşmazlıklarda mahkemeler sadece ispat edilebilen ihlalleri çözümleyebilir. İspat edilemeyen haklar, kanunun himayesinden mahrum kalır. Bedene veya mala ya da herhangi bir menfaate karşı işlenen suçlar şayet hukukun ulaşamayacağı alanlarda icra edilmiş ise ya da haklı olan hakkını ispat edememişse yahut hak sahibi herhangi bir sebeple hakkını arama yoluna gitmemişse, burada hukukun hakkı ya da himayesi söz konusu değildir. Çünkü hukuk haksızlığın giderilebilmesi için ispat arar. Dünyevi hükümler bakımından İslam hukukunun tavrı da aynıdır.

---

99 bk. Furkân suresi, 25:32.

Ancak bu durum hak ihlalinin karşılıksız kalacağı anlamına gelmez. Hiçbir eylem karşılıksız değildir ve yapılan haksızlıktan kaçış yoktur. Haklar çok küçük miktarda bile olsa[100] ahiret yurdunda kurulacak büyük mahkemede sahiplerine mutlaka ulaştırılacaktır.[101] Hz. Peygamber, *"Kıyamet günü haklar sahiplerine mutlaka verilecektir. Hatta boynuzsuz koyun kendisini süsen boynuzlu koyundan hakkını alacaktır."*[102] buyurmuştur. Çünkü hiçbir hak zayi olmadığı gibi hakkını da ancak sahibi affedebilir. Peygamberler bile bunun dışında değildir.

Şu olay oldukça dikkat çekicidir: Ebû Saîd el-Hudrî'den rivayet edildiğine göre bir gün Hz. Peygamber insanlara yardım malzemesi dağıtırken oraya gelen bir adam Onun üzerine abandı. Bundan rahatsız olan Hz. Peygamber elinde bulunan bir değnekle uyarma amacıyla dokunup onun dikkatli olmasını istedi ki değnek onun yüzüne gelerek çizdi. Hemen Hz. Peygamber onu yanına çağırıp değneği eline verdi ve aynı hareketi kendisine uygulamasını (kısas gereği) istedi. Fakat adam Hz. Peygamber'e kendisini affettiğini söyleyip kısas uygulamaktan vazgeçti.[103] Bizzat Hz. Ömer de, "Hz. Peygamber'in kendisine kısas yaptırmak istediğini gördüm." demektedir.[104]

Burada önemli olan şey şudur: Bu dünyada hata ile bile olsa bir hak ihlali söz konusu ise ve bu hususta hak sahibinin gönlü alınmamışsa ya da talebi hâlinde kendisine hakkı ödenmemişse ahiret yurdunda o hakkına kavuşacaktır. O sebeple bir hakkı ödemekten kaçmak ondan kurtuluş anlamına gelmez.

---

100 Zilzâl suresi, 99: 8.
101 Mutaffifîn suresi, 83:4-6.
102 Ahmed b. Hanbel, *el-Müsned*, II, 235, 323, 363, 442.
103 Ebû Dâvûd, "Diyât", 14; Ahmed b. Hanbel, *el-Müsned*, III, 28.
104 Nesâî, "Kasâme", 23.

Hz. Peygamber bu konuda şu uyarıda bulunur: "*Kimin üzerinde din kardeşinin ırzı, şeref ve haysiyeti ya da malıyla ilgili yaptığı bir haksızlığı varsa, altın ve gümüşün geçmeyeceği kıyamet günü gelmeden, o kimseyle helalleşsin, onun gönlünü alsın. Aksi takdirde kendisinin sâlih amelleri varsa, yaptığı haksızlık oranında sevaplarından alınıp o hak sahibine verilecektir. İyiliklerinden doğan sevapları da yoksa ihlal ettiği hak oranınca o kardeşinin günahlarından alınarak kendi sırtına yüklenecektir.*"[105] Bu hadis doğrultusunda Müslüman toplumlarda bir helalleşme kültürü oluşmuştur.

Böyle bir müeyyide sadece İslam hukukunda vardır. Uhrevi yaptırım bilincinin canlı tutulması hakların ihlalden korunması ve vazifelerin ihmalinin önlenmesi noktasında hukukun yükünü azaltan bir işleve sahiptir ve İslam hukukunun en önemli özelliklerinden birisidir.

Dünyada işlediği bir suç sebebiyle gerekli cezayı çekmiş ve bundan gerçek manada tevbe etmiş bir kimsenin ahirette ikinci defa cezalandırılıp cezalandırılmayacağı hususunda bazı tartışmalar vardır. Naslar Allah'ın kulunu ikinci defa cezalandırmayacağını açıkça dile getirmektedir.[106] Bu sebeple sahabe döneminden itibaren suçunu itiraf edip cezasını dünyada çekme, ahirete bırakmama hususunda bazı örneklere rastlanmaktadır[107] ki bu durum kural ihlallerinin ispatında bir kolaylık sağlamaktadır.

Bununla birlikte dünyada karşılıksız kalan ihlallerin ahiret yurdunda hesabının görüleceği açık olsa da bazı suçlar var ki suçlu dünyevi olarak cezalandırılsa da mağdur açısından dünyada onun telafisi yoktur. Mesela öldürülen kişiye can verilemez. Katilin cezalandırılması sadece geride kalan yakınlarını sakinleştirebilir, ama öleni geri getirmez.

---

105 Buhârî, "Mezâlim", 10, 11, "Rikâk", 48.
106 Buhârî, "Hudûd", 9; Müslim, "Hudûd", 41, 43; Tirmizî, "Hudûd", 12.
107 Müslim, "Hudûd", 24.

Şu hâlde böyle bir suçlu belirli ölçüde dünyevi olarak cezalandırılsa da ahirette başka bir ceza ile karşılaşacak mıdır? İslam âlimleri bu konuda görüş ayrılığına düşmüş olsalar da Kur'ân-ı Kerîm'de bu türden ağır suç işleyenlerin dünyada belirlenen cezayı çekseler dahi ahirette de ağır bir cezaya çarptırılacakları görüşünü güçlendirmektedir. Mesela Mâide suresinin 33. ayetinde fesat suçunu işleyenlere ağır cezalar belirlendikten sonra, *"Bu onların dünyada görecekleri rezillikleridir. Ahirette ise onları büyük bir azap beklemektedir."* buyurulmaktadır. Keza adam öldürme suçu ile ilgili olarak, *"Kim bir mümini kasten öldürürse, cezası, içinde ebedî olarak kalacağı cehennemdir. Allah ona gazab ve lanet etmiş ve onun için büyük bir azap hazırlamıştır."*[108] şeklindeki ayetler de büyük suç işleyip dünyada cezasını çekseler dahi onlar için uhrevi cezanın da geleceğine işaret etmektedir.

Yapılan işlemler hukuka uygun olsa bile, niyete göre kişiye Allah'ın vereceği bir karşılık vardır. Bu da ahiret yurdunda olacaktır. Şekil şartları itibarıyla hukukun aradığı şartları taşıyan bir işlem ile hukukun yasakladığı bir sonuca ulaşıldığında kişi dünyevi müeyyideden kurtulsa bile uhrevi cezadan kaçamaz. Mesela zekât vermemek için malını senenin dolmasına az bir zaman kala eşine bağışlayan bir zenginden şartlar oluşmadığı için hukuken zekât alınamadığında bunun cezası ahiret yurdunda azap olarak ona dönecektir. Çünkü bu eylem hukuken hibe olsa bile bundan maksat mal kaçırmaktır. Dolayısıyla dünyada hukukun aradığı şartlara bağlı olarak işlem geçerli sayılsa da (kazâen), Allah'ın istediği şekilde olmadığı ve hükümler amacından saptırılıp, bir vazife, hile yoluyla ihmal edildiği için (diyâneten) yapılan işlem ahiret yurdunda geçersiz olarak değerlendirilecektir. Öyleyse uhrevi müeyyidenin bulunması İslam hukuku hükümlerine işlerlik kazandırması açısından önemlidir.

---

108 Nisâ suresi, 4:93.

# FIKHIN GELİŞİMİNDEN KAYNAKLANAN ÖZELLİKLERİ

İslam hukukunun yapısal özellikleri yanında bir de ona İslam hukukçularının kazandırdığı hususiyetler vardır. Hukukun teşekkül süreciyle birlikte gelişen ana özellikleri, sivil çabanın ürünü oluşu, kazuistik yöntemle gelişmiş olması ve kendine özgü sistematiği bulunması şeklinde üç başlıkta ele alınabilir:

## Sivil Çabanın Ürünü Olması

İslam hukukunun özelliklerinden birisi sivil çabanın ürünü olarak gelişmesidir. Burada sivil yapı resmiyet karşıtı olarak kullanılmaktadır. Hz. Peygamber sonrası Hulefa-i Râşidîn dönemi bundan istisna edilebilir. Dört halife, devletin başında oluşu sebebiyle resmiyeti temsil etseler de Hz. Peygamber'in eğitiminden geçmeleri, müçtehit oluşları hukuk karşısında sivil zihniyetle hareket etmelerini sağlamış, hukukun tabii ilkeleri doğrultusunda oluşumuna olumsuz etkide bulunmamıştır. Bu yapı sonraki devirler için de iyi bir referans olmuştur. Çünkü dört halifenin örneklik konumu bizzat Hz. Peygamber tarafından belirlenmiştir. Nitekim bir hadiste şöyle buyrulur: *"Benden sonra benim sünnetimden ve râşid halifelerin yolundan (sünnet) ayrılmayın."*[109]

İslam hukukunun kendi tabii ilkelerine göre gelişmesinde, yani siyasi gücün nüfuzundan kendisini koruyarak haricî etkiyi engellemiş olmasında, hukukun kaynağı itibariyle dine dayanmış olmasının etkisi bulunduğu gibi, mezhep imamları ve sonraki İslam hukukçularının tavizsiz tavrının ve siyasal baskıya boyun eğmemelerinin de önemli katkısı olmuştur.

109 Ebû Dâvûd, "Sünnet", 5; Tirmizî, "İlim", 16; İbn Mâce, "Sünnet", 6; *Müsned*, IV, 126.

Hukukun Korunmasında Fukahanın Fonksiyonu

Mesela Ebû Hanîfe Abbâsiler döneminde Halife Mansûr'un (ö. 158/775); Ebû Süleyman el-Cüzcânî (ö. 200/816) Halife Me'mûn'un (ö. 218/833),[110] İbn İdrîs, Hafs b. Gıyâs (ö. 194/810) ve Vekî' b. el-Cerrâh (ö. 197/812) Hârun er-Reşîd'in (ö. 193/809),[111] Cessâs (ö. 370/981) Mutî'-Lillâh'ın (ö. 364/974)[112] kadılık tekliflerini reddetmişlerdir. Söz konusu âlimlerin, hükümdarların hukuka uymayan bazı tutumlarına meşruiyet görüntüsü kazandırmamak, bir başka ifadeyle hukuksuzluğa tepki koymak amacıyla görevi kabul etmedikleri dikkate alınırsa bu tavrın İslam hukukunun ne kadar sağlam bir zeminde geliştiğinin de bir göstergesi olduğu anlaşılır.

Fukaha hukuk adına sadece pasif direnişle değil, hukuksuz uygulamalara karşı aktif muhalefetle de karşılık vermiş; bunun sonucunda gelen baskı ve şiddete göğüs germiştir. İmam Mâlik'in Emevî idarecilerinin baskı yoluyla aldıkları biatlerin geçersiz olduğu yönündeki görüşünü ve bunun sonucunda karşılaştığı olumsuzlukları hatırlatmak, maksadı anlatmaya kâfidir.

Kuşkusuz bu durumu, sadece mezhep imamları dönemiyle de sınırlı tutmamak gerekir. Mesela İbn Dakîkı'l-'Îd (ö. 702/1302), ilmî dirayeti ve hassasiyeti olmayan birisinin göreve gelebileceği endişesinden dolayı kadı'l-kudâtlık görevini kabul etmiş, burada ahlaki ve hukuki mücadelesini bütün gücüyle sürdürmüştür. Mesela kadı'l-kudâtlığı sırasında hükümdarın Moğollara karşı ordu hazırlanması için halktan ek vergi alınması talebine karşı yöneticilerin kendileri ve ailelerine ait bütün mal ve ziynet

---

110 Zehebî, *Siyeru a'lâmi'n-nübelâ* (nşr. Şu'ayb el-Arnaût), Beyrut, 1982, X, 194-195; İbn Kutluboğa, *Tacü't-terâcim*, Bağdat, 1962, s. 74-75.

111 Vekî', *Ahbâru'l-kudât*, Riyad, 1947, I, 24, 25; III, 184; Hatîb el-Bağdâdî, *Târîhu Bağdâd*, Beyrut, 2002, VIII, 189, 190, 193; Mizzî, *Tehzîbü'l-Kemâl*, Beyrut, 1980, VII, 64.

112 Mevlüt Güngör, *Cassâs ve Ahkâmü'l-Kur'ân'ı*, Ankara, 1989, s. 25-26.

eşyalarını ortaya koymadıkça fetva vermeyeceğini belirterek reddetmesi, bazı yöneticilerin elinde bulunan vakıfları geri alıncaya kadar istifa ettiği görevine dönmemesi, saltanat naibinin bir konuda tek başına şahitliğini kabul etmemesi gibi hususlar onun dinî-fıkhî ölçülere uymada gösterdiği hassasiyete örnek teşkil eder.[113]

Resmî idare tarafından verilen görevleri kabul eden âlimlerin de bulundukları makamda hukuk mücadelesi verdikleri bilinen bir gerçektir. Mesela İmâm-ı Âzam'ın talebesi Ebû Yûsuf (ö. 182/798) Abbâsîler döneminde adalet hizmetlerini yürüten en yüksek bürokrat (kadı'l-kudât) olarak görev yapmış, gerek gördüğünde halife Hârûn er-Reşîd'i uyarmıştır. Devletin mali ve idari işleri konusunda Halifeye yol göstermek amacıyla yazdığı *Kitâbü'l-Harâc* adlı eserinde açık ikazları vardır. Hükümdarlara yol gösteren siyasetname türü eser yazma geleneği bu kitapla başlamış İslam tarihinde bu alanda zengin bir literatür oluşmuştur.

Fıkıh, dinin hayatla bağlantısını kuran ilimlerden biridir. Bunun aracı da içtihattır. İçtihat, belirli şartları olan, belirli bir prosedürü ve zengin birikimi gerektiren bir faaliyettir. Dolayısıyla ilmî emanet onun gerektirdiği sorumluluğun dışına çıkmayı da engelleyen bir özelliğe sahiptir. Bu bilinç fıkhın kendi tabii ilkeleri doğrultusundaki oluşumunun itici güçlerinden birisidir. Bu sebeple dinî metinlerin yorumlanması ve hayatla bağlantısının kurulmasının ruhban sınıfı gibi özel bir kesimin yetkisinde olmaması, yeterli donanıma sahip olan herkesin ilgisi hatta görevi dâhilinde bulunması da fıkhın tabii gelişiminin bir sebebidir. Bu sayede zengin bir fıkhî miras ortaya çıkmıştır. Bunun sonucunda zaman içinde gelişen farklı içtihat ve görüşlerdeki çeşitlilik muhtemelen fıkha dış müdahaleyi engelleyen hususlardan birisi olmuştur. Çünkü ihtiyaçları daha iyi karşılayabilecek farklı

113 Özel, Ahmet, "İbn Dakîkul'îd", *DİA*, XIX, Ankara, 1999, s. 408.

içtihatlardan yararlanma imkânı suni müdahaleler önünde bir engel oluşturabilir.

## Kazuistik/Meseleci Yöntemle Gelişmiş Olması

Birçok hukuk sistemi gibi İslam hukuku da kazuistik, yani meseleci yöntemle gelişmiştir. İslam hukukçuları karşılaşılan her bir somut meseleye tek tek çözüm üretmiş, bunlar etrafında çeşitli ilmî münakaşalar yapmışlardır.

Hz. Peygamber döneminden itibaren hızla yayılmaya başlayan İslam, farklı coğrafyalarda değişik kültürlere mensup kitleleri bünyesine katmış, İslam âlimleri onların karşılaştıkları ya da onlarla yaşanan meselelere çözüm bulmak durumunda kalmışlardır. Bu tür mesele çeşitliliği ve hareketlilik İslam hukukunun böyle bir yöntemle gelişmesine etki etmiş, fıkıh kitapları da buna göre şekillenmiştir. Daha çok fetva mecmualarında doğrudan mesele ve ona dair hükümlere yer verilmiştir. Fıkıh literatüründe ise özellikle meseleleri mezhepler arası mukayeseli olarak ele alan eserlerde, muhalif görüşe karşı savunulan mezhep hükmünün ispatı bağlamında, tartışılan meselelerin fıkhî çerçevesi, dayandığı deliller, ilgili kural ve ilkeler çoğu kere zikredilmiştir. Bu yönüyle fıkıh literatürü oldukça verimli ve zengin bir malzemeye sahiptir.

Roma hukuku gibi[114] kazuistik metotla gelişen hukuk sistemleri, meselelerin çoğalması ve belirli bir yetkinliğe ulaşmasından sonra benzer olaylara uygulanmış çözümlerin ortak noktalarını/ana ilkelerini tespit ederek hukuk teorilerini oluşturmuşlardır. İslam hukuku da aynı yolu izlemiştir. Günümüz İslam dünyasında İslam hukuku hükümlerinin kanunlaştırılması, fıkhî mirasta mevcut bulunan teorilerin akademik

114 Senhûrî, *Mesâdiru'l-hak*, Kahire, 1954-1969, VI, 90; Andreas B. Schwarz, "Roma Hukuku ve İngiliz Hukuku" (çev. Bülent Davran), *İÜHFM*, XI/3-4 (1945), s. 188.

çalışmalarda ortaya çıkarılması ve bu yöntemle fıkhî hükümlerin günümüz hukuk dünyasına sunulması, birçok çalışmada günümüz hukukuyla mukayeselerin yapılması kazuistik metottan daha teknik bir aşamaya geçildiğinin göstergesidir.

## Özgün Sistematiğinin Bulunması

Fıkıh kitaplarındaki konuların mantıki bir dizilişi vardır. Genellikle tasnifte, konuların birbiriyle ilişkisi, insan hayatındaki önceliği esas alınmıştır. Bu yönüyle fıkhın sistematiği özgün bir karakterdedir. Mesela tam teşekküllü bir fıkıh kitabı istisnasız insanın yaratılış gayesi olan ibadet konularıyla başlar.[115]

Fıkıh Kitaplarında Konuların Ele Alınışı ve Mantıksal Örgü

İbadetlerin de kendi içinde bir sıralanış mantığı vardır. İlk konu temizlik bahisleridir. Çünkü temizlik ibadetin kabulünün şartıdır. Peşinden namaz konusu gelir. Namazın bütün dinlerde mevcut oluşundan başka onun konumu da bunu gerekli kılmaktadır. Çünkü namaz kötülüklerden alıkoyan özelliği sebebiyle daha sonra ele alınacak fıkhî hükümlere uygun hareket etmenin aracı olduğu gibi aynı zamanda kıyamet günü hesabı sorulacak da ilk ameldir. Dolayısıyla namaz, hemen bilinmesi ve yapılması gereken bir ibadettir.

Namazın diğer ibadetlerden kesitler taşıması da önceliği hak eden bir özellik arz etmektedir. Söz gelimi namazda oruç vardır (imsak). Yemek, içmek ve cinsel ilişkide bulunmak oruç gibi onu da bozar. Namazda hac vardır. Çünkü Allah'ın evine yöneliş ve onun huzuruna çıkış vardır. Namazda tahrîme tekbiri ile hacdaki ihram kuşanma aynı sonuçları vermektedir. Hac menasiki için gidilen harem ile namaz kılanın çevresiyle ilişkisi açısından oluşturduğu harem arasında bir paralellik vardır. Her ikisi de normal zamanlarda helal olan bazı eylemleri haram hâle

115 Zâriyât suresi, 51:56.

getirmektedir. Buradaki haramdan maksat ibadeti bozucu bir özellik taşımasıdır. Namazın zekâtla da bir ilgisi vardır. Çünkü Kur'ân-ı Kerîm'in birçok ayetinde önce namaz peşinden zekât beraberce zikredilmiştir. Bu iki ibadet, imanın sıdkına ve sahibinin asla münafık olamayacağına delalet eder. Çünkü bu ikisi münafıkların asla yapmayacağı ibadetlerdir.[116] Fıkıh kitaplarında zekât konularının namaz bahislerinden hemen sonra zikredilmesinin sebeplerinden birisi de budur. Bu yönleriyle de namaz dinin direğidir ve sanki diğer ibadetler namazın açılımı gibidir.

İbadet konularının sıralanışında meşru kılınış tarihlerinin de etkisi vardır. Namaz bugün kılındığı şekliyle isrâ-miraç hadisesinin yaşandığı hicretten bir buçuk yıl kadar öncesinde farz kılınmış, zekât, oruçtan önce ve son olarak da hac farz kılınmıştır. Haccın ömürde bir defa farz oluşu da diğer ibadetlerin ondan önce ele alınmasının sebeplerinden birisidir. Ayrıca İslam'ın beş şey üzerine bina edildiğini belirten hadiste ibadetlerin buradaki sıraya göre sayılmasının[117] da söz konusu sıralamada etkisinin bulunduğu belirtilmektedir.[118]

Birçok fıkıh kitabı ibadetlerden sonra nikâh konusunu ele alır. Çünkü nikâh bir yönüyle ibadet karakteri arz eder; diğer yönüyle de akit olması sebebiyle muamelât alanına dâhildir. Böylece ibadetten sonra muamelata nikâhla başlanarak her ikisi de birleştirilmiş olmaktadır.

Bazı fıkıh kitapları ise ibadet bahislerinden sonra alışveriş (büyû') konularını ele alır. Bunu tercih eden fakihler ibadet konularının hemen ardından günlük hayatta en fazla başvurulan ve kul hakkı açısından en fazla ihlalin yaşanabileceği konulara öncelik vermeyi tercih etmektedirler. Bu sebeple Allah haklarından hemen sonra kul haklarının son

116 Tevbe suresi, 9:5, 11; ayrıca bk. Müslim, "Tahâret", 1; Nesâî, "Zekât", 1.
117 Tirmizî, "Îmân", 3.
118 bk. İbn Âbidîn, *Reddü'l-muhtâr*, Kahire, 1272-1324, II, 138.

derece önemli olduğu ve bu açıdan önceliği bulunan alışveriş bahsiyle konuya devam ederler.

Fıkıh kitapları nikâh dışında akit konularına başlarken de icare, rehin, ariyet vb. akitlerden önce bey' (alım-satım) konusunu incelerler. Çünkü İslam hukukunda bey' model akittir ve diğerlerine göre bu açıdan bir önceliğe sahiptir. Fıkıh kitaplarındaki her bir konunun öncesi ve sonrası itibariyle yerleştiği bölümün makul izahı vardır.

Fıkıh kitapları genellikle vasiyet ve miras konularıyla son bulur. Çünkü vasiyet ve miras kişiyi en son ilgilendiren hükümlerden oluşur. Bu ikisi ölüm sonrasında uygulamaya girecek esasları ihtiva ettiği için sıralamada en sona gelmişlerdir. Bazı âlimler ise kitaplarında miras bahsine yer vermezler; mesela ünlü Hanefî âlimi Mergînânî'nin *el-Hidâye* adlı meşhur kitabı böyledir. Bunun sebebi, mirasın (ferâiz ilmi) fıkıhtan ayrı bir ilim sayılmasıdır. Nitekim, miras hukukuyla ilgili birçok müstakil eserin kaleme alınması buna işaret etmektedir.

Fıkıh kitaplarındaki konu tasnifinin tamamını irdelemek mümkün ise de bir fikir verme açısından bu kadarı maksada kâfidir. Ancak burada fıkıh kitaplarındaki konuları bir bütün hâlinde görebilme amacıyla Hanefî mezhebinin muteber kaynaklarından olan Mevsılî'nin *el-Muhtâr*'ının muhtevasına yer verilecektir. Burada şuna da işaret etmeliyiz: Fıkıh kitaplarında ele alınan ana başlıkların birçoğunda klasik dönemde müstakil eserler de kaleme alınmıştır. Kaynaklar bahsinde bunlara yer verilecektir. Günümüzde de modern hukukun etkisi ya da günümüz İslam hukukçularının tetkikleri sonucu keşfettikleri hukuk teorileri sonucunda farklı sahalarda yeni isimlendirmeler de ortaya çıkmıştır. Söz gelimi şahıs, aile ve miras konularını *el-Ahvâlü'ş-şahsiyye* başlığı altında ele alan eserler yazılmış;

"Mısır el-Ahvâlü'ş-şahsiyye Kanunu" gibi, İslam ülkelerinde bu alanda çıkarılan kanunlar bu isimle anılmıştır.

Fıkıh Kitabı Muhtevası Örneği

Mevsılî'nin *el-Muhtâr*'ı örnekliğinde bir fıkıh kitabının muhtevası:

كتاب الطهارة: Temizlik konuları

كتاب الصلاة: Namaza dair hükümler

كتاب الزكاة: Zekât ahkâmı

كتاب الصوم: Oruç ahkâmı

كتاب الحج: Hac ve umre ahkâmı

كتاب البيوع: Alım-satım ile ilgili konular

كتاب الشفعة: Satışa çıkarılan bir gayrimenkulde öncelikli satın alma hakkı (şuf'a) ile ilgili hükümler

كتاب الإجارة: Menfaatin ücret mukabili temliki (kira) ile ilgili hükümler, yani kiralama ile ilgili ahkâm

كتاب الرهن: Rehin ile ilgili konular

كتاب القسمة: Ortak malın paylaşımı ile ilgili hükümler

كتاب أدب القاضي: Hâkimler ve hâkimlik mesleği ile ilgili esaslar

كتاب الحجر: Tasarrufları kısıtlı olan ya da kısıtlanan kimselerle ilgili hükümler

كتاب المأذون: Ticaret yapmasına izin verilen eksik ehliyetliler

كتاب الإكراه: Zorlama ve tehdit altında yapılan hukuki işlemler ile ilgili ahkâm

كتاب الدعوى: Muhakeme hukukuna ilişkin konular

كتاب الإقرار: Kendi aleyhine başkasına ait bir hakkı haber verme (*ikrâr*) ile ilgili ahkâm

كتاب الشهادات: Şahitlikle ilgili hükümler

كتاب الوكالة: Vekâlet ve onunla ilgili hükümler

كتاب الكفالة: Borca ve şahsa kefalet ile ilgili hükümler

كتاب الحوالة: Borcun nakli ile ilgili hükümler

كتاب الصلح: Tarafların karşılıklı olarak anlaşarak uyuşmazlıkları sona erdirmesi (*sulh*) ile ilgili hükümler

كتاب الشركة: Ortaklıklar ve hükümleri

كتاب المضاربة: Emek-sermaye ortaklığı ile ilgili hükümler

كتاب الوديعة: Emanet mal ile ilgili hükümler

كتاب اللقيط: Bulunmuş çocuk ile ilgili ahkâm

كتاب اللقطة: Bulunmuş mal ile ilgili ahkâm

كتاب الآبق: Kaçan köle ile ilgili ahkâm

كتاب المفقود: Kaybolmuş koca ile ilgili hükümler

كتاب الخنثى: Çifte cinsiyetlilerle ilgili hükümler

كتاب الوقف: Vakıf ve infak konularındaki hükümler

كتاب الهبة: Bir malın menfaatıyla birlikte ücretsiz olarak temliki anlamına gelen hibe ile ilgili hükümler

كتاب العارية: Bir kimseye bir süre kullanması için karşılıksız olarak verilen mal ile ilgili ahkâm

كتاب الغصب: Haksız fiillerden gasp (başkasına ait bir malı zor kullanarak alma) ve itlaf ile ilgili ahkâm

كتاب إحياء الموات: Ölü arazilerin ihyası konusundaki hükümler

كتاب الشرب: Suda ortak olanların ondan nöbetleşe yararlanmaları

كتاب المزارعة: Ziraat ortaklığı ve hükümleri

كتاب المساقاة: Bahçe-emek ortaklığı, yani ağaçların bir taraftan bakımı, diğer taraftan gelirinde kurulan ortaklık ile ilgili ahkâm

كتاب النكاح: Evlenme ile ilgili konular

كتاب الرضاع: Süt emme ile ilgili hükümler

كتاب الطلاق: Boşama ile ilgili hükümler (Ayrıca bu bölümde *hiyel* (*hîle-i şer'iyye*) ile ilgili de bir kısım bulunmaktadır.)

كتاب العتق: Köle azadı ile ilgili ahkâm

كتاب المكاتب: Kölenin, belirli bir bedel mukabilinde hürriyetine kavuşmak üzere efendisiyle yapmış olduğu antlaşmaya dair hükümler

كتاب الولاء: *Velâ-i atâka* ve *velâ-i muvâlât* ile ilgili hükümler (*Velâ-i atâka*, efendisi ile azad ettiği köle arasındaki yardımlaşma ilişkisidir. Azat edilmiş kölenin işlediği cinayetin bedeli olan diyeti eski efendisi öder, vefat ettiğinde de derecesi daha yakın birisi yoksa efendisi ona mirasçı olur. *Velâ-i muvâlât* ise neseb-i meçhul olan şahısla bir başka şahsın aynı şekilde antlaşma yapmasıdır. Bu konu ile ilgili hükümler bu bölümde ele alınır.)

كتاب الأيمان: Yeminlerle ilgili hükümler

كتاب الحدود: Kur'an ve sünnet tarafından belirlenmiş olan kısas ve diyet dışındaki cezalar (Burada ayrıca zina ve kazif suçu ile bunların cezaları ele alınmaktadır.)

كتاب الأشربة: İçeceklere dair hükümler

كتاب السرقة: Hırsızlık suçu ve cezası

كتاب السير: Uluslar arası ilişkiler

كتاب الكراهية: Günlük hayatta helal olan-olmayan veya mekruh olan-olmayan şeyler.

كتاب الصيد: Avlanma ile ilgili hükümler

كتاب الذبائح: Hayvan kesme ile ilgili hükümler

كتاب الأضحية: Kurban ile ilgili meseleler

كتاب الجنايات: Öldürme ve yaralama suçları ve cezaları ile ilgili ahkâm

كتاب الديات: Diyetlere dair hükümler

كتاب الوصايا: Vasiyet ile ilgili hükümler

كتاب الفرائض: Mirasla ilgili hükümler

İKİNCİ BÖLÜM

# FIKHIN/İSLAM HUKUKUNUN ÖZGÜNLÜĞÜ TARTIŞMASI

Fıkıh da dâhil çeşitli hukuk sistemlerinin birbirlerine etki etmesi doğaldır. Her hukuk diğerinin ilkelerinden, kaidelerinden, kurumlarından ve o hukuku oluşturan tecrübelerden yararlanabilir. Kaynak hukuktan diğer hukuka alınanlar o hukuk sistemine ya uygun bulunduğu için alınır ya da kendisine uyarlanır. Bundan sonra o hükümler alan hukukun parçası hâline gelir. Bunda şaşılacak bir şey de yoktur. Nitekim aşağıda ele alınacağı üzere İslam, câhiliye hukukundan bile kendisine uygun bulduğu bazı kurumları bünyesine katmıştır. Hulefâ-i Râşidîn döneminde Hz. Ömer, Sâsânîlerin vergi sistemini inceletmiş ve ondan yararlanmıştır. Burada önemli olan alınan kural ya da kurumların bünyeye uygunluğu ya da uyarlanmasıdır. Ancak aşağıdaki bilgilerde de açıkça görüleceği üzere İslam hukukunun Roma hukuku ile böyle bir bağlantısı yoktur.

## FIKIH/İSLAM HUKUKU VE ROMA HUKUKU

Roma hukuku, Roma devletinin kurulduğu milattan önce 753 yılından itibaren Jüstinyen'in ölüm tarihi olan milattan sonra 565 tarihine kadar geçen süreçte uygulanan hukuktur.[119] Günümüz Kıta Avrupa'sı ülkeleri hukukunun ana yapısını bu hukuk oluşturmaktadır.

İslam Hukukunun Roma Hukukundan Alındığı İddiası

İslam hukukunun Roma hukuku ile bir ilişkisinin bulunup bulunmadığı hukukçuların dikkatini çekmiştir. Özellikle bazı Batılı araştırmacıların İslam hukukunun Roma hukukundan iktibas edildiğini ya da ondan etkilendiğini iddia etmeleri konu etrafında birtakım tartışmaların doğmasına sebep olmuştur.

119 Bülent Tahiroğlu-Belgin Erdoğmuş, *Roma Hukuku Dersleri*, İstanbul, 2010, s. 41.

Roma hukukunun İslam hukukuna etkisi konusunda ilk iddialar, 19. yüzyılın ikinci yarısına kadar geri gider. Bu iddiayı ilk defa Gatteschi'nin 1865 yılında neşrettiği *Manuale di Diritto publico e privato ottomano introduzione* adlı eserinde öne sürdüğü ifade edilmektedir. Alfred von Kremer de 1875 yılında konu ile ilgili neşrettiği bir makalede aynı fikri savunmuştur.[120] Özellikle Sheldon Amos ve Ignác Goldziher gibi bazı araştırmacılar İslam hukukunun Roma hukukundan iktibas edildiği iddiasındadırlar. Onlara göre "İslam hukuku, Arap elbisesi giydirilmiş Jüstinyen hukukundan ya da Arap dünyasının siyasi şartlarına uyarlanmış Doğu Roma İmparatorluğu'nun hukukundan başka bir şey değildir." E. Lambert, M. Morand, Emilio Bussi gibi araştırmacılar da bu görüşün savunucuları arasındadır.

Ancak Muhammed Hamîdullah, Muhammed Ebû Zehre, Subhi el-Mahmesânî, Abdurrezzâk es-Senhûrî, Muhammed Yûsuf Mûsâ, Ömer Nasuhi Bilmen ve Hayreddin Karaman gibi Müslüman hukukçuların yanı sıra Joseph Schacht, Shelomo Dow Goitein, S. V. Fitzgerald, G. H. Bousquet ve Nallino gibi Batılı hukukçular İslam hukukunun orijinal olduğunu, varlığını hiçbir hukuk sistemine borçlu olmadığını delilleriyle ortaya koymuşlardır. Hatta Fitzgerald bu konuda müstakil bir makale kaleme almıştır.[121]

İslam hukukunun Roma hukukundan iktibas edildiğini savunanların temel iddialarını şöyle özetlemek mümkündür:

1) Hz. Muhammed Roma hâkimiyeti altında bulunan Suriye'ye gittiğinde Roma hukukunu öğrenme imkânı bulmuş ve ondan alıntılar yapmıştır.

2) Roma İmparatorluğu'na tabi toprakların fethinden

120 M. Fuad Köprülü, "Fıkıh", *İA*, IV, 609-610.

121 S. V. Fitzgerald, "The Allaged debt of Islamic to Roman Law", *The Law Quarterly Review*, LXVII (1951), s. 81-102; makalenin tercümesi için bk. "İslam Hukukunun Roma Hukukundan İktibasta Bulunduğu İddiası" (çev. Bilge Umar), *İÜHFM*, XXIX/4 (1964), s. 1128-1154.

sonra İslam âlimleri gerek mahkemelerde uygulama hâlinde bulunan gerekse eğitim ve öğretimi yapılan ya da halk arasında örf ve âdet şeklinde yerleşmiş bulunan kuralları öğrenmişler, böylece Roma hukukunu iktibas etmişlerdir. Nitekim Evzâî'nin Beyrut'ta, Şâfiî'nin de Mısır'da yaptığı budur.

3) Fethedilen Roma topraklarına dağılan Müslüman fakihler gittikleri yerlerde Roma hukukunu bilenlerle tanıştılar ve bu yolla Roma hukukunu öğrendiler.

4) Roma hukukunun etkilediği câhiliye ve diğer kültürlerden İslam'a intikal eden kaideler yoluyla dolaylı bir iktibas söz konusudur.

5) İslam hukuku ile Roma hukuku arasındaki benzerlikler Roma hukukundan sonra oluşan İslam hukukunun ondan etkilendiğine delalet eder.

İslam Hukukunun Özgünlüğü

İslam hukukunun özü itibarıyla orijinal olduğunu ve hiçbir hukuk sisteminden etkilenmediğini savunan araştırmacılar ise bu iddialara özetle şöyle cevap verirler:

1) Hz. Peygamber'in Roma hukukunun yazıldığı dili bilmediği sabittir. Bunun yanında Roma hâkimiyeti altında bulunan Suriye'ye, Roma hukukunu öğrenebileceği sıklıkta ne bir seyahati ne de uzun süreli bir ikameti söz konusudur. Suriye'ye sekiz yaşında bir çocukken yaptığı seyahat dışında yirmi dört yaşında on beş günlük bir gezisi vardır.

2) İmparator Jüstinyen 533 yılında çıkardığı bir emirname ile Roma, İstanbul ve Beyrut dışındaki medreseleri kapatmıştı. Medresesi açık kalan yerlerden Roma, Müslümanların eline hiç geçmemiş, İstanbul 1453 yılında ancak fethedilebilmiş, Beyrut ise Müslümanların eline geçtiğinde medresesi çoktan tarihe karışmıştı. Evzâî Beyrut'a, Şâfiî de Mısır'a hayatlarının sonlarına doğru ve İslam hukuku doğuş ve gelişmesini tamamladıktan sonra gitmişlerdir.

3) İlk dönem İslam hukukçularından herhangi birinin Roma hukukunu bildiği ve çalışmalarında bu hukuka atıf yaptığı sabit değildir.

4) Roma hukuku ile İslam hukuku arasındaki sistem, kurum ve norm farklılığı tesir ve teessür iddiasının isabetsiz olduğunu açık bir şekilde ortaya koymaktadır.

5) Roma hukuku laik karakterli olup şahıslar, eşya ve kaza bölümlerine ayrılmaktadır. İslam hukuku ise kaynakları itibariyle vahye dayanır ve ibâdât, muâmelât ve ukûbât şeklinde bir tasnife sahiptir.

6) Roma hukukunda ataerkil yapıya (pederşâhîliğe) bağlı aşırı baba hâkimiyeti, koca hâkimiyeti, evlat edinme kurumu vardır; İslam hukukunda ise bunlar yoktur.

7) Roma'da kadın daimi vesayet altındadır. Hayatı boyunca vasisinin izni olmaksızın malında tasarrufta bulunamaz. İslam hukuku ise ilke olarak bütün tasarrufları konusunda kadına tam ehliyet vermiştir.

8) Roma hukukunda mehir kadın tarafından kocasına veya bir yakınına verilir. İslam hukukunda ise tam tersidir ve koca tarafından doğrudan kendisine ait bir hak olmak üzere evleneceği kadına verilir.

9) Vasiyet ve hükümleri konusunda önemli fark vardır. İslam hukukunda varise vasiyet yasaklanmışken Roma hukukunda vasiyet mirasçıyı seçme vasıtasıdır.

10) Borç münasebetleri bakımından da iki hukuk arasında önemli farklılıklar vardır. Roma hukukunda borçlu borcunu ödeyemez hâle geldiğinde alacaklısının kölesi hâline gelmektedir. İslam hukukunda böyle bir hüküm yoktur. Tam aksine borcunu ödeyemeyecek durumda olan borçlulara mühlet vermek hatta bağışlayıvermek esas kabul

edilmiştir.[122] Alacaklı buna yanaşmaz ise diğer insani mekanizmalar devreye girer.

11) İslam hukukuna göre erkek birden fazla kadınla evlenebilir, talak kocanın hakkıdır, mirasta erkek genellikle kadının aldığının iki mislini alır, vâris murisinin borçlarını yüklenmez, hukuki işlemlerde şekil şartı asgari düzeydedir. Bütün bu konular Roma hukukunda ya yoktur ya da farklıdır.[123]

12) Vakıf, şuf'a, süt kardeşliği, hisbe, tazir, borcun nakli ve alacağın temliki, hakkın kötüye kullanılması, beklenmeyen hâle ilişkin hükümler vb. hukuki kurum ve telakkiler İslam hukukuna mahsustur. Hatta modern Batı hukukunun temelini oluşturan Roma hukukunda bulunmayan bazı temel anlayışlar ancak 1850'li yıllardan sonra uzun tartışma ve sıkıntılardan sonra hayatın zaruretlerinden dolayı bu hukuklara girebilmiştir. Hakkın kötüye kullanılması, borcun nakli ve alacağın temliki, beklenmeyen hâl nazariyesi, risk teorisi ve temyiz gücü bulunmayanların medeni sorumluluğu gibi hukuk teorilerini bunlar arasında sayabiliriz.[124]

Yukarıda işaret edildiği üzere 1932 yılında Lahey'de toplanan Milletlerarası Modern Hukuk Kongresi iki Müslüman hukukçunun sunumundan sonra, bu gerçekliği tescil etmek üzere İslam hukukunun orijinal bir hukuk sistemi

---

122 Bakara suresi, 2, 280.

123 İslam hukukunun Roma hukukundan etkilendiği iddialarının reddi konusunda bk. S. V. Fitzgerald, "İslam Hukukunun Roma Hukukundan İktibasta Bulunduğu İddiası" (çev. Bilge Umar), *İÜHFM*, XXIX/4 (1964), s. 1128-1154; Muhammed Hamidullah, "İslam Fıkhı ve Roma Hukuku" (çev. Kemal Kuşçu), *İslam Hukuku Etüdleri* içinde, İstanbul 1984, s. 221-240; Subhi Mahmesânî, *Felsefetü't-teşrî' fi'l-İslâm*, Beyrut, 1961, s. 246-260; Muhammad Muslehuddin, *Philosophy of Islamic Law and the Orientalists*, Lahore, t.y., s. 278-280; Abdülkerîm Zeydân, *el-Medhal li-dirâseti'ş-şerî'ati'l-İslâmiyye*, Bağdat, 1969, s. 62-75; Hayreddin Karaman, *Mukayeseli İslam Hukuku*, İstanbul, 1996, I, 31-36; a.mlf., "Fıkıh", *DİA*, XIII, 2-3; M. Fuad Köprülü, "Fıkıh", *İA*, IV, 609-611.

124 Bu konu hakkında geniş bilgi için bk. Saffet Köse, *Çağdaş İhtiyaçlar ve İslam Hukuku*, s. 95-133.

olduğunu ve hiçbir hukuk sisteminden etkilenmediğini sonuç bildirgesi olarak yayımlamıştır.

## FIKIH/İSLAM HUKUKU VE CÂHİLİYE HUKUKU

İslami literatürde câhiliye kavramı, İslam öncesi Arapların dinî, kültürel ve sosyal hayata ilişkin zihniyetlerini, tavır, tutum ve davranışlarını ifade etmek üzere kullanılan bir kavramdır. Söz konusu dönemin, bilgisizlik anlamına gelen bu kelimeyle isimlendirilmesi adaletin, akl-ı selimin, vicdanın ve sağduyunun öngörülerine aykırı davranışın, ilkelliğin (bedevilik), zulmün, insanlık dışı uygulamaların bir yaşam biçimine dönüşmüş olması sebebiyledir. Kur'ân-ı Kerîm[125] ve hadislerde[126] bu dönem câhiliye ismiyle anıldığı gibi Müslüman olduktan sonra birçok sahâbî de o devri câhiliye olarak vasıflandırmışlardır.[127]

Kur'an'da ve hadislerde sözü edilen câhiliye, İslam öncesi Araplar örnekliğinde belirli davranış kalıplarına karşılık gelmekle birlikte her dönem için geçerliliği olan bir kavramdır. Ancak burada üzerinde durulan İslam öncesi Arap toplumudur.

Câhiliye Araplarında yasama faaliyetini üstelenebilecek bir hükümet ya da başka bir organ yoktu; ilişkileri kabile kültürü çerçevesinde örf ve âdet hukuku belirlemekteydi. Uyuşmazlık durumunda başvuru mercii ise kabile reisi veya kâhinlerdi.

125 Âl-i İmrân suresi, 3:154; Mâide suresi, 5:50; Ahzâb suresi, 33:33; Fetih suresi, 48: 26.

126 bk. *Concordance*, "c.h.l." md.

127 bk. Ebû Dâvûd et-Tayâlisî, *el-Müsned* (nşr. Muhammed b. Abdilmuhsin et-Türkî), Kahire, 1999, I, 27; Taberânî, *el-Mu'cemü'l-kebîr* (nşr. Hamdi Abdülmecid es-Selefî), Mektebetü İbn Teymiyye, Kahire, ts., IX, 153.

Câhiliye Hukuku

Her ne kadar câhiliye, ilkelliğin hâkim karakter olduğu bir dönem olarak tanınıyorsa da Arapların geleneklerinden kaynaklanan bazı iyi uygulamaları da bulunmaktaydı. Bu sebeple İslam, câhiliye dönemi anlayışına bütünüyle cephe almış değildi. İslam'ın, bu noktada üç tutum takındığını söyleyebiliriz:

İslam'ın Câhiliye Anlayışına Yönelik Yaklaşımı

Birincisi İslam evlatlık müessesesi, üvey anne ile evlilik, iki kız kardeşi bir nikâh altında tutmak, faiz ve kan davası gibi özüne tamamen aykırı olan uygulamaları kaldırmıştır (ilga).

İkincisi misafirperverlik, Kâbe hizmetleri, hılfü'l-fudûl türü antlaşmalar gibi kendisiyle uyumluluk arz eden hükümlerin geçerliliğini korumuş ve yürürlükte bırakmıştır (ibkâ).

Üçüncüsü de (veli tarafından alınan) mehir, talak, zıhar, ilâ, kısas, selem ve vasiyet gibi özü itibariyle kendisine uygun olmakla birlikte hatalı yönleri bulunan hüküm ve uygulamaları ıslah etmiş ve bu şartla yürürlükte tutmuştur (tashîh).

İslam'ın hukuki hükümlerindeki farklılık ve rahmet boyutu konusunda bir fikir oluşsun diye İslam hukukunun tadil ettiği câhiliye dönemi uygulamalarından bazılarını aile hukuku konularını içeren örnekler üzerinden anlatmaya çalışacağız:[128]

## Zıhâr

Zıhâr, Arapçada sırt anlamına gelen "zahr" kelimesinden alınmış bir terim olup İslam öncesi Arap toplumunda kocaların karılarını boşamada kullandıkları çok ağır bir ifade idi. Koca karısına kızdığı zaman "Sen bana annemin sırtı gibisin!" dediğinde zıhar yapmış oluyordu. Bunun sonucunda kadın kocasına ebedî olarak haram hâle geldiği gibi bir başkasıyla evlenmesi de söz konusu olamıyordu.

128 Köse, *Çağdaş İhtiyaçlar ve İslâm Hukuku*, s. 383-399; ayrıca bk. buradaki referanslar.

Artık onun evlilik hayatı bütünüyle kapanmış bulunuyordu. İşte bu uygulama kadını haram kılma konusunda boşamanın en sert şeklini ifade ediyordu. Oysa erkek dilediği kadar evlenebilir ve boşanabilirdi. Rivayete göre Evs b. Sâmit karısı Havle (Huveyle) bintü Mâlik'e zıharda bulunması üzerine Mücâdele suresinin 1-4. ayetleri nazil oldu.

Kur'ân-ı Kerim ilgili ayetlerde zıhar olarak söylenen sözün İslam'a yakışmayan bir çirkinlik ve yalan söz olduğunu açıklamış ve zıharın haram olduğunu ortaya koymuştur. İlk yenilik budur. İkinci olarak da zıhara başvurulması durumunda bunu da büsbütün hükümsüz bırakmamıştır. Fakat bu defa zıharla kadın mağdur olmaktan çıkmış ve koca, yaptığına karşılık ağır bir kefaretle cezalandırılmış; bununla aynı zamanda köle azadı ve fakirlere yemek yedirme gibi sonuçlar amaçlanmış, buna gücü yetmeyenlerin ise peş peşe iki ay oruç tutmaları emredilmiştir.[129] Bu hükmü yerine getirmediği takdirde kocanın eşine dönmesi yasaklanmıştır. Kocanın kefarette bulunmamakta direnmesi durumunda kadına mahkemeye başvurma hakkı tanınmıştır. Bu durumda hâkim, kocaya ayetteki seçeneklerden hangisini yapabilecekse onunla kefareti yerine getirmesini isteyecek, aksi takdirde kadının ayrılık hakkı doğacaktı. Bu düzenlemeyle evli kadınlara karşı yapılan büyük haksızlık giderilmişti.[130]

## Îlâ

İslam öncesi câhiliye Arap toplumunda kadınlara zulüm yapmak için kullanılan araçlardan birisi de îlâ yöntemi idi. Koca karısına kızdığı zaman onunla bir yıl, iki yıl veya daha fazla bir süre için, hatta ebedî olarak cinsel ilişkide bulunmayacağına yemin ediyordu. Verdiği süre dolduğunda

129 Mücâdele suresi, 58:3-4.

130 bk. Saffet Köse, *İslam Hukukunda Hakkın Kötüye Kullanılması*, İstanbul, 1997, s. 141-144.

bunu tekrar tekrar uzatıyordu. Böylece kendisi kocalık görevini yapmadığı gibi kadının bir başkası ile evlenmesini de engellemiş oluyordu. Bu durumda kadın askıda kalmış gibi bir hâlde bulunuyordu. Kocalar bunu karısına zarar vermek amacıyla yapıyorlardı. Bu noktada kadının da bir söz söyleme hakkı bulunmuyordu. İşte Allah, kadınlardan bu zulmü kaldırmak ve onları mahrum bırakılan haklarına kavuşturmak için îlâ'yı dört aylık bir süre ile sınırlandıran, bu süre içerisinde evlilik hayatına dönmesini, aksi hâlde karısının kendisinden ayrılacağını bildiren Bakara suresinin 226-227. ayetlerini indirmiştir.

Îlâ ile ilgili bu düzenlemelerle câhiliye döneminde kadınların uğradığı zarar ortadan kaldırılmıştır. Zira Allah îlâda bir süre belirlemek suretiyle böyle bir durumda kadının kocasından ayrılarak başka birisi ile evlenmesine imkân vermiş ve kadına bir çıkış yolu hazırlamıştır. Buna göre koca, karısına dört ay veya daha fazla bir süre ile yaklaşmayacağına dair yemin eder ya da meşakkatli bir işi nezrederse îlâ yapmış olur. Dört ay içerisinde karısına dönerse evlilik hayatı devam eder; yemin etmiş ise yeminini bozduğundan kefaret öder, nezretmiş ise onun gereğini yerine getirir. Dört ay içerisinde karısına dönmediği takdirde, talak, Hanefîlere göre doğrudan doğruya, Şâfiîler ve Hanbelîlere göre ise mahkeme kararıyla gerçekleşir. Bu talak, Hanefîler ve Hanbelîlere göre "bâin talak"; Mâlikîler ve Şâfiîlere göre ise "ric'î talak"tır.

Îlâ büsbütün kaldırılabilirdi. Ancak tadil edilmek suretiyle aile içi uyuşmazlıklarda onarıcı bir tedbir olarak yürürlükte bırakılmıştır. Bu konuda fıkıh kitaplarında ince tahliller yer almaktadır.[131]

131 Saffet Köse, *İslam Hukukunda Hakkın Kötüye Kullanılması*, s. 137-141.

## Talak

Câhiliye Arap toplumunda evlenme ve boşanmada herhangi bir sınır yoktu. Bunun sıkıntısını en fazla kötü niyetli kocaları bulunan kadınlar çekiyordu. Çünkü koca, karısını boşadıktan sonra iddet süresinin dolmasına az bir zaman kala tekrar ona dönüyor ve tekrar boşuyordu. Bu hâl uzayıp gidiyordu. Kadın, kocasıyla evlilik hayatı yaşayamadığı gibi onun nikâh bağından, dolayısıyla zulmünden kurtulup bir başkasıyla da evlenemiyordu. Çünkü boşama yetkisi ve iddet süresi içerisinde karısının rızasını almaya gerek olmaksızın doğrudan doğruya karısına dönmek kocanın elinde idi. İşte kadın bu şekilde kötü niyetli kocaların elinde oyuncak hâline gelmişti. Böyle bir durumda ensardan bir sahâbî karısını tekrar tekrar boşayıp iddet bitmeden geri almıştı. Bu haksızlığa maruz kalan kadın, "Aile hayatımız devam etmeyecekse beni boşa!" dedi. Karısının bu haklı isteğine koca, "Allah'a yemin ederim ki seni ne alırım ne de boşarım!" şeklinde cevap verince, talakla ilgili hükümleri düzenleyen Bakara suresinin 228-229. ayetleri nazil oldu.

Bu ayetler boşamanın üçle sınırlandırıldığını açıkça ifade etmektedir. Buna göre herhangi bir sebeple karısını boşayan biri, eğer pişmanlık duyar ise birinci ve ikinci boşamalardan sonraki iddet süreleri içerisinde yeni bir nikâh ve mehir belirlemesine gerek kalmadan doğrudan doğruya evlilik hayatına dönebilirdi. Buna ric'î talak denir. İddetin dolmasından sonra da yeni bir nikâh akdi ve mehirle aynı çiftin evlenebilmesi de mümkündü ki buna da küçük bâin talak denir. Eğer koca, karısını üçüncü defa boşamış ise artık kadın bir başkasıyla evlenip o kocasından ölüm veya boşanma ile ayrılıp iddetini doldurmadıkça, eski kocasıyla evlenemeyecekti. Buna da büyük bâin talak denir. Böylece boşanma bir disiplin altına alınmış ve karı-kocanın haklarını koruyacak dengeli bir düzenleme yapılmıştır.

Talak ile ilgili düzenlemeleri yapan ayetlerin inişine sebep olan olaylar da göstermektedir ki câhiliye Arap toplumunda kadınlara bir zulüm ve işkence aracı hâline gelmiş olan talak, İslam ile birlikte koca ile karının menfaatlerini dengeleyen bir hâle getirilmiştir. İslam evlilikte mutluluk ve kalıcılığı esas almıştır. Ancak herhangi bir sebepten dolayı eşler arasında uyumsuzluk ve huzursuzluk oluşmuşsa, bunun atlatılıp evliliğin devamını sağlamak için talakta tedrîcîliği benimsemiştir. Eğer problemlerin aşılması sağlanamamış ise bu şekildeki bir evliliğin hem taraflara hem ailelere, hem de topluma faydası kalmamış ise, üstelik evlilik birey, aile ve toplum için zararlı hâle gelmişse, böyle bir evliliğin sona ermesine ihtiyaçtan dolayı izin vermiştir.[132]

Boşanma konusu gelmişken şu hususlara kısaca işaret etmek uygun düşer: Fıkhın iki ana kaynağı Kur'ân-ı Kerîm ve Hz. Peygamber'in sünnetine bütüncül bir yaklaşımla bakıldığında evliliğin ilke olarak mutluluk ve kalıcılık esası üzerine kurulmasının hedeflendiği görülür. Kur'ân-ı Kerîm'in nikâhı kocanın karısına verdiği mîsâk-ı galîz, yani sağlam söz, teminat/sıkı bağ[133] olarak tavsif etmesi, Hz. Peygamber'in boşanmayı Allah'ın en sevmediği helal[134] olarak açıklaması, ilk ve ikinci boşamanın iddet içinde yeni bir nikâha gerek kalmadan doğrudan dönüşe imkân verecek şekilde hükme bağlanması, vefat iddeti bekleyen kadına yapılacak üstü kapalı işaret hariç,[135] iddet içindeki kadına kocası dışında hiç kimsenin evlenme teklifi bir yana imada bile bulunamaması, evliliğin kalıcılığına gösterilen özeni ve bu konudaki hassasiyeti ifade eder. Bu kalıcılık, eşlerin sevinç ve neşe içinde meleklerin karşıladığı bir törenle cennete girdikleri[136] ebedî bir sürecin ifadesidir.

132 Saffet Köse, *İslam Hukukunda Hakkın Kötüye Kullanılması*, s. 127-131.
133 Nisâ suresi, 4:21.
134 Ebû Dâvûd, "Talâk", 3; İbn Mâce, "Talâk", 1.
135 Bakara suresi, 2:235.
136 Ra'd suresi, 13:23-24; Yâsîn suresi, 36:56; Mü'min suresi, 40:8.

Allah'ın Hiç Sevmediği Helal: Boşanma

Boşanma helal olmasına rağmen Allah'ın hiç sevmediği, şeytanın da en çok sevdiği eylemdir. Çünkü aileyi yıkınca toplumun surlarında bir gedik açılmaktadır. Bu konuyu Resûlullah (s.a.v.)'in şu hadisi çok iyi özetler:

*"Gerçekten İblis tahtını suyun üzerine koyar. Sonra çetelerini insanlar içine salar. Bunların derece itibarıyla kendisine en yakın olanı, en büyük fitne çıkaranıdır. Bunlar verilen görevi tamamlayıp efendisine döndüğünde, İblis onlardan neler yaptığına dair hesap alır. Biri gelir 'Şöyle şöyle yaptım (mesela filan kişiyi kumara başlattım, içki içmesini sağladım, namazını geciktirdim vs.)' der. O da, 'Hiçbir şey yapmamışsın.' diye karşılık verir. Sonra bir başkası gelerek, 'Falana yapıştım ve karısıyla birbirinden ayırmadan bırakmadım.' der. Bunun üzerine İblis onu sevincinden kucaklar, sarılır ve kutlayarak yanına oturtur."*[137]

## Yetim Kızlarla Evlenerek ya da Evliliğini Engelleyerek Mallarına Konmak

Câhiliye Arap toplumunda şöyle bir âdet bulunuyordu: Bir kişi velisi bulunduğu yetim kızın mallarına konmak istediğinde güzelse onunla evlenmek suretiyle bu maksadını gerçekleştiriyor, eğer çirkinse kendisi evlenmediği gibi bir başkasıyla evliliğini de engellemek suretiyle onun mirasçısı oluyordu. Güzellik ve çirkinliğin izafi olduğu ve bir erkeğin de aynı anda on kadınla birden evlenebileceği düşünülürse bu tür kızların ne kadar sıkıntılı bir durumda olduğu anlaşılabilir. İşte bazı Müslümanların Hz. Peygamber'e bu konuda soru sormaları üzerine şu ayet nazil olmuştu: *"Senden, kadınlar hakkında fetva istiyorlar. De ki: Allah size onlar hakkındaki hükmü açıklıyor. Kendilerine yazılmış olan (tayin edilen) miras haklarını vermeyip kendileriyle evlenmek*

137 Müslim, "Münâfikîn", 66-67; Ahmed b. Hanbel, *el-Müsned*, III, 314, 332, 354, 366, 384.

*istediğiniz yetim kadınlar, zavallı çocuklar ve öksüzlere karşı adaleti yerine getirmeniz hakkında kitapta size okunan (ayetler) Allah'ın hükmünü size açıklamaktadır.*"[138] Kur'ân-ı Kerim'in böyle bir suistimalin önüne geçerek kadınların karşılaştıkları sorunları çözmesi ve onların haklarını gözetmesi gerçekten önemlidir.

138 Nisâ suresi, 4:127.

# ÜÇÜNCÜ BÖLÜM

# FIKHIN KONUSU: ŞERİ-AMELÎ HÜKÜMLER

Fıkhın konusu mükelleflerin eylemleriyle ilgili şeri-amelî hükümlerdir. Bu bölümde hükümlerin kısımları, hükmün koyucusu (vâzıı), hükümlerin muhatabı, fıkhın kaynak ve yöntemleri üzerinde durulacaktır.

# ŞERİ HÜKÜM VE KISIMLARI

## Tanım

Hükmün Doğası

Cumhura göre hüküm, Şâri'in, yani kanun koyucunun mükelleflerin fiilleriyle ilgili olarak *iktizâ, tahyîr* veya *vaz'* ifade eden hitabıdır. Hanefîlere göre ise hüküm, şâri'in hitabı değil, hitabının neticesidir. Şimdi söz konusu tanımda geçen kavramları açıklayarak analiz edeceğiz.

Allah'ın hitabından maksat Onun sözü, yani Kur'ân-ı Kerîm ayetleridir. Hz. Peygamber'in teşriî nitelik taşıyan söz, fiil ve takrirleri de buna dâhildir. Çünkü Hz. Peygamber'in böyle bir görevi vardır. Öyleyse tanımdaki ifadeye uygun olan ayet ve hadisler bizzat hükmün kendisidir. Allah'ın *"Namaz kılın!"*, *"Zekâtı verin!"* şeklindeki hitabı hükümdür. Burada hüküm anılan ayetlerdir. Hanefîlere göre ise hüküm söz konusu hitaptan çıkan sonuç, yani namazın ve zekâtın farz oluşudur.

Mükellef: Hükmün Muhatabı

Mükellef gerekli şartları taşıyan insandır. Hükmün muhatabıdır. İktizâ, bir eylemin yapılmasını ya da terk edilmesini talep etmek demektir. Talep, "Namaz kıl!", "Zekât ver!" biçiminde olumlu olabileceği gibi *"İçki içme!"*, *"Kumarı bırak!"*, *"Zinaya yaklaşma!"* ifadelerinde olduğu gibi olumsuz, yani yasak ifade edecek şekilde de gelebilir. Tahyîr, yapıp yapmamakta serbest bırakmak demektir. Eylem kişinin seçimine bağlıdır. *"İhramdan çıkınca avlanın."*[139]

139 Mâide suresi, 5:2.

ayetindeki hüküm tahyîr ifade eder ve "avlanabilirsiniz" anlamına gelir. Bu hükümlere, "teklifî hükümler" denir. Vaz' ise, hükmün sebep, şart veya mâniye bağlanmasıdır. Buna da vaz'î hüküm denir. Vaz'î hükmün kısımlarından olan sebep, şart ve mâni kavramları ileride ele alınacaktır.

## Kısımları

Şeri hükümler teklifî ve vaz'î olmak üzere iki kısma ayrılır.

### Teklifî Hükümler

Teklifî hükümler Hanefîlere göre; "farz", "vacip", "mendup", "haram", "tahrîmen mekruh", "tenzîhen mekruh" ve "mübah" olmak üzere yedidir. Burada Hanefîlerin mükelleflerin fiillerinin sıfatına göre bir tasnif yapmaları hüküm tanımlarında yer verdikleri "hitabın neticesi" ile ilgilidir. Hanefîler dışındaki fukaha ise hüküm tanımlarına bağlı olarak teklifî hükümleri şâri'in hitabına nispet ederek; "îcâb", "nedb", "tahrîm", "kerâhet" ve "ibâha" şeklinde kategorize etmişlerdir.

**a) Farz:** Şâri'in *kati delil* ile mükelleflerden bir şeyin yapılmasını kesin ve bağlayıcı tarzda istediği eylemlerdir. Kati delil, kesin delil demek olup iki kısma ayrılır. Birincisi sübutu kati olan, yani sabit olduğunda en küçük bir şüphe bulunmayan delil demektir. Bunlar Kur'ân-ı Kerîm'in ayetleri ile mütevatir hadislerdir. Yalan söylemek üzere birleşmeleri mümkün olmayan toplulukların birbirlerinden yapmış oldukları rivayetlere mütevatir hadis denir. Bu tür hadislerin sayısı azdır. İkincisi ise delaleti kati olan, yani manayı bir başka ihtimal bulunmayacak açıklıkta gösteren delil demektir. Mesela namaz, zekât, oruç, hac ve abdest hükümlerini ihtiva eden ayetlerin özelliği böyledir. Bu ibadetlerin farz oluşunda en küçük bir şüphe yoktur. Çünkü delilin sübutu ve manaya delaleti açısından kesinlik vardır. Hanefîler dışındaki fakihler, bu özellikteki taleplere farz değil, "vacip" derler. Buna göre Mâlikî, Şâfiî ve Hanbelî kitaplarındaki vacip ifadesi, Hanefîlerin farz kavramına karşılık gelmektedir. Şâri'in bu türden taleplerini yerine getirmek mutlak anlamda zorunludur, yapan sevap kazanır, terk eden günahkâr olur, inkâr edenin ise kâfir olduğuna hükmedilir.

**b) Vacip:** Şâri'in *zannî delil* ile mükelleflerden bir şeyin yapılmasını kesin ve bağlayıcı tarzda istediği eylemlerdir. Zannîlik iki şekilde, yani ya sübutu kati, delaleti zannî olarak ya da sübutu zannî, delaleti kati olarak ortaya çıkar. Ayet ve mütevatir hadislerin sübutu katidir, ancak onların delalet ettiği manada tam bir açıklık olmadığından farklı ihtimaller bulunabilir; bu yüzden burada zannîlik, manaya delalettedir. İkincisi ise sübutu zannî, delâleti kati olan delillerdir. Manada kesinlik bulunsa da sübutunda zanniliğin söz konusu olduğu âhâd haberler yani sahabe, tâbiûn ve tebeü't-tâbiîn tabakalarında tevatür sayısına ulaşmayan kişilerce rivayet edilen hadisler böyledir. Sünnet daha çok bu yolla sabit olmuştur. Namazda Fâtiha suresini okuma, vitir namazı, kurban kesme vacibin örnekleri arasındadır.

Talep konusunda farza göre derecesi daha düşük olduğundan vacibi terk etmenin cezası daha azdır. Buna göre itikadi açıdan bir eylemin vacip olduğunu inkâr eden kişi kâfir olarak vasıflandırılmaz. Vaciple ilgili bu anlatılanlar, Hanefî mezhebine göredir. Diğer mezheplerde Hanefîlerin anladığı manada vacip yoktur. Söz konusu mezheplerde vacip kavramı, Hanefîlerin farz kavramına karşılık gelmektedir.

**c) Mendup:** Şâri'in bir şeyin yapılmasını terkinden üstün tuttuğu eylemlerdir. Bir başka ifadeyle Şâri'in yapılmasını tercih ettiği, yapmayanı da kötülemediği fiillerdir.

Talepte bağlayıcılık ve kesinlik yoktur. Buna göre mendup çerçevesine giren eylemlerin yapılmasında sevap vardır, terk edilmesinde ise günah yoktur. Ancak mendup türünden eylemlerin sürekli terk edilmesi hoş karşılanmamış ve bu kınanma sebebi kabul edilmiştir. *"Ey İnananlar! Birbirinizle belirli bir süreye kadar borç ilişkisi içinde bulunuyorsanız, borcu yazın."*[140] ayetindeki borcun yazılması talebi nedbe delalet eder, dolayısıyla borcu yazmak farz değil menduptur. Fukaha, ayetin devamında yer alan: *"Birbirinize güveniyorsanız kendisine güvenilen kişi emanetini tastamam eda etsin."*[141] kısmından borcun itimat hâlinde yazılmayabileceğine dair bir karine bulunduğunu düşünerek buradaki talebin kesinlik ifade etmediğini dolayısıyla borcu yazmanın mendup olduğu sonucuna ulaşmışlardır.

Mendubun çeşitleri vardır. Bunlar:

1) Ezanın okunması, cemaatle namaz kılınması gibi dinî yükümlülüklerin tamamlayıcısı olan eylemler.

2) Müekked sünnetler: *Sünenü'l-hedy*[142] de denilen bu sünnet, Hz. Peygamber'in sürekli yaptığı, nadiren terk ettiği eylemlerdir. Sabah ve öğle namazlarının sünnetleri gibi.

Tamamlayıcı sünnetlerle müekked sünnetleri yapanlar sevap kazanırlar, terk edenler ise cezayı hak etmemekle birlikte kınanmaya sebep olacak bir tutum içinde bulunmuş olurlar. Ezan gibi sembol değeri taşıyan ibadetler topluca terk edilemezler.

3) Gayr-ı müekked sünnetler: Hz. Peygamber'in bazen yapıp bazen de terk ettiği sünnetlerdir. İkindi namazının sünneti gibi. Bu sünnetlere nafile ve müstehab da denilir.

4) Zevâid sünneti: Hz. Peygamber'in bir insan olarak

---

140 Bakara suresi, 2:282.

141 Bakara suresi, 2:283.

142 Kanaatimizce Türkçede kullanılan "*hüdâ sünneti*" ifadesini hatalı bulan âlimler haklı gözükmektedir.

dinî karakter taşımayan tutum ve eylemleri bu gruba girer. Onun yemesi-içmesi, oturup kalkması, çeşitli alışkanlıkları bu kategoride değerlendirilmektedir. Bu türden sünnetlerin herhangi bir bağlayıcılığı olmamakla birlikte, Hz. Peygamber'e olan sevgi ve bağlılık sebebiyle bunları yapanlar sevap kazanır; ancak terk edenler kınanmazlar.

**d) Haram:** Şâri'in *kati delil* ile mükelleflerden bir şeyin terk edilmesini kesin ve bağlayıcı tarzda istediği eylemlerdir. Burada kati delilden kasıt, sübut ve delalet yönünden olan kesinliktir. Hırsızlık yapmak, zina etmek, kumar oynamak ve içki içmek gibi. Bu tür eylemleri işlemek cezayı gerektirirken, terk etmek sevap kazandırır. Bu eylemlerin haram oluşunu inkâr etmek kişiyi küfre düşürür.

Haram iki kısımda ele alınır:

1) Haram li-'aynihî: Özü ve yapısından dolayı içerdiği kötülük ve zarar itibarıyla bizzat kendisinin haram olduğu şeyler ve eylemlerdir. Domuz eti yemek, yalan söylemek buna örnektir.

2) Haram li-gayrihî: Aslı itibarıyla meşru, vasfı itibarıyla gayrimeşru olan fiillerdir. Bunlar, kendisi meşru ve helal olduğu hâlde bir başka şey sebebiyle haram hâle gelen eylemlerdir. Söz gelimi özü ve aslı itibarıyla oruç meşrudur, ancak bayram günü oruç tutmak haramdır.

**e) Tahrîmen Mekruh:** Şâri'in *zannî delil* ile mükelleflerden bir şeyin terk edilmesini kesin ve bağlayıcı tarzda istediği eylemlerdir. Mesela dünür gelinen kıza süreç devam ederken talip olmak, pazarlığı devam eden bir mala müşteri olmak, karaborsacılık yapmak (ihtikâr) böyledir. Bu tür eylemlerden kaçınmak gerekir; zira bunları yapan günahkâr olur, ancak inkâr eden kâfir olmaz. Özellikle karaborsacılık gibi toplumu ilgilendiren hususlarda halkın zararını önlemek amacıyla "tahrîmen mekruh" kapsamına giren eylemleri engelleyici tedbirlerin alınması ilgili kurumların görevidir.

Hanefî mezhebi fıkıh kitaplarında mutlak anlamda zikredilen "mekruh" kavramı "tahrîmen mekruh"u ifade eder. İmam Muhammed'e göre tahrîmen mekruh, haram hükmündedir.[143]

**f) Tenzîhen Mekruh:** Şâri'in bir şeyin terk edilmesini yapılmasından üstün tuttuğu eylemlerdir. Bir başka ifadeyle şâri'in bir şeyin terkini kesin ve bağlayıcı olmayan tarzda istediği eylemlerdir. Bunları Allah rızası için terk eden övgüyü hak eder ve sevap kazanır. Ancak bu eylemleri işleyen ceza görmez ve kınanmaz. Bununla birlikte eylemin etkisine göre sorumluluk artabilir. Söz gelimi soğan veya sarımsak yiyerek insanların kalabalık olduğu yerlere, mesela camiye gelmenin hükmü böyledir. Çünkü kötü koku çevreyi rahatsız eder ve nefrete vesile olur, bazen çekişme ve çatışmayı da beraberinde getirebilir.

**g) Mübah:** Şâri'in mükellefi yapıp yapmamakta serbest bıraktığı eylemlerdir. Bu tür eylemleri yapan sevap elde etmediği gibi terk eden de günahkâr olmaz. Ancak bazı durumlarda niyete göre sevabın kazanılması mümkündür. Mesela spor yapmak mübah bir eylemdir. Ülke savunmasına hazırlık amacıyla spor yapan kişi sevap kazanır.

Bazı hâllerde mübahlar kişilere bağlı olarak farklı hükümler doğururlar. Bir kimsenin tatlı yemesi mubahtır. Ancak yediğinde komaya girecek ya da felç olacak derecedeki şeker hastasına bu tatlı zehir hükmünde olduğundan yasaktır. Mübahlar, ölçülü olmak kaydıyla serbestlik hükmü taşırlar. Avlanmak mübah olmakla birlikte gereğinden

143 Kâsânî, *Bedâiu's-sanâî fi tertîbi'ş-şerâî,* Kahire, 1910, V, 118; Mevsılî, *el-İhtiyâr,* Kahire, 1937, IV, 153.

fazla hayvanı vurmak tasvip gören bir davranış olamaz. Mübah olan alanlarda yetkili mercilerin düzenleme yetkisi vardır. Gerektiğinde sınırlandırma yoluna gidebilir. O zaman bu hükme uymak bir zorunluluk hâlini alır. Mesela yabani hayvanların üreme döneminde belirli bir süreliğine avın yasaklanması böyledir. "Eşyada aslolan ibâhadır." kuralı gereğince açık yasağın bulunmadığı ya da açık bir zararın tespit edilemediği şeylerde öncelikle serbestlik ilkesinden hareket edilir. Mesela deniz mahsülleri, bitkiler vs. bu konuda örnek olarak zikredilebilir.

Şâri'in helallik lafzını kullanması, eylemde günahın bulunmadığını belirtmesi, emir sigası olsa da ibâhaya delalet eden karinenin mevcudiyeti ve bir şeyde açık yasak ve kesin zararın tespit edilememiş olması bir şeyin mübah olduğunu gösterir. Mübah alanına giren şeylere *helal* ve *caiz* de denir.

## Vaz'î Hükümler

**a) Sebep:** Şâri'in, varlığını hükmün varlığı için, yokluğunu da hükmün yokluğu için alamet kıldığı vasıftır. Hüküm ile sebep arasındaki uygunluk akıl ile kavranabiliyorsa buna aynı zamanda *illet* de denir, kavranamıyorsa sadece sebep denir. Namaz için vaktin girmesi, farz oruç için ramazan hilalinin görülmesi orucun sebebidir. Farzın tahakkuk etmesi için bu sebeplerin varlığı şarttır. Burada hüküm ile sebep arasındaki ilgi akıl yoluyla kavranamaz. Sarhoş edicilik özelliği içki içmenin yasaklanmasının sebebidir. Burada hükmün sebebi akıl yoluyla kavranabildiğinden sebebe *illet* de denir. Dolayısıyla sarhoş edici özellik taşıyan bütün içecekler haramdır.

Namazların kısaltılmasının sebebi olan yolculuk, mülkiyeti kazandıran sebep olarak alışveriş gibi örneklerde sebep mükellefin fiilidir; namazın sebebi olan vaktin girmesinde ise sebep mükellefin iradesi dışında gerçekleşir.

**b) Rükün:** Hükmün varlığı ve yokluğu kendisinin bulunup bulunmamasına bağlı olan ve onun yapısından bir parça teşkil eden unsurdur. Mesela namazda rükû ve secde birer rükündür. Namazın yapısından birer parça teşkil ederler ve namazın varlığı bunların bulunup bulunmamasına bağlıdır. Akitlerde, icap ve kabul rükündür. İcap, akit yapma teklifi; kabul de ona uygun cevap vermektir. Bunlar akdin yapısından birer parçadır. Akit bunlarla vücut bulur, bunların biri bulunmadığında akit varlık kazanmış olmaz.

**c) Şart:** Varlığı, hükmün varlığını zorunlu kılmayan, ancak hükmün varlığı kendisine bağlı olan; bununla birlikte onun yapısından bir parça teşkil etmeyen şeydir. Mesela abdest, namazın şartıdır. Abdestli olmak namazı zorunlu kılmaz. Ancak namazın varlığı için abdestli olmak zorunludur. Abdest namazın bir parçası değildir. Şahitler nikâhın şartıdır. Bunların bulunması nikâhı gerektirmez. Ama nikâh için şahit gereklidir. Şahitler nikâhın yapısından bir parça teşkil etmez.

**d) Mâni:** Hükmün veya sebebin gerçekleşmesine engel olan durumdur. Tanımda da görüldüğü üzere hükmün mânii ve sebebin mânii olmak üzere iki kısma ayrılır. Sebebe hüküm bağlanmasını engelleyen bir durum söz konusu ise burada hükmün mâniinden bahsedilir. Vaktin girişi namazın sebebi iken; hayız, nifas hâli bu sebebe hükmün bağlanmasına engeldir. Bir şeyin varlığı sebebin gerçekleşmesine engel bir durum teşkil ediyorsa, burada da sebebin mâniinden söz edilir. Mesela zekât yükümlüsü olabilmek için nisap miktarı mala sahip olmak gerekir. Mal ve borç hesaplandığında borç nisabı aşağı düşürüyorsa zekât yükümlülüğünü getiren sebebe mâni oluyor demektir.

## Kategorileri Tartışmalı Hükümler

Sıhhat, fesâd ve butlanın teklifî hükümlerin mi yoksa vaz'î hükümlerin mi kısımlarından olduğuna dair görüş ayrılıkları bulunmaktadır. Hanefî usulcüler, sahihin sonucunun mübah; fasit veya batıl oluşunun da haram olduğunu, bunların da teklifî hükmün kısımlarından olduğu gerekçesiyle oraya dâhil ederler. Kelamcı usulcüler ise talep veya serbestlik (tahyîr) söz konusu olmadığı gerekçesiyle sıhhat, fesad ve butlanın vaz'î hükme dâhil olması gerektiğini savunurlar.[144]

**a) Azîmet ve Ruhsat:** Azîmet ve ruhsatın teklifî hükmün mü yoksa vaz'î hükmün mü kısımlarından olduğu tartışmalıdır. Azîmet ve ruhsatta, talep ve mübah kılma bulunduğu için bunların teklifî hükmün kısımlarından olduğu yönündeki tercih daha isabetli gözükmektedir. Azîmet, olağanüstü hâller dışında herkes için geçerli olmak üzere vazedilmiş hükümlere denir. Farz olan namaz, oruç, zekât, hac ile haram olan içki, kumar, zina gibi yasak fiiller örnek olarak zikredilebilir. Ruhsat ise olağanüstü hâllere bağlı olarak konulan geçici hükümlerdir. Ramazan ayında yolculuk sırasında oruç tutmama, kişinin zorlandığı hâllerde Allah'ı inkâr ettiğini diliyle söylemesi gibi. Özür dikkate alınarak konulan bu hükümler o hâlin kalkmasıyla normale döner. Bazı âlimler sadece karşılığında ruhsat bulunan hükümlere azîmet demektedirler.

**b) Sıhhat:** Bir ibadet veya hukuki işlemde şartların ve rükünlerin bulunmasına sıhhat; bu özellikteki ibadet veya hukuki işleme ise *sahîh* denir. Buna göre namaz, oruç gibi ibadetlerin sıhhati ile kişi borçtan kurtulur, alışveriş ve nikâh gibi işlemlerin sıhhati ile de hukuki sonuçlar doğar.

---

144 H. Yunus Apaydın, "Sıhhat", *DİA*, XXXVII, 110.

**c) Butlan ve Fesad:** İbadetlerde butlan ve fesadın aynı anlama geldiği konusunda fukaha arasında görüş birliği vardır. İbadetlerde rükün veya şartlardaki eksiklik butlan veya fesadı gerektirir. Burada her ikisi de aynı anlama gelir. Buna göre belirli bir ibadet batıldır veya fasiddir denildiğinde bu iki yüklem arasında fark yoktur. İbadet dinî açıdan geçerli değildir. Mesela secdesiz namaz ile abdestsiz namaz arasında fark yoktur. Hanefîler dışındaki fukahaya göre muâmelâtta da batıl ile fasid aynı anlama gelir. Hanefîler ise rükünlerdeki eksikliği batıl; şartlardaki eksikliği ise fâsid sayarlar. Söz gelimi akıl hastasının yaptığı alışveriş, domuz satışı, evlenilmesi yasak olan birisi ile evlenmek batıldır. Rükünleri bulunan bir satım akdinde bedeli ya da ödeme zamanının belirlenmemiş olması o akdi fâsid kılar. Bu durumda akdin bazı hukuki sonuçları doğar. Müşteri, satıcının izniyle malı teslim aldığında malda müşterinin mülkiyeti sabit olur. Belirsizliğin giderilmesiyle birlikte akit sahih hâle gelir.

## HÜKMÜN VÂZI'I: ŞÂRİ'

İslam âlimleri, hüküm koyucunun Allah Teâlâ olduğu konusunda görüş birliği içerisindedirler. Gerçekte Allah'ın mutlak yaratıcı olması, Onun mutlak hüküm koyucu olmasının da izahıdır.

Kur'ân-ı Kerîm ruhlar âleminde (elest bezmi), Allah ile insan arasında yapılan ulûhiyyet-ubûdiyyet sözleşmesinden bahseder.[145] Sözleşme hükümleri ise peygamberler aracılığıyla insanlara bildirilmiştir. Bunun en son şekli Kur'ân-ı Kerîm'dir. İnsana düşen kulluk sözleşmesinden

145 A'râf suresi, 7:172.

doğan hükümlere uygun davranmasıdır.[146] Aksi takdirde sözleşme hükümlerini bozmak ceza ile sonuçlanır.[147]

Hz. Peygamber de Onun izni dâhilinde hükmü belirleme yetkisine sahiptir.

Allah'ın hükümleri açık olabileceği gibi, ilgili ilkelerin içinde de yer alabilir. Birinci durumda aynen uyma, ikinci durumda ise hüküm çıkarma tekniklerini kullanarak hükmü istinbat etmek gerekir.

Sorumluluğun Temeli

Burada önemli tartışma konularından biri, kendisine ilahî hitabın ulaşmadığı insanların (ehl-i fetret) hükümlerden sorumlu olup olmadığı meselesidir. Sorumluluğu, ilahî hitabın kişiye ulaşması, sorumluluk konusunu teşkil eden vazifelerin muhatap tarafından anlaşılabilmesi için muhatabın akli melekelere sahip olması; muhatabın bunları anladıktan sonra yerine getirmek için iradesini ortaya koyması, peşinden de ona güç yetirebilmesi şeklinde ele almak mümkündür. Dinî naslar çerçevesinden bakıldığında da bu sıralamanın tutarlı olduğu söylenebilir.[148]

İlahî hitabın kişiye ulaşmaması durumunun, sorumluluğu nasıl etkileyeceği *hüsün ve kubuh* başlığı altında ele alınır. Bu tartışmanın ana eksenini aklın şeri hükümlere ulaşıp ulaşamayacağı problemi oluşturmaktadır. İlahî mesajın muhatabına ulaşmadığı fetret devri insanının[149] prensip olarak sorumluluğunun bulunmadığı kabul edilmekle birlikte[150] ayrıntılarda farklı yaklaşımlar bulunmaktadır ki bu görüşleri dört grupta toplamak mümkündür:

---

146 Yûsuf suresi, 12:40.

147 Ra'd suresi, 13:25.

148 Saffet Köse, "Kur'ân-ı Kerîm'e Göre Ferde Mes'ûliyet Yükleyen ve Bunu Düşüren Faktörler", *Kur'ân-ı Kerîm'de Mes'ûliyet: Kaynağı, Sınırları, Sonuçları*, İstanbul, 2006, s.79-151; ayrıca bk. buradaki referanslar.

149 bk. Mustafa Akçay, *Çağdaş Dünyada İnsan ve Dinî Sorumluluğu*, İstanbul, 2002, 19-23; 355-369; Metin Yurdagür, "Fetret", *DİA*, XII, s. 475.

150 Şevkânî, *Fethü'l-Kadîr*, Kahire, 1964, III, 266.

Kendisine İlahî Hitabın Ulaşmadığı Kişilerin Dinî Durumu

1) Dinî sorumluluğu peygamber davetinden haberdar olmaya bağlayanlara, diğer bir deyişle hüsün/güzellik ve kubhun/çirkinliğin şeri olduğunu savunanlara göre, dinî sorumluluk ancak vahiyle sabit olur. Akıl tek başına iyi ile kötü hakkında hüküm vermekten âciz olduğundan insanlar akıl gücünü kullanarak iyilik ve kötülüğü bilip ona göre davranmakla mükellef tutulamaz. Kendilerine ilahî mesaj ulaşmayanlar putperest, müşrik, ateist bile olsalar cennet ehli arasındadırlar. Bu görüş daha çok Şâfiî-Eş'arî ekolü tarafından temsil edilmektedir. Kur'ân-ı Kerîm'in, peygamber gönderilmedikçe insanların helak edilmeyeceği ve azaba uğratılmayacağını ifade eden ayetleri bu görüşün delillerinden bazısıdır.[151]

2) Allah'ın varlığını bilme ve temel konularda iyi ile kötüyü ayırt etme gücünün bulunduğunu kabul edenlere göre, akıl kendi başına muteber bir şeri delile dayanmadan farz, haram gibi hükümlere ulaşamasa da ilahî mesajdan haberdar olamayan fetret ehli, Allah'ın varlığına ve birliğine inanmak, akıl yürütmek suretiyle bilinebilecek olan iyi fiilleri yapmak ve kötü fiillerden de kaçınmakla yükümlüdür. Çünkü akıl, mutlak anlamda olmasa da iyi ile kötüyü ayırt etme gücüne sahiptir. Peygamberler de aklın kavrayabileceği iyilikleri teyit ederler.

Başta Ebû Hanîfe (ö. 150/767) ve Ebû Mansûr el-Mâturîdî (ö. 333/944) olmak üzere bu mezhebe bağlı âlimlerin çoğunluğu ile Mu'tezile'nin tamamı bu görüştedir. Bu görüşte olanlar Kur'ân-ı Kerîm'de akıl yürüterek Allah'ın varlığına ve birliğine ulaşılabileceğinin Hz. İbrâhim'in diliyle anlatılmasını,[152] akıl yürütmenin kişiyi ebedî felaketten

---

151 Nisâ suresi, 4:165; Mâide suresi, 5:19; En'âm suresi, 6:19, 131-132; İsrâ suresi, 17:15; Tâhâ suresi, 20:134; Şuarâ suresi, 26:208-209; Kasas suresi, 28:47, 59.

152 En'âm suresi, 6:76-79.

kurtaracağının ifade edilmesini,[153] Kur'ân-ı Kerîm'in birçok ayetinde dikkat çekilen evren ve içindekilerle insanın yaradılışını görüp düşünmenin insanı Allah'a ulaştıracağını delil getirirler.[154]

Özetle söylemek gerekirse bu görüş sahipleri, ister İslamiyet'in doğuşundan önceki dönemde olsun isterse sonraki dönemlerde yaşayıp da hak dinden hiçbir şekilde haberdar olmayan ve mevcudiyetini duymuş olmakla birlikte bazı engeller sebebiyle hidayetinden yeterince nasibini alamamış olan gruplar olsun, normal zihnî yeteneğe sahip bulunan bir insanın vahiy ürünü bir tebliğe muhatap olmasa bile gözlemlerine bağlı akli muhakemeleri sonucunda yaratıcının varlığı, hatta birliği gerçeğine ulaşabileceğini, fıtratında mevcut yetenekle evrensel nitelikli iyilik ve kötülükleri birbirinden ayırt edebileceğini ve bu konumdaki bir insanın bu seviyede mükellef tutulmasının hem ilahî dinlerin temel ilke ve amaçlarına, hem de insanın fizik ve psikolojisine daha uygun olduğunu savunurlar.[155] Söz konusu âlimler, Şâfiî-Eş'arî ekolünün kendi düşüncelerini desteklemek amacıyla ileri sürdükleri ayetlerin, ancak *sem'/naklî bilgi* ile ulaşılabilecek şeri meselelerle ilgili olduğunu, bunların Allah'ı bilme ile alakasının bulunmadığını düşünmektedirler.[156]

3) Dinî sorumluluğun sadece akla bağlı olmadığını, ancak bir imtihana tabi tutulmadan da kurtuluşun söz konusu olamayacağını savunan görüşe göre fetret ehlinin durumu ahiretteki imtihandan sonra belli olacaktır. Başta Beyhakî (ö. 458/1066), İbn Teymiyye (ö. 728/1328), İbn Kayyim el-Cevziyye (ö. 751/1350), İbn Kesîr (ö. 774/1373) ve İbn

153 Mülk suresi, 67:10.
154 Mesela bk. Mülk suresi, 67:1-4; Gâşiye suresi, 88:17-26; İnfitâr suresi, 82:7.
155 Yurdagür, "Fetret", *DİA*, XII, XII, 477.
156 bk. Mâtürîdî, *Te'vîlâtü'l-Kur'ân*, Hacı Selim Ağa Ktp., nr. 40, vr. 172ª, 181.

Hacer el-Askalânî (ö. 852/1448) olmak üzere Selefiyye'nin çoğunluğu bu görüştedir.[157] Onlar bu konuda rivayet edilen şu hadise dayanmaktadırlar:

*"Kıyamet günü dört sınıf insan Allah'a karşı mazeret beyan edeceklerdir. Sağır, 'İslam geldi ondan bir şey duyamadım'; zekâ bakımından özürlü olan (ahmak) 'İslam geldi fakat ben çocukların maskarası olacak kadar ahmak bir hâlde idim'; hak dinin davetine çok ileri yaşta muhatap olan, 'İslam geldi fakat ben ondan bir şey anlayabilecek bir akla sahip değildim'; fetret döneminde yaşayıp ölen, 'Rabbim bana senin herhangi bir Peygamber'in gelmemişti' diyecektir. Bunun üzerine onların cehenneme girmeleri emredilerek bir tür denemeden geçirilecek, bu emre itaat edenler kurtulacak, isyan edenler ise ebedî hüsrana uğrayacaklardır."*[158]

4) Fetret ehli imana sahip olmadığı için cennete, peygamber davetine muhatap olmadığı için de cehenneme girmeyecek, dirilişin ardından hesaba çekilerek cezası süresince mahşerde azap gördükten sonra hayvanlarla birlikte yok edilecektir. Bu görüş İmam-ı Rabbânî (ö. 1034/1625) tarafından dile getirilmiştir. Ona göre ahirette imanın geçerliliği yoktur, peygamber davetine muhatap olmadığı için fetret ehlinin cehenneme girmesi ilahî adalete uygun düşmez.[159] Son iki görüşün İslam âlimleri arasında fazla itibar görmediğini belirtmek gerekir.[160]

---

157 Akçay, *Çağdaş Dünyada İnsan ve Dinî Sorumluluğu*, s. 398-405; Yurdagür, "Fetret", *DİA*, XII, s. 476.

158 Ahmed b. Hanbel, *el-Müsned*, IV, 24.

159 İmâm Rabbânî, *el-Mektûbât*, Mekke, 1316, I, 238-239; Akçay, *Çağdaş Dünyada İnsan ve Dinî Sorumluluğu*, s. 405-406; Yurdagür, "Fetret", *DİA*, XII, s. 476.

160 Yurdagür, "Fetret", *DİA*, XII, s. 477.

# HÜKMÜN KONUSU: MAHKÛMUN FÎH

## Tanım

Mahkûmun fîh, hükmün konusunu teşkil eder. Şâri'in hitabının kendisine bağlandığı söz, eylem ya da durumlardır. Mesela *"Zekâtı verin!"* hitabında bir talep vardır. Talebin bağlandığı eylem zekâttır. *"Namaz kıl!"* hitabında aynı şekilde bir talep vardır. Bu talebin ilgili olduğu eylem namazdır. *"Zinaya yaklaşmayın!"* hitabında bir talep vardır. Onun ilgili olduğu eylem ise zinadır. *"Borcu yazın!"* hitabında bir talep vardır. Burada talebin ilişkili olduğu eylem borcun yazılmasıdır. Buna göre hitabın bağlandığı eylemler, hükmün konusunu teşkil etmektedir. Söz konusu örneklerde zekât, namaz, zina ve borcun yazılması hükmün konusu olmaktadır.

Teklifî hükümlerde hükmün konusu mutlaka mükellefin fiili iken; vaz'î hükümlerde hükmün konusu insanın fiili olabileceği gibi olmayabilir de. Mesela hırsızlık, zina ve iffete iftira gibi suçlara yönelik cezanın sebebi, mükellefin fiilidir. Ancak namaz ve orucun farz oluşunun sebebi, mükellefin fiili değildir. Namaz güneşin, oruç ise ayın hareketlerine göre farz hâle gelmektedir. Bununla beraber namaz ve oruç, mükellefin fiilleriyle ilgilidir.

## Şartları

**1) Fiilin Mükellef Tarafından Bilinmesi:** Mükellefin hükme konu olan eylemlerden sorumlu olabilmesi için onun sorumlu tutulduğu fiilleri tam olarak bilmesi gerekmektedir. Çünkü yükümlülüğün ifası, bilmeye bağlıdır. Bunun için mükellef tutulanın, yükümlü olduğu hususların ya kendisine bizzat ulaşmış olması ya da ulaşabileceği bir ortamda bulunması gerekir. İslam ülkesinde dinî yükümlülüklerin bilindiği farz edilir, bu nedenle bilmemek mazeret sayılamaz.

**2) Fiilin Mükellefin Gücü Dâhilinde Bulunması Gerekir:** Kural olarak teklif güç nispetindedir. *"Allah, hiç kimseye gücünün üstünde mükellefiyet yüklemez."*[161] ve *"Allah, hiç kimseye verdiğinden fazla mükellefiyet yüklemez."*[162] ayetleri bu husustaki açık delillerden sadece ikisidir. Üstelik Kur'ân-ı Kerîm ve Hz. Peygamber'in engelli ve özürlülere sağlıklı insanlara göre birtakım muafiyetler getirmiş olması[163] yükümlülüğün güç nispetinde oluşunun pratik örnekleridir. Hz. Peygamber (s.a.v.) şöyle buyurmaktadır:

*"Kim bir cemaate imam olursa namazı hafif tutsun. Çünkü içlerinde yaşı ilerlemiş olan ihtiyarlar vardır, hastalar vardır, zayıflar vardır, ihtiyaç sahibi olanlar vardır. Ama tek başına kılan istediği kadar uzatsın."*[164]

Öyleyse bazı sıkıntı ve mazeret hâllerinde şeri hükümlerin ifasında herkes gücüne göre hareket edecektir. Ancak bu konuda yükümlülüğü gerektiği şekilde yerine getirebilmek için elden gelen bütün gücün sarf edilmesi de bir zarurettir. Belirli ilkeler doğrultusunda her bir meşakkatin hükme ne ölçüde etki ettiğinin kendi şartlarına göre belirlenmesi en uygun yoldur.

Dinde Kolaylık İlkesi

Burada meşakkat ile ilgili olarak şu hususa dikkat çekilmelidir: Meşakkate talip olmak dince tasvip gören bir husus değildir. Hz. Peygamber dinin kolaylık dini olduğunu bildirmiştir.[165] O, *"Siz kolaylık istenen bir ümmetsiniz."*[166] hadisiyle ümmetini sıkıntıya düşürmemeye

161 Bakara suresi, 2:286.
162 Talâk suresi, 65:7.
163 Nûr suresi, 24:61; Fetih suresi, 48:17.
164 Buhârî, "İlim", 28, "Ezân", 62; Müslim, "Salât", 183-186; İbn Mâce, "İkâmet", 48, 49.
165 Buhârî, "Îmân", 29; Nesâî, "Îmân", 28; Ahmed b. Hanbel, *el-Müsned*, V, 69.
166 Ahmed b. Hanbel, *el-Müsned*, V, 22.

özen gösterdiğini ortaya koymuş, *"Dininizin en hayırlısı kolay olanıdır."*[167] hadisiyle de bu gerçeği teyit etmiştir. Kendisi de bizzat ümmetine örnek olması açısından tercihine bırakılan iki işten kolayını seçmiştir.[168] Bütün bunlar Hz. Peygamber'in ümmetine olan merhametinin bir ifadesidir. Şu örnek onun bu konudaki hassasiyetini göstermesi açısından dikkate değerdir:

Hz. Peygamber, bir hutbesinde haccın farz kılındığını hatırlatırken bir sahâbînin "Her yıl mı ey Allah'ın Resulü?" şeklindeki sorusunu duymazdan geldi. Sorunun üçüncü defa tekrar edilmesi üzerine Hz. Peygamber, *"Şayet evet deseydim her yıl haccetmeniz farz olurdu. Siz de bunu yerine getirmekten âciz konuma düşerdiniz. Benim değinmediğim konularda soru sormayın. Sizden önceki bazı toplumlar peygamberlerine çok soru sormaktan ve sonra da bunlar üzerinde ihtilafa düşmekten dolayı helak olmuşlardır. Şu hâlde size bir şeyi emrettiğimde onu olabildiğince yerine getirmeye çalışın, size yasakladıklarımdan da kaçının."*[169] buyurdu. Bunun üzerine gereksiz soru sormayı yasaklayan ayet geldi.[170] Kur'ân-ı Kerîm ibret alınması için gereksiz sorularla kendi alanlarını daraltan bazı kavimlerden ibret alınması için bazı olumsuz örnekler de sunar.[171]

Hz. Peygamber'in, *"Müslümanlar içinde büyük günah sahibi olan o kimsedir ki, insanlara haram kılınmayan bir şeyin hükmünü sorar da, sırf bu sorudan dolayı o şey, haram kılınmış olur."* hadisi de bu bağlamda zikredilmelidir.[172]

---

167 Ahmed b. Hanbel, *el-Müsned,* IV, 228; V, 22.

168 Buhârî, "Menâkıb", 27, "Edeb", 809, "Hudûd", 10; Müslim, "Fezâil", 77; Ebû Dâvûd, "Edeb", 4.

169 Müslim, "Hac", 412, "Fezâil", 131; Nesâî, "Menâsik", 1; İbn Mâce, "Mukaddime", 1, "‹Menâsik", 2; Dârimî, "Menâsik", 4; Ahmed b. Hanbel, *el-Müsned,* I, 255, 291, 371, 372; II, 312, 428, 447, 457, 508.

170 Mâide suresi, 5:101.

171 Bakara suresi, 2:67-74.

172 Buhârî, "İ'tisâm", 3; Müslim, "Fezâil", 130, 132, 133; Ebû Dâvûd, "Sünnet", 6.

Hz. Peygamber'in teravih namazı ile ilgili tavrı da bu açıdan tutarlı bir örnektir. Şöyle ki: Ramazanda teravih namazını bizzat Hz. Peygamber cemaate kıldırmış, fakat genel tutumuna ve imkân dâhilinde ümmetinin yükünü arttırmama ilkesine[173] bağlı olarak farz kılınabilir ve Müslüman toplum da sıkıntıya düşer endişesiyle bundan vazgeçmiştir. Hz. Âişe (r.a.)'dan rivayet edildiğine göre Resûlullah iki gün (veya üç gün) mescitte bu namazı sahâbîlerle birlikte kılmış ve insanların her defasında biraz daha çoğaldıklarını görünce üçüncü (veya dördüncü) gün cemaat toplanmasına rağmen mescide çıkmamış, sabahında da bunun sebebini şöyle açıklamıştır: *"Gece namaza geldiğinizi gördüm. Sizin yanınıza çıkmama engel bir durum yoktu. Ancak Allah'ın farz kılabileceği endişesiyle bilerek çıkmadım."*[174]

Burada kayda değer bir başka örnek de şudur: Hz. Peygamber hac görevini eda ederken zemzem kuyusuna uğradığı bir sırada Abdülmuttaliboğullarının kuyudan su çıkarıp insanlara ikram ettiklerini görmüş ve kendilerine şöyle hitap etmiştir: *"Ey Abdülmuttaliboğulları! Suyu çekmeye devam ediniz. Siz şu anda salih amel işliyorsunuz. Eğer insanların, hac görevine dâhil bir ibadet zannedip de burada izdihama sebebiyet vermeyeceklerini bilseydim ben de devemden inip sizinle bu işi paylaşırdım."*[175] Eğer Hz. Peygamber bunu yapmış olsaydı bu fiil sünnet hâline gelecek ve insanların bu sünneti yerine getirme amacıyla oluşan izdiham sebebiyle meşakkat ortaya çıkacaktı.

Hz. Peygamber ümmetinin sıkıntıya düşmemesi için onların ibadetlerde bile olsa ölçülü davranmalarını talep etmiştir.

---

173 Buhârî, "Teheccüd", 5; Müslim, "Salâtü'l-müsâfirîn", 77; Ebû Dâvûd, "Tatavvû'", 12.

174 Buhârî, "Teheccüd", 5, "Ezân", 80, "Terâvîh", 1; Müslim, "Müsâfirîn", 177-178; Ebû Dâvûd, "Ramazan", 1; Nesâî, "Kıyâmü'l-leyl", 1, 4.

175 Buhârî, "Hac", 75; Ebû Dâvûd, "Menâsik", 56; İbn Mâce, "Menâsik", 84; Dârimî, "Menâsik", 34; İbn Huzeyme, *es-Sahîh* (nşr. M. Mustafa el-A'zamî), Beyrut, 1979, IV, 306.

İbadetlerde Meşakkatin Değil, İhlas ve Samimiyetin Önemi

Onun nasıl ibadet ettiği hakkında bilgi sahibi olduktan sonra sahâbîlerden birisi artık kadınlarla evlenmeyeceğini, diğeri et yemeyeceğini, öbürü döşekte yatmayacağını, bir başkası sürekli namaz kılacağını, öteki de sürekli oruç tutacağını söyleyince bundan haberdar olan Hz. Peygamber onları uyararak dengeyi bozmamalarını istemiş ve kendisini örnek vermiştir: *"Dikkat edin! Vallahi sizin Allah'tan en ziyade korkan ve sakınanınız benim. Lakin ben ramazan dışında oruç tutarım ama tutmadığım da olur. Nafile namaz kılarım ama uyurum da. Kadınlarla da evlenirim. Her kim benim sünnetimden yüz çevirirse benden değildir."*[176]

Yaşadığı sürece geceleri namaz kılacağını, gündüzleri oruç tutacağını söyleyen Abdullah b. Amr b. el-Âs'a *"Bazen nafile namaz kılarsın bazen de kılmazsın, bazen nafile oruç tutarsın bazen da tutmazsın. Her aydan üç gün oruç tutman bütün yılı oruçlu geçirmen gibidir."* buyurmuş, ısrar edince de gün aşırı oruç tutmasını tavsiye etmiş; ancak Abdullah kendi dediğini yapmış, fakat yaşlanınca Resûlullah'ı dinlemediğine pişman olduğunu itiraf etmiştir.[177]

Bir yıl aradan sonra zayıflamış ve tanınmaz bir şekilde bulduğu sahâbîye ise "Seni bu şekilde değiştiren nedir?" diye sorduğunda, sahâbînin sürekli oruç tuttuğunu söylemesi üzerine Hz. Peygamber, kendisine azap etmemesi gerektiğini, ramazan dışında her aydan bir gün oruç tutmasının yeterli olacağını ifade etmiştir. Sahâbînin bunu az bulması üzerine biraz daha arttırabileceğini belirtmiştir.[178]

Aynı şekilde Hz. Peygamber yalın ayak, başı açık yürüyerek Kâbe'ye kadar gideceğini söyleyen birisine de başını kapatmasını, ayakkabı giymesini, yorulduğunda

176 Buhârî, "Nikâh", 1; Müslim, "Nikâh", 5; Ebû Dâvûd, "Tatavvu'", 27; Nesâî, "Sıyâm", 76.
177 Müslim, "Sıyâm", 181; Ebû Dâvûd, "Savm", 54.
178 Ebû Dâvûd, "Savm", 55;

bineğine binmesini ve üç gün oruç tutmasını bildirmiştir.[179] İbadet için ağır yükümlülükler altına girmek değil, ihlas ve samimiyeti arttırmak, ibadeti davranışlara yansıtmak esastır.

## Kısımları

İslam âlimleri, yükümlülük konusu olan hükümleri hakkın sahibine, mahiyetine ve sağladığı yararın özel ve genel oluşuna göre şöyle kategorize ederler.

**1. Sırf Allah Hakları:** Allah hakları denildiğinde öncelikle iman ve ibadetler gibi sadece O'na özgü ve Onun layık olduğu haklar akla gelir. Bu haklar onun şanını yüceltme ve O'na saygı duymanın gereğidir. Hiçbir varlık bu konuda O'na ortak değildir.

Kamu yararı ve düzenini ilgilendiren haklar da bu grupta ele alınır. Bu hakların Allah'a nispet edilmesinin sebebi keyfî olarak başkası tarafından engellenemeyeceğine vurgudur. Bu haklar, af ve sulha konu olmayacağı gibi değiştirme veya kaldırıp yerine bir başka şey koymaya imkân vermemektedir. Bu kategoriye giren haklar kamu düzeni ve yararını ilgilendirdiği için bütün toplum bireylerinin ve onları temsilen kamu otoritesine sahip yetkililerin koruma, kollama ve kovuşturma hak ve sorumlulukları vardır. Hisbe teşkilatının görev sorumluluklarından birisi de bu tür hakları korumaktır. Sırf Allah hakları sekiz grupta ele alınmaktadır:

Hukûkullah

**Sırf ibadet niteliği taşıyanlar:** Namaz, zekât, oruç, hac, cihat vb. haklar bu grupta yer almaktadır. Zekâtın sırf ibadet oluşu Hanefîlere göredir. İslam hukukçularının çoğunluğu, zekâta servet vergisi özelliği de yüklemektedirler.

179 Müslim, "Nüzûr", 9-12; Ebû Dâvûd, "Nüzûr ve Eymân", 23; Nesâî, "Nüzûr", 31, 32.

Bu görüş ayrılığının sonucu, küçüğün malında zekâtın gerekip gerekmediğinde kendisini göstermektedir.

**Vergi (meûnet) niteliği de taşıyan ibadetler:** Fıtır sadakası ve Hanefîlerin dışındaki çoğunluğa göre zekât böyledir.

**İbadet niteliği de taşıyan vergiler:** Toprak mahsullerinden alınan öşür bunun klasik örneğidir.

**Ceza niteliği de taşıyan vergiler:** Haraç ve cizye bu kategoride yer alır. Haracın ceza niteliğinin bulunup bulunmadığı İslam hukukçuları arasında tartışmalıdır.

Cizye, İslam toplumunda yaşayan gayrimüslim vatandaşlardan askerlikle yükümlü tutulmadıkları için kendilerini koruma karşılığında alınan bir vergidir. Cizye İslam'ın doğrudan getirdiği bir uygulama değil, o dönemde galip gelenin mağluptan aldığı bir vergidir. Ancak İslam'ın bunu daha insani bir boyuta taşıdığını söyleyebiliriz. Haraç ise gayrimüslim vatandaşlardan alınan toprak vergisidir.

Bu kısmın başlığında geçen "ceza niteliği" tabiri, muhtemelen Tevbe suresinin 29. ayetindeki ifadenin etkisiyle gayrimüslimlerin savaş sonunda Müslümanlarla antlaşma yapmak zorunda kalmaları sebebiyle geliştirilmiştir. Yoksa tarihî süreçte İslam toplumlarında gayrimüslimler için cizye bir rahmet olmuştur.

Devletin vatandaşı olmanın bir gereği olarak Müslümandan zekât ve öşür, gayrimüslimlerden cizye ve haraç alınır.

**Tam cezalar:** Miktarı ve mahiyeti bizzat Şâri' tarafından belirlenen hadd cezaları bu grupta yer alır.[180] Kısas cezası bunun dışındadır.

**Sınırlı cezalar:** Mirasçı olacağı kişiyi mirastan mahrum

180 Bakara suresi, 2:178-179; Nisâ suresi, 4:92; Mâide suresi, 5:33-34, 38; Nûr suresi, 24:2, 4.

bırakmada olduğu gibi cezai nitelikleri sınırlı kalan yaptırımlar bu gruptadır.

**İbadet niteliği de olan cezalar:** Bunlar kefaretlerdir.

**Mükellefi bulunmayan haklar:** Bunlar da ganimetler gibi ibadet, vergi veya ceza manası taşımamakla birlikte bizzat Allah hakkı olarak öngörülen kendine özgü haklardır.

**2. Sırf Kul Hakları:** Bireye ait bir menfaatin korunmasını amaçlayan ve menfaati hususunda sadece sahibinin yetkili olduğu haklardır. Bu hakların kullanımı malikinin yetkisine ve tercihine bağlı olduğu için Allah haklarından ayrılmaktadır.

Kul hakları genel kul hakları ve özel kul hakları olmak üzere iki grupta incelenir. Genel kul hakları kamuya ait alanlardan yararlanma hakkıdır. Kamu otoritesi gerektiğinde bu tür hakların kullanımında kısıtlamaya gidebilir. Avlanma, parklardan yararlanma gibi.

Özel kul hakları ise kamuya açık olmayıp kişiye özgü haklardır. Mali haklar, rehin, velayet hakkı, boşama hakkı gibi. Kişi suistimal etmediği sürece bu haklarını kullanabilir. Kamu otoritesinin bu haklara müdahalesi oldukça sınırlıdır.

**3. Karma Nitelikli Haklar:** Bunlar, Allah hakkı ile kul hakkının beraberce bulunduğu haklardır. Ancak birisi diğerine oranla daha ağırlıktadır. Bunlar da iki grupta ele alınır:

**a) Allah hakkının ağırlıklı olduğu kul hakları:** Bunlar, her iki hak bulunmakla birlikte Allah hakkı ağırlıklı olduğu için kulun tasarrufunun kısıtlı olduğu haklardır. Buna, kişinin malını gayrimeşru şekilde telef etmemesi, israf ve savurganlığa gitmemesi örnek olarak verilebilir.

Bu haklar ilk bakışta kişiye özgü gibi gözükse de konunun Allah'a karşı sorumluluk içeren bir boyutu vardır. Ayrıca bunun toplum huzur ve düzeninin korunmasını ilgilendiren bir başka yönü daha bulunmaktadır. Dolayısıyla bu hakta Allah hakkı baskındır. Kişi mali tasarruflarını yerli yerinde yapamadığı takdirde *hacir* altına alınır, yani haklarını kullanma ehliyeti engellenir ya da kısıtlanır.

İddet süreleri ve zina iftirasına uygulanan cezada da Allah hakkı galiptir. Mesela bu suç, mağdurun kişilik haklarının ihlali gibi gözükse de sırf bununla sınırlı olmayıp kamu düzenine karşı da bir ihlaldir. Dolayısıyla bu yönü itibariyle *kazif*, takibi şikâyete bağlı bir suç olsa da mahkeme kararından sonra af söz konusu değildir. Görüldüğü gibi Allah haklarının ağırlıklı olduğu kul haklarında kulun yetkisi kısıtlıdır.

**b) Kul hakkının ağırlıklı olduğu Allah hakları**: Bunlar, karma nitelikli olmakla birlikte Allah'a göre kulun hakkının daha fazla olduğu haklardır. Söz konusu hakların toplumu ilgilendiren boyutları bulunsa da bunlar, esasen kulu ilgilendirmektedir.

Söz gelimi kasten adam öldürme suçunun cezası olan *kısas*ta, kul hakkı baskındır. Kısas birinci derecede kasten öldürülen şahsın yakınlarını, ikinci derecede de toplumun diğer bireylerini ilgilendirmektedir. Dolayısıyla mağdur taraf kısası affedebilir. Bununla birlikte kamu düzenin zorunlu kıldığı hâllerde belirli şartlar dâhilinde devlet katile kısas uygulayabilir.[181]

181 Konu ile ilgili bk. Köse, *İslam Hukukunda Hakkın Kötüye Kullanılması*, s. 37-40; ayrıca bk. buradaki referanslar.

# HÜKMÜN MUHATABI - MÜKELLEF: MAHKÛMUN ALEYH VE EHLİYETİ

## Mükellef: Mahkûmun Aleyh

**1. Tanımı:** Fıkhî açıdan hükmün muhatabına (mahkûmun aleyh) mükellef denir. Şeri hükümlerin yükümlüsü/sorumlusu demektir.

**2. Şartları:** Şeri hükümlerle yükümlü tutulmak için öncelikle insanın akli melekelerinin yerinde (âkil) olması gerekir. Çünkü akıl, idrak melekesidir ve ilahî hitabı anlamada temel güçtür. Akıl yoksa sorumluluk da yoktur.

Yükümlülüğün Şartları: Akil, Baliğ ve Ehliyet Sahibi Olmak

Akıl manevi bir güç olması sebebiyle varlığı veya seviyesi tezahürlerine göre anlaşılabilir. Bunun için objektif kriterler getirilmiştir ki bu da büluğdur. Buna göre mükellefiyet için akil olmak yetmez, ayrıca onun büluğa ermiş olması da gerekir. Kızlar hayız görmeye başladığında, erkek çocuklar da ihtilam olduklarında, başka bir engel söz konusu değilse, tam anlamıyla şeri hükümlerin sorumluluğunu taşımaya elverişli hâle gelmişler demektir. Bu andan itibaren ibadetler, sözler ve eylemlerden sorumluluk başlar. Bütün bunlardan anlaşıldığına göre mükellef; akil, baliğ ve ehliyet sahibi kişidir.

## Ehliyeti

**1. Tanımı:** Ehliyet bir işe elverişli, yetkili ve layık olmak anlamına gelir. Burada ehliyet ile kişinin dinî-hukuki hükümlerin muhatabı olmaya elverişliliği kastedilmektedir.

**2. Kısımları:** Ehliyet vücûb/hak ehliyeti ve eda/fiil ehliyeti olmak üzere ikiye ayrılır. Şimdi bunların ayrıntılarını ele alalım.

**a) Vücûb Ehliyeti/Hak Ehliyeti**

Vücûb ehliyeti, haklara sahip olabilme (ilzâm) ve borç altına girebilmeyi (iltizâm) mümkün kılan ehliyettir. Bu ehliyete sahip olabilmek için insan olmak ve hayatta bulunmak yeterlidir. Bu sebeple ana rahmine düştüğü andan vefat edinceye kadar her insan bu ehliyete sahiptir. Bu ehliyet *zimmete*, yani kişiyi haklara ve borçlara ehil kılan şeri vasfa dayanır. Başka bir deyişle söz konusu ehliyet, hak sahibi olabilme imkânı ve borç altına girebilme gücüdür. Günümüz hukukunda buna hukuki şahsiyet/kanuni kişilik adı verilir.

**b) Eda Ehliyeti/Fiil Ehliyeti**

Temyiz: İyiyi Kötüden, Faydayı Zarardan Ayırabilme Gücü

Eda ehliyeti, kişinin fıkhî olarak geçerli olacak tarzda hukuki işlem yapabilmeye, yani haklarını kullanabilmeye elverişli bulunmasıdır. Bu ehliyet akıl ve temyize dayanır. Temyiz, iyiyi kötüden, faydayı zarardan ayırabilme gücü demektir. Akıl melekesinin gelişimine paralel olarak temyiz de güçleneceğinden hakları kullanabilme ehliyeti de genişler.

Vücûb ve eda ehliyeti bakımından insanın farklı evreleri vardır. İslam âlimleri bunları dört başlık altında ele alırlar:

***Cenin dönemi:*** Cenin, ana rahmindeki çocuktur. Günümüz tıp bilimi döllenmiş yumurtanın en geç bir haftaya kadar geçen sürede rahim duvarına yapışarak insan olarak gelişimine başladığını belirlemiştir. Bu andan itibaren ilke olarak onun hayat hakkını ortadan kaldıracak bir müdahale yapılamaz.

Cenin, vücûb ehliyetine sahiptir. Çünkü can taşıyan bir insandır. Ancak henüz dünyaya gelmediği için bu ehliyeti tam değil, eksiktir. Buna göre miras, vasiyet veya vakıfta lehtarlık gibi sırf menfaatine olan ve yapısı itibarıyla kabulü gerektirmeyen birtakım hakları saklı tutulur, sağ doğmak kaydıyla bunlara kendiliğinden sahip olur. Sırf menfaatine bile olsa, bağış (hibe) gibi kabulü gerektiren akitlerden doğan haklara sahip olamaz. Çünkü dünyaya gelmediği için bunları bizzat kabul edemediği gibi kendisine bir veli veya vasi de tayin edilemez. Nafaka gibi herhangi bir yükümlülük altına sokulamaz. Ceninin eda ehliyeti yoktur. Sonuç olarak ceninin sadece eksik vücûb ehliyeti vardır.

***Doğumdan temyiz çağına kadar olan dönem:*** Çocuk, sağ olarak doğumundan temyiz çağı olarak kabul edilen yedi yaşına kadarki sürede tam vücûb ehliyetine sahiptir, temyiz gücü gelişmediği için eda ehliyeti yoktur. Bu dönemdeki çocuğa *gayr-ı mümeyyiz sabi* denir.

Vücûb ehliyeti tam olan bu devirdeki çocuklar mali yükümlülüğü ilgilendiren kul haklarından sorumludurlar. Mesela nafakadan ve haksız fiil kapsamına giren eylemlerinden doğan zararın tazmininden sorumlulukları vardır. Bu tür mali yükümlülükler onun adına kanuni temsilcisi tarafından eda edilir. Bu dönemdeki çocuk Hanefîlere göre toprak mahsullerinin zekâtından (öşür) sorumlu iken, diğer mallarının zekâtıyla yükümlü değildir. İmam Mâlik, Şâfiî ve Ahmed b. Hanbel'e göre ise gerekli şartları taşıyan mallarından zekâtının verilmesi gerekir. Hanefîler, çocuğu bu tür yükümlülüklerden muaf tutarken, bazı naslara, ibadetin iradeye dayalı olarak yapılması ilkesine ve çocukların menfaatini koruma düşüncesine dayanırlar. Diğer mezhepler ise üçüncü şahısların haklarının korunması prensibini gözetirler.

Gayr-ı mümeyyiz sabilerde eda ehliyeti bulunmaz. Bu sebeple iman ve ibadetlerden sorumlu değillerdir, yapsalar bile dinî bir sonuç doğurmaz. Cezai sorumlulukları yoktur. Sözlü tasarrufları ve diğer hukuki işlemleri geçersizdir. Bağış gibi sırf yararına olanlar kanuni temsilcisi tarafından onun adına kabul edilir.

***Temyiz dönemi:*** Bu dönem yedi yaş ile büluğ çağına kadar geçen süreyi içine alır. Yedi yaş objektif bir kriter belirleme ihtiyacından doğmuştur. Bu dönemdeki çocuğa *mümeyyiz sabi* denir. Vücûb ehliyeti tam, eda ehliyeti ise eksiktir. Onun mali mükellefiyetler ve cezai sorumluluklar bakımından gayr-ı mümeyyiz sabiden farkı yoktur. Ancak bedenî ibadetlerden sorumlu olmasa da ondan farklı olarak bunları yapması, mesela namaz kılıp oruç tutması hâlinde bunlar dinen makbuldür ve sevabını alır.

Mümeyyiz sabinin mali tasarrufları ise üç grupta ele alınmaktadır:

Birincisi, sırf faydasına olanlar: Sadaka, zekât, bağış, hediye kabulü gibi mal varlığında artış sağlayan ve tamamen menfaatine olanlar, kanuni temsilcisinin iznine gerek kalmadan geçerlidir.

İkincisi, sırf zararına olanlar: Başkasına bağışta bulunmak, malının bir kısmını vakfetmek gibi mal varlığını eksilten tasarrufları kanuni temsilcisi izin verse dahi geçersizdir.

Üçüncüsü alışveriş, kiralama gibi mahiyeti itibarıyla fayda (kâr) getirebileceği gibi, zararına da olabilecek işlemlerin geçerliliğinde kanuni temsilcisinin izni ya da icazeti aranır. Çocuk belirli ölçüde temyiz gücüne ulaşsa da akli melekesinin gelişimi tam olarak tamamlanmadığı için bu eksiklikten doğabilecek zararlar, kanuni temsilcinin himayesiyle engellenmektedir. Bir başka ifadeyle temyizdeki eksiklik onunla giderilmektedir. Bu durumda mümeyyiz çocuk kâr-zarar hususunda risk grubuna giren tasarruflarda bulunsa, mesela bir şey satın alsa veya bir malını satsa bu akdin geçerliliği kanuni temsilcisinin onayına (icazet) bağlı olacaktır. Bu akit, *mevkûf* akit olarak isimlendirilir. Mevkûf, geçerliliği bir başkasının onayına bağlı olan işlem demektir.

İlgili şahıs onay verirse işlem geçerlilik (nefâz) kazanır, literatürdeki ifadesiyle *nâfiz* olur. Aksi takdirde akit batıldır. Kanuni temsilci bu tür alanlarda iş yapabilmesi için, söz gelimi belirli malları alıp satabilmesi için yeteneklerine güvendiği çocuğa daha başlangıçta genel bir izin verebilir. Bu çocuğa *me'zûn* denir. Bu durumda çocuk verilen izin doğrultusunda normal ticari faaliyetlerine devam eder. Artık yaptığı işlerin geçerliliği, çocuğun kanuni temsilcisinin onayına bağlı değildir. Bununla birlikte piyasa fiyatlarının dışında (gabn-i fâhiş) yaptığı ticaret, Ebû Hanîfe'ye göre geçerlilik arz etse de iki talebesi İmam Ebû Yûsuf ve İmam Muhammed'e göre geçersizdir.

***Büluğ ve sonrası:*** Çocuk, akıllı olarak büluğa ermiş ve ehliyetini ortadan kaldıran veya daraltan bir hâl ortaya çıkmamışsa artık tam anlamıyla mükelleftir; tam vücûb ve eda ehliyetine sahiptir. Ancak ehliyete etki eden bazı arızi durumların ortaya çıkması hâlinde çocuğun hak ve sorumlulukları buna göre şekillenir.

## Ehliyet Arızaları

Ehliyeti daraltan veya ortadan kaldıran hâller (avârızu'l-ehliyye) semavi ve müktesep arızalar olmak üzere iki grupta ele alınır. Semavi arızalar kişinin gücü ve iradesi dışında gelişen hâlleri, müktesep arızalar ise kişinin iradesi ve eylemleri sonucu ortaya çıkan arızi hâlleri ifade eder. Bunlar şu şekilde hülasa edilebilir:

### 1. Semavi arızalar:

***Akıl hastalığı (cünûn):*** Akıl hastaları tam vücûb ehliyetine sahiptirler, temyiz gücünden yoksun bulunduklarından eda ehliyetleri yoktur. Gayr-ı mümeyyiz sabilerle aynı hükümlere tabidirler. Mahkeme kararına gerek kalmaksızın doğrudan hacir altındadırlar, bu nedenle hakları kullanma ehliyetleri yoktur.

***Akıl zayıflığı (ateh):*** Ateh, akıl zayıflığını ifade eder. İki gruba ayrılır:

1) İdrak ve temyiz gücünden yoksun bulunanlar, gayr-ı mümeyyiz sabilerle aynı hükümlere tabidirler.

2) İdrak ve temyize sahip olsa da reşitlerin seviyesinde bulunmayanlar ise mümeyyiz sabi gibidirler.

***Unutma (nisyân):*** Unutma yahut hatırlayamama vücûb ve eda ehliyetini ortadan kaldırmaz. Kul haklarında özür sayılmaz. Allah haklarında ise belirli ölçüde özür kabul edilir. Namazı vaktinde kılmayı unutan biri, vakit çıkmış ise kazasını yapar. Oruçlu iken unutarak yemek-içmek ise oruca engel teşkil etmez.

***Uyku ve baygınlık (en-nevm ve'l-iğmâ'):*** Vücûb ehliyetini ortadan kaldırmaz, ancak eda ehliyetini ortadan kaldırır. Çünkü bu hâlde temyiz yoktur. Bu nedenle uyku veya baygınlık hâlinde bulunan kişinin sözleri geçersizdir. Mesela bu durumda olan birinin alım-satımı, boşaması veya evliliği herhangi bir anlam ifade etmez.

Bununla beraber, kişinin uyurken birisinin üzerine düşüp onun ölümüne veya yaralanmasına sebebiyet vermesi ya da baygının düşerken değerli bir eşyaya çarpıp ona zarar vermesi yahut bir çocuğu yaralaması veya öldürmesi durumlarında olduğu gibi, mala ve cana verdikleri zararlardan dolayı mali sorumluluk altındadırlar. Ancak cezai mesuliyetleri yoktur.

Uyku ve baygınlık sebebiyle tutulamayan oruçların kazası gerekir. Bu konuda İslam hukukçuları arasında görüş birliği vardır. Hanefîlere göre beş vakitten fazla süren baygınlık hâli namaz borcunu düşürür. Hanbelîler baygınlık hâlinde geçen namazların kaza edilmesi gerektiğini savunurken; Mâlikî ve Şâfiîler vakit sayısına bağlı olmaksızın baygınlığın namazı düşürdüğü görüşündedirler.

***Ölümle sonuçlanan hastalık (marazu'l-mevt):*** Hastanın vücûb ve eda ehliyeti tamdır. Ancak hastalık, kişinin zihin dünyasını altüst edebileceğinden ölümle sonuçlanması hâlinde hastalığın başladığı andan itibaren yaptığı mali tasarrufları ölüm sonrasında gözden geçirilir. Bununla hastanın, hukuki işlemlerinde bir suistimal yapabileceği düşüncesiyle çevresine verebileceği mali zararların engellenmesi hedeflenmiştir. Mesela, bir malı piyasa fiyatlarının çok altında satarak ya da fahiş fiyatla satın alarak veya bir kadınla evlenerek hem mirasçılara bir kişi daha ekleyerek hem de mehrini yüksek tutarak geride kalan mirasçılarına zarar vermeyi hedeflemiş olabilir. Bütün bu durumlar fukahanın dikkatini çekmiş ve hukuki hükümlerin veriliş amacı dışındaki kullanımına karşı tedbir geliştirmişlerdir.

Bahsedilen işlemlerde haksızlığı önleyebilmek için tasarrufların gözden geçirilmesi mühim bir önlemdir. Bu hususların ayrıntısında mezhepler arasında görüş ayrılıkları bulunsa da ortak nokta hakları koruma hususundaki hassasiyettir. Mesela ölümle sonuçlanan hastalık hâlinde kişinin karısını boşaması durumunda (talâku'l-fârr) kadın, kocasına mirasçı kılınmıştır. Kadının mirasçı oluşu, Hanefîlere göre kocanın ölümü, kadın iddet beklerken vaki olmuş ise, Hanbelîlere göre kadın bir başkasıyla evlenmemişse, Mâlikîlere göre ise her hâlükarda gerçekleşir. Şâfiîlere göre ise miras sebebi olan nikâh bağı boşama ile sonlandırıldığından mirasçılık vaki olmaz.

***Ölüm:*** Kişi öldüğünde dört şey yapılır. Öncelikle cenazesi kaldırılır (techîz ve tekfin); ardından borçları mal varlığından veya varsa kefili tarafından ödenir; sonrasında mal varlığının 1/3'ünü geçmemek kaydıyla vasiyetleri yerine getirilir. Son olarak da kalan malı mirasçılar arasında taksim edilir.

Ölüm tam bir acziyet hâlidir. Bu nedenle ölünün eda ehliyeti yoktur. Ölümle birlikte irade ve kudreti gerektiren teklifî hükümlerden olan namaz, oruç gibi ibadetlerden yükümlülük kalkar. Zekât ise Hanefîlere göre dünyevi hükümler bakımından düşer. Ancak zekâtının verilmesini vasiyet etmiş veya verme niyetinde iken aniden ölmüş ya da fırsat bulamamışsa geride kalan yakınlarının bunu eda etmesi gerekir. İmam Şâfiî ise zekâttan maksadın mükellefin malı olduğu düşüncesinden hareketle mutlak anlamda zekâtın verilmesi gerektiğini savunur.

**2. Mükteseb (irâdî) arızalar:**

Mükteseb arıza mükellefin fiiline bağlı olarak gelişen olaylar sonucu ehliyetin kalkması ya da daralması hâlini ifade eder. Bunları da şöylece özetmek mümkündür:

***Bilgisizlik (cehl):*** Şeri hükümlerin bilinmesi imkânının bulunduğu Müslüman ülkelerde şeri hükümleri bilmemek mazeret değildir. Ancak Müslümanların bulunmadığı ya da az olduğu gayrimüslim ülkelerde yeni Müslüman olmuş olanlar yükümlü bulundukları vecibeleri öğreninceye kadar bunlardan sorumlu değildir.

***Hata:*** İrade dışı söz ve eylemleri ifade eder. Hatada biraz dikkatsizlik ve tedbirsizliğin de etkisi vardır. Vücûb ve eda ehliyetine engel değildir. Ancak bazı yükümlülükleri kısmen veya tamamen kaldırır. Allah haklarında bir özür kabul edilir. Mesela kıbleyi araştıranın hata etmesi hâlinde kıldığı namaz makbuldür ve sonradan hata ettiği açığa çıksa iade veya kaza etmesi gerekmez. Hata ile yiyip içmek orucu bozar.

Hatanın haddi gerektiren suçlarda cezaya etkisi vardır. Hata, kasdı ortadan kaldırdığı için hadd cezasının uygulanmasına mâni teşkil etse de mağdurun zararının telafisine engel değildir. Bu yüzden hata sonucu meydana gelen öldürmede kısas olmasa da diyet gerekir.[182] Hata, kul haklarında özür sayılmaz. Hata ile işlenen haksız fiillerden doğan zarar faili tarafından tazmin edilir.

Muamelât bahsinde Hanefîler hata eseri söylenen sözlerin sonuçlarını doğuracağı kanaatindedirler. Mesela hata sonucu gerçekleşen boşama geçerlidir. Hata rızayı etkilediği için alışverişler fasittir. Hanefîler dışındaki çoğunluk fukahaya (cumhur) göre ise hata neticesinde oluşan sözlerde kasıt bulunmadığı için hukuki neticeleri hasıl olmaz. Mesela kişinin hata ile karısını boşaması durumunda boşanma geçerli değildir.

***Latife beyanı/şaka (hezl):*** Hezl, ciddiyetin karşıt anlamlısı olup sözle irade arasındaki kasıtlı uyumsuzluktur. Bu durumda konuşan sözün anlamını bilerek söylemekte ancak doğuracağı sonucu istememekte, sözü amaç dışı kullanmaktadır. Hezl, vücûb ve eda ehliyetini ortadan kaldırmaz. Ancak bazı hükümlere etki eder. Bunlar üç grupta ele alınır:

Birincisi itikadi konulardır: Küfrü ve dinden çıkmayı gerektiren konularda hezl dikkate alınmadan sözün sahibi kâfir olur. Çünkü kula Rabbi ile şaka yapması yaraşmaz. Bu dini ve onun sahibini hafife almak anlamı taşır.

İkincisi ihbarlar, yani ikrarlardır. İkrar, bir başkasının kendisi üzerindeki hakkını kabul etmek, haber vermek demektir. Hezl haber verilen şeyin gerçek olmadığını gösterir. Bundan dolayı hezl şeklinde nikâh, boşama, alım-satım ikrarı geçerlilik arz etmez.

Üçüncüsü inşâlardır: İnşâ, şeri hükümler doğuran sebepleri oluşturmaktır. Mülkiyetin sebebi olan alış-veriş gibi. Hezlin etkisi bakımından bunlar iki gruptur: Birincisi nikâh, boşama, yemin gibi fesih ihtimali bulunmayan işlemledir ki burada hezl yok hükmünde olup işlemler geçerlidir. Hz.

---

182 Nisâ suresi, 4:92.

Peygamber'in, *"Üç şey vardır ki ciddisi ile şakası arasında fark yoktur. Bunlar nikâh, talak, ilk iki talakta iddet süresi içinde evliliğe dönüştür (ric'at)."*[183] hadisi bu konuda delildir. İkincisi de hezlin batıl veya fasit kıldığı tasarruflardır. Bunlar alışveriş, kiralama gibi akitlerdir.

***Harcamada tedbirsizlik (sefeh):*** Mali tasarruflar konusunda tedbirli davranmama, israf ve savurganlıktan sakınmama hâlidir ki bu şekilde davranana *sefih* denir. Malını yerli yerinde, menfaatine olacak şekilde kullanabilme hâline ise *rüşd,* bu kişiye de *reşîd* denir. Sefeh hâli mükellefiyete engel değildir ve sefîh hem vücûb hem de eda ehliyetine sahiptir.

İslam hukukuna göre biyolojik ergenlik (büluğ) çağına ulaşmış olan bir şahıs çocukluk döneminden çıkarak hayatının yetişkinlik devresine girmiştir. Bu devre, akli bakımdan bir zafiyet veya iradesini sakatlayan ya da gücünü aşan bir durum söz konusu değilse tam anlamıyla sorumluluğunun başladığı, çocukluk sebebiyle tanınmış olan muafiyetlerin kalktığı devredir.

Bununla birlikte büluğ, sorumlulukta merkezî bir rol oynayan akli kemalin kuvvetli göstergesi (mazınne) sayılsa da eda ehliyetini kazanmada tek başına yeterli değildir. Bu nedenle kişi hakikaten veya hükmen büluğa ermiş olsa bile rüşd vasfını kazanmayabilir. Eğer rüşd özelliğini kazanmadan büluğa ermiş ise malının kendisine verilemeyeceği konusunda Zâhirîler dışındaki fukahanın ittifakı vardır. *"Allah'ın geçiminize dayanak kıldığı mallarınızı rüşd kazanmamış (sefih) olanlara vermeyin."*[184] ayeti bu konuda açık delil olduğu gibi peşindeki yetimlerin büluğ çağına kadar denenmesini ve rüşd kazanmış olmaları hâlinde mallarını

---

183 Ebû Dâvûd, "Talâk", 9; Tirmizî, "Talâk", 9; İbn Mâce, "Mukaddime", 7, "Talâk", 13.

184 Nisâ suresi, 4:5.

teslim etmeyi emreden ayet[185] de aynı hususu teyit etmektedir. Buna göre büluğa ermekle birlikte rüşdü bulunmayan kişiye malları verilmez ve kısıtlılık hâli devam eder. Aksine hareket eden veli veya vasi teslim ettiği maldan sorumludur, zayi olması veya telefi hâlinde tazminle yükümlüdür.[186]

Hacir Hâli

Kısıtlılık (hacir) hâlinin ne zamana kadar devam edeceği konusunda İslam hukukçuları arasında görüş ayrılığı vardır. Fukaha çoğunluğu rüşd ortaya çıkmadığı sürece hangi yaşa gelirse gelsin mallarının kendisine teslim edilmeyeceği görüşünü savunmaktadırlar. Ebû Hanîfe ise bu süreyi yirmi beş yaş ile sınırlı tutar. Hocası İbrâhim en-Nehaî ve talebesi Züfer de bu görüştedir. Ebû Hanîfe, rüşd özelliği ile büluğa ermemiş ve bu sebeple malı kendisine verilmemiş kişiler için bu himayenin ancak yirmi beş yaşına kadar devam edeceği konusunda bir son sınır belirler ve bu yaşı rüşdün kuvvetli göstergesi kabul ederek mallarının kendisine teslim edilmesi gerektiğini savunur.

Mâlikîler, Şâfiîler, Hanbelîler ve Ebû Hanîfe'nin iki talebesi Ebû Yûsuf ve Muhammed b. Hasan eş-Şeybânî'ye göre büluğ ile birlikte rüşdün bulunmadığı hâllerde malın kendisine verilmeyeceği, kısıtlılık hâlinin devam edeceği, mali tasarruflarının kendi menfaatine uygun şekilde veli veya vasisi tarafından yürütüleceği, böylece malının korunacağını savunurlar.

Büluğla birlikte rüşdün bulunması durumunda kısıtlılık hâlinin doğrudan doğruya son bulup bulmayacağı da tartışılmıştır. Bu konuda Hanefîler, iki görüşten sahih kabul edilene göre Şâfiîler, Ca'ferîler ve Hanbelîler hacri koyan mahkeme olmadığı için hacrin kalkması için de mahkemenin kararına gerek olmadığını düşünürler. İmam Mâlik ve içinde bazı Şâfiîlerin de bulunduğu bir grup âlim ise hâkim kararına

185 Nisâ suresi, 4:6.
186 *Mecelle*, md. 983.

ihtiyaç duyulduğu kanaatindedirler. Bununla birlikte hacrin baba veya dedenin rüşd ilanıyla kalkacağını söyleyen âlimler de vardır. Reşid olarak büluğa erip bir müddet sonra sefeh hâlinin ortaya çıkmasını hacir sebebi olarak gören âlimlerin büyük çoğunluğu (Hanbelîler, mezhepte ağırlık kazanan görüşlere göre Şâfiîler, Mâlikîler ve Ebû Yûsuf) hacrin mahkeme kararına dayanması gerektiğini savunurlarken; İmam Muhammed hükmün illeti olan sefeh hâlinin ortaya çıkmasıyla doğrudan kısıtlılık hâlinin doğacağını savunur.

Hacir altında bulunan sefih, mali tasarruflar bakımından mümeyyiz sabi gibidir. Sırf faydasına olan tasarruflarında doğrudan yetkili; zararına olanları geçersiz, fayda-zarar arasında gidip gelen tasarrufları ise kanuni temsilcinin izin veya onayıyla geçerlilik kazanır. Sefihin, mümeyyiz çocuktan farklı olarak nikâh ve talakı geçerlidir.

***Sarhoşluk (sükr):*** Kişinin içki veya uyuşturucu maddeyi almasından sonra aklının gitmesi ve ayıldığında söz konusu durumda söylediği söz ve eylemleri hatırlayamaması hâlidir. İki kısımda ele alınır:

Birincisi mübah yoldan alınan madde sonucu meydana gelen sarhoşluktur. İçilen ilaç ya da ağır tehdit altında, sarhoş edici özelliğini bilmediğinden dolayı veya açlık ve susuzluk sebebiyle çaresizlikten içme gibi meşru bir sebebe bağlı olarak meydana gelen sarhoşluktur. Bu durumdaki kişi sarhoşluğu geçinceye kadar, baygın kişiyle aynı hükümlere tabidir.

İkincisi haram yoldan meydana gelen sarhoşluktur. Bazı fakihlere göre bu durumda da sözlü tasarruflarından hiçbirisinin hukuki neticesi yoktur. Mesela boşaması, alım-satımı vaki olmaz. Zâhirîler, Ca'ferîler, bir rivayette Ahmed b. Hanbel, Hanefîlerden Tahâvî bu görüşü savunmaktadırlar. Diğer bir grup âlim ise söz konusu kişinin sözlerinin geçerli olup hukuki neticeler doğuracağını savunurlar. Aralarında bazı hususlarda görüş ayrılıkları bulunsa da Hanefîler, Şâfiîler ve Mâlikîlerin görüşü bu yöndedir. Fakihlerin tamamı, onun boşamasının geçerliliği hususunda görüş birliği içindedirler. Bu durumdaki bir kişi, fiillerinden hem mali hem de cezai olarak sorumludur.

***Zorlama (ikrah):*** Tehdit ettiği şeyi yapmaya muktedir bir şahsın, bir başka kişiyi, korkutmak suretiyle, kendi hâline bırakıldığında yapmaya rıza göstermeyeceği ve tercih etmeyeceği bir fiili işlemeye ya da bir sözü söylemeye sevk etmesidir. İkrah, kuvvet ve tasarruflara etki derecesine göre ikiye ayrılır.

Birincisi, ikrah-ı mülci, yani tam ikrahtır (ikrah-ı kâmil): Öldürme, bir organı itlaf etme ya da toplumda önemli bir statüye sahip bulunan kişiyi alçaltıcı bir muameleye maruz bırakma tehdidi ile meydana gelir. Bu çeşit ikrah ihtiyarı bozar ve rızayı ortadan kaldırır.

İkincisi, ikrah-ı gayr-ı mülci, yani eksik ikrahtır (ikrah-ı nâkıs): Kısa süreli hapis, hafif dövme gibi sabredilebilecek tehditlerin bulunduğu ikrahtır. Bu çeşit zorlamada öldürme, bir uzvu itlaf, ağır bir şekilde dövme, uzun süreli hapis söz konusu değildir. Bu tür ikrah rızayı ortadan kaldırır, ancak ihtiyarı bozmaz.

İkrahın, feshi kabil olmayan sözlü tasarruflara tesir edip etmediği konusunda İslam hukukçuları arasında görüş ayrılıkları mevcuttur. Âlimlerden bir kısmına göre zor altında söylenen sözlerin hukuki açıdan bir değeri yoktur, bu sözler geçersizdir ve sonuç doğurmaz. Bu yönde nakledilen sahâbi görüşleri yanında, Mâlikîler, Şâfiîler, Hanbelîler ve Zâhirîlerden İbn Hazm (ö. 456/1064) da bu görüştedir.

Hanefîler ise ikrah hâlindeki sözlü tasarrufların geçerli olduğunu savunan âlimlerin öncülüğünü yapmışlardır. Hanefîler zorlanan şahsın tasarruflarını iki açıdan ele almaktadırlar: Birincisi zorlanan, zorlayan şahsa alet kabul edilerek, zorlayana nispet edilmeleri mümkün olan tasarruflar iken; ikincisi zorlayana nispet edilmeleri mümkün olmayan, zorlananın bir tasarrufu olarak kalan, böylece zorlanan hakkında hükümleri sabit olan tasarruflardır.

Sözlü tasarruflarda mükrehin (zorlananın), zorlayan şahsa alet kabul edilmesi mümkün değildir. Çünkü kişi başkasının diliyle konuşamaz. Bunun sonucu olarak da zor altında söylenen sözlerin zorlayan şahsa nispet edilmeleri mümkün değildir. Buna göre ikrah hâlinde meydana gelen talak, nikâh, itâk (köle azadı), ric'at (ric'î talakla karısını boşayan kişinin süresi içinde hanımına dönmesi), kısası affetmek, yemin, nezir (adak), zıhâr (erkeğin karısını, annesi gibi evlenmesi yasak olan birine benzetmesi), îlâ (hanımına dört ay yaklaşmayacağına yemin etmek) ve fey (îlâdan dönmek) gibi sözlü tasarruflar geçerlidir; bunların sonuçları zorlanana aittir. Zira kanun koyucu, bu muamelelerde belirli lafzın kullanılmasını, o lafzın anlamı yönünde iradenin bulunduğuna hükmetmek için yeterli saymıştır, sözü söyleyenin, bu yönde iradesi bulunmasa da lafzın kullanılmış olması hüküm için yeterlidir. Bu tasarruflarda rıza değil, ihtiyar esastır. Burada da zorlanan kişi, zorlanılan (mükreh bih) ile söylemeye zorlandığı şeylerden (mükreh aleyh) hafif olanını tercih etmiştir. Her iki tarafın da görüşlerine delil aldıkları birçok ayet ve hadis bulunmaktadır.

Muhammed Ebû Zehre, Abdülkerim Zeydan, Ali Muhyiddin el-Karadâğî, Zekiyyüddin Şa'bân, Mustafa Ahmed ez-Zerkâ, Hüseyin Halef Cübûrî gibi muasır İslam hukukçuları mükrehin sözlü tasarruflarının geçerli olmadığı görüşünü benimsemişler; 25 Ekim 1917 tarihli Aile Hukuku Kararnamesi'nin 57. maddesi ikrah ile vuku bulan nikâhı fasit; 105. maddesi de böyle bir talakın muteber olmadığını hükme bağlamıştır.

Hanefîlere göre alım-satım gibi feshi kabil olan sözlü tasarruflar ise fasittir. Diğer mezheplere göre bu tür sözlü tasarrufların da bir geçerliliği yoktur.

Fiillerine gelince şayet zorlama, gayr-ı mülci ise sorumluluk zorlanan şahsa aittir. Zorlama mülci ise sonuçları itibariyle fiiller üç kısma ayrılır:

Birincisi zaruret hâlinde yapılması mübah olan işleri, zorlananın yapması gerekir. Aksi takdirde başına gelenlerden dolayı günahkâr olur. İçki içmek, murdar yemek gibi.

İkincisi zaruret hâlinde yapılmasına izin verilmekle birlikte eziyete katlanmanın da tercih edilebileceği eylemlerde tehdit edilen şeyi yapmadığında sevap kazanır. Zor altında Allah'ı inkâr, başkasının malını itlaf gibi. Bu son durumda şayet denileni yaparsa tazmininden sorumlu olan zorlayan şahıstır.

Üçüncü kısım ise zorlanan kişinin yapması haram olan fiillerdir. Başkasını öldürmek gibi. Şayet öldürürse günahkâr olur. Bu durumda Hanefîlere göre zorlayan şahsa kısas gerekir. Şâfiîlere göre kısas her ikisine de gerekir. Zinaya zorlama hâlinde Hanefîler ve Şâfiîlere göre ceza, zor altında da olsa zina edene gerekir. Diğer mezhepler de bu görüştedir. Ancak Hanefîler had değil, ta'zîr cezası verileceği görüşünü savunurlar.

DÖRDÜNCÜ BÖLÜM

# ŞERİ HÜKÜMLERİN GENEL AMAÇLARI

# MASLAHATLAR

İslam dininin, kulların dünya ve ahiret maslahatını temin etmeyi ve korumayı amaçladığı bilinmektedir. Bu husus, İbn Kayyim el-Cevziyye (ö. 751/1350) tarafından şöyle dile getirilir:

"Bu, gerçekten faydası muazzam olan bir bölümdür. Bu konudaki bilgisizlik sebebiyle şeriat adına büyük bir hataya düşülmekte, bu da –bilindiği üzere– bünyesinde derece bakımından maslahatların en üstününe sahip oluşuyla hayranlık uyandıran şeriatin öngörmediği sıkıntı, meşakkat ve yerine getirilemeyecek yükümlülükler doğurmaktadır. Oysa şeriat, özü ve muhtevası itibariyle hikmetler üzerine kuruludur. Kulların dünya ve ahiret maslahatlarını hedefler. O, bütünüyle adalet, rahmet, maslahat ve hikmettir. Ne zaman bir hüküm/düşünce/yorum (mes'ele) adaletten zulme, rahmetten gaddarlığa, maslahattan mefsedete, hikmetten saçmalığa dönerse –te'vil yoluyla ona dâhil edilse bile– asla şeriatten olamaz. Öyleyse İslam şeriati, Allah'ın kulları arasındaki adaleti, yaratıkları arasındaki rahmeti, Allah'ın yeryüzündeki gölgesi, kendisinin varlığına ve Resulü'nün doğruluğuna en güçlü ve en tutarlı bir şekilde delalet eden hikmetidir.

Şeriat, gözlerin, sayesinde gördüğü Allah'ın nuru, hidayete erenlerin, sayesinde doğru yolu bulduğu sağlam rehberi, her türlü hastanın, sayesinde tedavi olduğu mükemmel şifası ve Onun dosdoğru yoludur ki kim ona tabi olursa hiç şüphe yok ki o istikamet üzeredir. Dolayısıyla şeriat, gözlerin nuru, kalplerin neşvesi, ruhların zevkidir. Bütün bu özellikleriyle o, hayatın, gıdanın, dermanın, ışığın, şifanın ve safiyetin (ismet) kaynağıdır.

Varlıklar âlemindeki her türlü hayır/iyilik sadece ondan çıkar ve sadece onunla meydana gelir. Varlıklar âleminde herhangi bir noksanlık varsa, bunun sebebi de onun ihmal/zayi edilmesidir. Şeriatin kanunları daim olmasaydı hiç şüphe yok ki dünya harabeye döner, evren karanlığa gömülürdü. Şeriat, insanlar için korunak/sığınaktır, evrenin dengesidir. Allah Teâlâ, göklerin ve yerin yok olmasını onunla engellemektedir. Şayet O, dünyanın harabeye dönmesini ve evrenin karanlığa gömülmesini dileseydi, mevcut kanunlarını çekip alırdı. Allah'ın, Resulü Muhammed (s.a.v.)'i kendisiyle gönderdiği şeriati, evrenin direği, dünya ve ahirette selamet (felâh) ve saadetin eksenidir."[187]

İbn Kayyim el-Cevziyye bu ifadelerinde şeri hükümlerin amacının kulların dünya ve ahiret maslahatlarını hedeflediğini belirtirken aynı zamanda hukukun da bu konudaki işlevine, hukukçuların sorumluluğuna işaret etmektedir. Çünkü nefis taşıyan bir varlık olarak insan kendi çıkarına düşkündür ve burada keyfîliğe yer olmamalıdır. Sağlıksız yöntemlerle ya da sübjektif yorumlarla din adına ortaya atılan görüşler, te'villerle dine dâhil edilse bile maslahat, adalet, hikmet ve rahmet ilkeleri ölçü alınarak bu görüşler reddedilmelidir. İslam'ın hukuku, bu maslahatların ilmi ve aracıdır.

Maslahatlar: Zarûriyyât, Hâciyyât ve Tahsîniyyât

En genel anlamıyla maslahat faydalı olanı almak, zararlı olanı kaldırmaktır. *Mecelle*'deki ifadesiyle *def-i mefâsid, celb-i menâfi*'dir. İslam hukukçuları, Kur'ân-ı Kerîm ve Hz. Peygamber'in sünnetinden tümevarım (istikrâ) yoluyla maslahatları, zarûriyyât (zorunlu olanlar); hâciyyât (hayatı kolaylaştırıcı olanlar) ve tahsîniyyât (hayatı güzelleştirenler) olmak üzere üç grupta ele almışlardır. Elmalılı Hamdi Yazır'ın ölmeyecek miktarda yemenin zarûriyyât, doyuncaya kadar yemenin hâciyyât, sevdiği yemeklerden yemenin tahsîniyyât olduğu şeklinde verdiği örnek konuyu daha iyi anlatmaktadır.

---

187 İbn Kayyim el-Cevziyye, *İlâmü'l-muvakkıîn an Rabbi'l-âlemîn* (nşr. Tâhâ Abdurrauf Sa'd), Dârü'l-Cîl, Beyrut, ts., III, 3.

## Zarûriyyât

Zarûriyyât: İnsan Olmanın Evrensel Gerekleri

Toplumsal düzenin kendisine bağlı olduğu, bulunması ve korunmasında zaruret, yani zorunluluk bulunan maslahatlardır. Bunlar olmadığında dünyada meşakkat ve sıkıntıya, ahirette de azaba sebep olacak düzensizlik ve kargaşa ortamı doğar, toplumda haklar korunamaz ve vazifelerin ifası sağlanamaz. Dolayısıyla böyle bir toplumda yaşamanın bir anlamı kalmaz. Dünya cehenneme döner. Tersinden bakıldığında da bu tür maslahatlar temin edildiğinde haklar korunabilir, vazifelerin ifası sağlanabilir. Sonuçta topluma adalet, istikrar ve huzur hâkim olur. Bu özelliği sebebiyle söz konusu maslahatlara 'bulunmasında mutlak zorunluk olan maslahatlar' anlamında *zarûriyyât* denilmiştir. Zârûriyyât çerçevesine giren maslahatlar da beş ana gruba ayrılmıştır. *Zarûriyyât-ı Hamse* olarak ifade edilen bu beş esas şunlardır:

### 1. Canı Muhafaza (Hıfzu'n-nefs)

Zarûriyyâtın Kısımları

Vücut bütünlüğünün korunması bütün dinlerin ortak hedefleri arasındadır. Çünkü diğer bütün haklar ve yükümlülükler buna bağlı olarak varlık kazanırlar. Bundan dolayı bir insanı öldürmek veya yaralamak uhrevi olarak en büyük günahlardan sayılmış, dünyevi cezası da olabilecek en ağır şekilde belirlenmiştir. Uhrevi sorumluluğun ne kadar ağır olduğunu şu ayetler ortaya koyar: *"Kim bir mümini kasten öldürürse cezası, içinde devamlı kalmak üzere cehennemdir. Allah ona gazap etmiş, onu lanetlemiş ve onun için büyük bir azap hazırlamıştır."*[188] *"İşte bundan dolayı İsrâiloğullarına şöyle yazmıştık: Bir cana kıymaya veya yeryüzünde fesat çıkarmaya karşılık olmaksızın kim bir kimseyi öldürürse bütün insanları öldürmüş gibi olur. Kim de bir canı kurtarırsa bütün insanlara hayat bahşetmiş gibi olur."*[189]

---

188 Nisâ suresi, 4:93.
189 Mâide suresi, 5:32.

Dünyevi olarak da kasten adam öldürme[190] ve yaralamanın[191] cezası "kısas" olarak belirlenmiştir. Bu oldukça ağır bir cezadır. Amaç canı korumak için caydırıcılık sağlamaktır. Çünkü kendisinin öldürüleceğini bilen, bir başkasını öldüremez. Böylece hem kendisinin hem de karşı tarafın canı korunmuş olur. Nitekim bu husus Kur'ân-ı Kerîm'de şöyle ifade edilir:

*"Ey inananlar! Öldürülenler hakkında kısas size farz kılındı. (...) Kısasta sizin için hayat vardır, ey akıl sahipleri, umulur ki Allah'ın emir ve yasaklarına saygı duyarsınız."*[192]

Adam öldürme ve yaralamada kasıt yoksa telafi kabilinden diyetin öngörülmesi de canı muhafaza ilkesine bağlı bir hükümdür. Söz konusu ilkenin bir gereği olarak kürtaj haram ve yasak kılınmıştır. Döllenmiş yumurta rahim duvarına tutunduğu andan itibaren –ki bu ilk hafta içinde tamamlanan bir süreçtir– insan olma serüveni başladığı için cenine haricî bir müdahalede bulunulamaz. Aksi takdirde cinayet işlenmiş olur. İntiharın haram ve yasak oluşu da bu ilkenin bir gereğidir. Aynı şekilde evlilik, insan varlığı için meşru kılınmış ve toplum hâlinde evliliğin terk edilmesi yasaklanmıştır. Canın korunması ilkesi gereği zararlı ve zehirli gıdalar yasaklanmış; hastalar için tedavi emredilmiştir.

### 2. Dini Muhafaza (Hıfzu'd-dîn)

Dinin korunması, iman ve ibadet esaslarının kabulü, bunlardan doğan yükümlülüklerin gerektiği şekilde yerine getirilmesi ile mümkündür. Bunun için iman, namaz, oruç, zekât ve hac gibi ibadetler farz kılınmıştır. Dinin korunması için diğer insanların dine davet edilmesi, dinin eğitim ve öğretiminin yapılması, dine yönelen yıkıcı eleştirilere karşı ilmî cevapların hazırlanması, dine inandığı için silahlı

190 Bakara suresi, 2:178-179; Nisâ suresi, 4:93; Mâide suresi, 5:32, 45.
191 Mâide suresi, 5:45
192 Bakara suresi, 2:178-179.

saldırıya uğrayanların savunulması amacıyla gerekli tedbirlerin alınması bu çerçevede düşünülmüş esaslardır. Söz konusu etkinliklerin tamamı cihat faaliyetleri içinde yer alır. Cihadın savaş boyutu ise fiili saldırılara karşı savunma amacı taşır.[193]

Konu ile ilgili eserlerde Müslüman iken dininden dönmüş birisinin (mürted), dini koruma ilkesinin bir gereği olarak öldürüleceği yönünde görüşlere yer verilmektedir. Bu konuda bir değerlendirme yapma zarureti vardır:

İrtidad: Dinden Dönme

İrtidad, İslam'ı din olarak seçtikten sonra onu reddetmek ya da inanılması zaruri olan bir esası inkâr etmek demektir. Bu durumdaki insana mürted denir. Böyle bir insanın tevbe edip yeniden İslam'ı kabul etmemesi durumunda ölümle cezalandırılacağı konusunda hemen hemen bütün müçtehitler görüş birliği içindedir. Ancak bazı âlimler mürtedin önce hapsedilmesi, ardından dine davet edilerek şüphelerinin giderilmeye çalışılması gerektiğini savunmaktadırlar. Hanefîler muharib (savaşçı) olmadığı görüşünü savunarak kadının öldürülmeyeceğini, Müslümanlığı yeniden kabul edinceye kadar hapsedileceği fikrini dile getirmektedirler. Bu görüşlerin temelinde ise dininden dönenlerin amellerinin dünyada ve ahirette boşa gittiğini bildiren ayet[194] ile Bedevîlere hitaben onların çok kuvvetli bir kavme karşı savaşa çağırılacağı ve teslim oluncaya kadar onlarla savaşmalarını isteyen[195] ayet, dinini değiştirenin öldürülmesini isteyen hadisler[196] ve ilk dönem uygulamaları vardır.

---

193 Bu konuda geniş bilgi için bk. Saffet Köse, "Cihad Şiddete Referans Olabilir mi?", *İslam Hukuku Araştırmaları Dergisi*, s. 10, Konya, 2007, s. 37-70.

194 Bakara suresi, 2:217.

195 Fetih suresi, 48:16.

196 Buhârî, "Cihâd", 149; "İ'tisâm", 28; Ebû Dâvûd, "Hudûd", 1; Tirmizî, "Hudûd", 25; Nesâî, "Tahrîm", 14; İbn Mâce, "Hudûd", 2; Buhârî, "Diyât", 66; Müslim, "Kasâme", 35-36; Tirmizî, "Hudûd", 15; Nesâî, "Tahrîm", 5, 6; İbn Mâce, "Hudûd", 1; Dârîmî, "Hudûd", 2; Nesâî, "Kasâme", 14; Ebû Dâvûd, "Hudûd", 1.

Ridde Hareketlerinin Siyasi Karakteri

Bu görüşün oluşmasında İslam tarihinin ilk dönemlerinde ortaya çıkan irtidad hareketlerinin siyasi bir karakter taşımasının rolü vardır. Söz gelimi dinden çıkan bazı şairler şiirleriyle Hz. Peygamber'e ve İslam'a hakaret ederek mücadeleye girişmişler; İslam'dan çıkarak peygamberliklerini ilan eden sahtekârlar da asılsız iddialarla İslam'ı ve Müslümanları karalama harekâtına başlamışlar, insanların İslam'dan çıkmaları için çaba sarf etmişler ve Müslümanlarla mücadele etmek için asker toplama faaliyetine girişmişlerdir.[197] Hz. Peygamber'in ahirete irtihal etmesinden sonra hilafet görevini üstlenen Hz. Ebû Bekir döneminde zekât vermekten kaçınanların[198] da toplu bir hareket olarak devletin siyasi hâkimiyeti için bir tehdit oluşturduğu açıktır.

İşte bu dönemde dinden çıkmış olan bir insan kendi hâlinde bir mürted değil, İslam'a karşı savaş açan bir muharipti. Fukahanın mürtedin öldürüleceğine dair delil gösterdikleri ayetlerin savaşla ilgili olmaları bu sebeple olmalıdır. Nitekim irtidad edenin öldürülmesi gerektiğine delil gösterilen Bakara suresinin 217. ayeti, Hz. Peygamber ve Müslümanlara topyekûn savaş açan Mekke müşriklerinin yaptıkları fiilleri anlatmakta ve onun sonucunu bildirmektedir.

Gerek hadislerin ortaya çıkış sebeplerine (vürûd) gerekse bunların ilişkili olduğu ortam ve şartların tamamına bütüncül bir şekilde bakıldığında aynı sonuç ortaya çıkmaktadır. Şu hâlde ilke olarak dinden dönenin öldürülmesini emreden hadisi (âmm);[199] *"dinini terk eden ve cemaatten ayrılan",*[200] *"cemaatten ayrılıp fesat çıkaran ve İslam toplumunu parçalamak isteyen",*[201] *"İslam'dan çıkarak Allah*

197 bk. Taberî, *Câmi'u'l-beyân*, Beyrut, 1999, III, 227-342.

198 Taberî, *Câmi'u'l-beyân*, III, 244.

199 Buhârî, "Cihad", 149; "İ'tisâm", 28; Ebû Dâvûd, "Hudûd", 1; Tirmizî, "Hudûd", 25; Nesâî, "Tahrim", 14; İbn Mâce, "Hudûd", 2.

200 Buharî, "Diyât", 66; Müslim, "Kasâme", 25-26; Tirmizî, "Hudûd", 15; Nesâî, "Tahrîm", 5; İbn Mâce, "Hudûd", 1.

201 Nesâî, "Tahrim", 6.

*ve Resulü'ne harb ilan eden öldürülür.*"[202] şeklindeki diğer hadisler tahsis etmekte ve açıklamaktadır. Bütün bunlar dikkate alındığı, Kur'an ve sünnetin inanç hürriyeti ile ilgili prensipleri göz önünde bulundurulduğu zaman, ölümüne hükmedilecek mürtedin, şüpheleri sebebiyle dinden çıkmış kendi hâlindeki inkârcı değil, İslam toplumuna karşı savaş açan ve kamu düzenini bozanlar olduğu anlaşılmaktadır.

Sonuç olarak klasik fıkıh kitaplarında yer alan irtidad suçunun cezasının idam olduğu yönündeki hüküm, sırf şüpheleri sebebiyle dinden çıkmış olan mürtedle ilgili değildir. Daha açık bir ifade ile dinden çıkma tek başına idam cezasını gerektiren bir husus değildir. Bu ceza, irtidadıyla birlikte İslam toplumuna karşı savaş eylemine girişenler için öngörülmüştür. Nitekim Pezdevî (ö. 482/1089) fıkıh tarihinin en önemli klasiklerinden biri olan *Kenzü'l-vusûl* adlı eserinde bunu çok açık bir biçimde şöyle ifade eder:

لأن القتل يجب بالمحاربة لا بعين الردة

"İdam cezası dinden dönmüş olmaktan dolayı değil, savaşma eyleminden dolayı gerekir."[203]

Şu hâlde fıkıh geleneğinde yer alan mürtedin öldürülmesine yönelik hüküm, mürtedin irtidadından sonra başkaldırma ve devlete savaş açma gibi siyasi bir suçlu hâline gelmesi (bağy) sebebiyle verilmiştir. Böyle bir durumda aynı hüküm Müslüman için de geçerli kılınmıştır.[204]

### 3. Malı Muhafaza (Hıfzu'l-mâl)

Malın korunması ve mal emniyetinin sağlanması şeri hükümlerin amaçlarından biridir. Malın varlığı için, rızık temini maksadıyla çalışmak farz kılınmış, alım-satım, bağış, ariyet vb. akitler ve hukuki işlemler meşru kılınmış,

---

202 Nesâî, "Kasâme", 14; Ebû Dâvud, "Hudûd", 1.
203 Pezdevî, *Kenzü'l-vusûl*, Beyrut, 1997, IV, 419.
204 Mâide suresi, 5:33.

mal dolaşımının güvenle yapılabilmesi için meşru yoldan kazanılmış bir malın, sahibinin rızası dışında bir başkasının mülkiyetine geçemeyeceği açık biçimde belirlenmiştir:

*"Ey iman edenler! Karşılıklı rızaya dayanan ticaret dışında mallarınızı aranızda haksızla yemeyin."*[205]

Böylece gasp, itlaf, aldatmak, rüşvet, yolsuzluk, kumar, faiz vb. haksız kazanç yollarının önü kapatılmıştır. Söz konusu genel yasaktan ayrı, özel olarak mala zarar veren tasarruflar da bizzat ayet ve hadislerle yasaklanmıştır. Malın korunması için hırsızlık yasaklanmış, cezası oldukça ağır tutulmuştur.[206] Malın yerli yerinde, salim aklın ve dinin öngördüğü ölçülerde kullanılması (rüşd) istenmiş, savurganlık ve harcamalardaki tedbirsizlik (sefeh) yasaklanmıştır: *"Gereksiz yere de saçıp savurma! Çünkü savurganlar şeytanların dostlarıdır. Şeytan da Rabbine karşı çok nankördür."*[207] Harcamalarında disiplini olmayanlar için de *hacir* hükmü getirilmiştir: *"Mallarınızı sefihlere vermeyin."*[208] Harcama ve diğer işlerde mutat ölçülerin dışına çıkmak demek olan israf da açık naslarla yasak kapsamına alınmıştır: *"Yiyin, için; fakat israf etmeyin. Çünkü Allah israf edenleri sevmez."*[209]

Mala verilen zararın tazmini, aldanmalarda muhayyerliklerin meşru kılınması[210] malın korunması ilkesiyle ilgilidir.

**4. Aklı Muhâfaza (Hıfzu'l-akl)**

Akıl, Allah'ın insana en büyük nimetidir. Allah'ın verdiği bu nimetin korunması için ona zararlı olan içki, uyuşturucu vb. maddelerin alınması yasaklanmıştır. Buna uymayanlar için bazı cezalar tertip edilmiştir.

---

205 Nisâ suresi,4:29.
206 Mâide suresi, 5:38.
207 İsrâ suresi, 17:27-28.
208 Nisâ suresi, 4:5.
209 A'râf suresi, 7:32.
210 Buhârî, "Büyû'", 48.

Allah her topluma ihtiyaç duyacağı kabiliyetleri lütfetmiştir. Her toprağın yetiştirdiği şeyin farklı olduğu gibi topraktan yaratılan insanın da kabiliyetleri farklı farklıdır.[211] Bunlar toplumun ihtiyaç duyduğu özellikleri taşırlar. Bu sebeple aklı koruma sadece sahibinin değil, aynı zamanda toplumun da bizzat görevidir. Aksi takdirde Allah'ın lütfettiği kabiliyetlerden mahrum kalarak kendi kendisini cezalandırmış olacaktır.

Akıl, Allah'ın hitabına muhatap olmak için varlığı zorunlu olan bir nimettir. Arap edebiyatında geçtiği üzere: "Her şey çoğaldıkça değeri düşer. Akıl bunun dışındadır. O arttıkça değeri artar." Bu sebeple insan, akıl nimetinin farkında değilse, ona bunu anlatmak ve hatırlatmak gerekir.

**5. Nesli Muhafaza (Hıfzu'n-nesl)**

İnsan da dâhil, canlıların varlığı, erkek ve dişinin birleşmesine bağlanmıştır. Ancak insan diğer canlılardan farklı olarak yüce bir gayeye hizmet etmek amacıyla yaratılmıştır. Bu nedenle insanın üremesi hayvanlar gibi gelişi güzel olamaz.

Neslin varlığı ve bunun da sağlıklı bir üreme şeklinde gerçekleştirilebilmesi için evlilik meşru kılınmış; şehvetin disiplinsiz ve kontrolsüz biçimde kullanılması anlamına gelen zina yasaklanmıştır. Bu yasağı ihlal edenlere de birtakım cezalar öngörülmüştür.

Şehvetin meşru şekilde kullanımından iffet doğar. Bunun bir tek yolu vardır o da nikâhtır. İffetli birisine zina isnat etmek büyük suç sayılmıştır. Kur'ân-ı Kerîm'de *kazif*[212] ve *lian*[213] cezaları bu amaçla belirlenmiştir. Bu ilkenin bir gereği olarak evlenme imkânı bulunmayanların bu ihtiyaçlarının

211 Zuhrûf suresi, 43:32.
212 Nûr suresi, 24:4.
213 Nûr suresi, 24:5-9.

giderilmesi topluma yüklenmiş bir görevdir.[214] Bu beş temel değer, etnisite ve inanç gibi herhangi bir ayırım gözetilmeksizin bütün insanlar için sabit olan haklardır. Çünkü bunlar insan olmanın vazgeçilmez gerekleri ve ayrılmaz parçalarıdır. İnsan, şerefini insanlığından aldığından bu hakların gözetilmesi vecibe; ihlali de suç olmaktadır.

## Hâciyyât

Sıkıntı, darlık, meşakkat ve güçlük yaşamamak için bulunması gereken maslahatlar bu gruba girer. Bu tür maslahatlar hayatı kolaylaştıran özelliğe sahiptir. Bulunmadıklarında sıkıntı doğar ve insanlar zor durumda kalırlar.

Hayatın bütün alanlarında sıkıntıyı kaldıracak hükümler meşru kılınmıştır. Mesela ibadetlerde getirilen birtakım kolaylıklar, ruhsatlar bu ilkenin bir yansımasıdır. Buna göre: dört rekatlı farz namazların yolculuk hâlinde kısaltılarak iki rekat kılınması; yolculuk ve hastalık hâllerinde oruçların kazaya bırakılabilmesi; hastalık hâlinde namazların imkânlara göre kılınması; su bulunamadığında teyemmüm yapılması; binek üzerinde kılınan namazda kıbleye imkânlara göre dönülebilmesi; namazların bazı hâllerde, mesela yolculukta kısaltılabilmesi; avlanmanın meşru kılınması, hukuki işlemlerde *selem* ve *ıstısnâ'* vb. akitler; her iki taraf için çekilmez hâle gelen evliliklerde boşanmaya izin verilmesi; ceza hukukunda sanığın şüpheden yararlanması; kasıt bulunmayan öldürmelerde diyetin *âkıle*ye yüklenmesi; gabn-ı yesîrin alış-verişi etkilememesi vb. örnekler hâciyyat türünden maslahatlar arasındadır. Kur'ân-ı Kerîm ve Hz. Peygamber'in hadislerinde kolaylaştırmanın dinin önem verdiği bir ilke olduğu açıkça görülür.

---

214 Nûr suresi, 24:32.

## Tahsîniyyât

Bunlar, toplum içinde insana itibar kazandıran güzel davranışlar, alışkanlıklar, görgülü insan nitelemesine imkân veren maslahatlardır. İlk iki maslahatta olduğu gibi bunların bulunmaması kargaşaya ya da sıkıntıya sebep olmaz. Ancak bu tür maslahatları elde etmemiş ya da korumamış insanlara hoş bakılmaz. İslam, bu tür maslahatlara değer vermiştir. İbadetlerde temizliğe özen gösterme; nafile ibadetler; yeme-içme adabına riayet; güzel ve temiz giyinme; evlenme veya alış-veriş teklifinde bulunan ve cevap bekleyen birisi varken diğerinin o kıza veya mala talip olamaması; kötü koku veren yiyecek yedikten sonra camiye gitmemek, hayatın birçok alanı için öngörülen tahsîniyyât türünden maslahatlardır.

## Maslahatların Tamamlayıcıları

Zarûrî, hâcî veya tahsînî maslahatlardan her birisini en iyi şekilde sağlayan ve koruyan bazı tamamlayıcı kurallar vardır. Bunlara "mükemmilât" veya "mütemmimât" denir.

Bunları şöylece ele almak mümkündür:

Zarûriyyât hükümlerinin tamamlayıcılarına şu örnekler verilebilir: Dinin, Müslüman toplumdaki görünürlüğünü temsil eden ezan bir sembol olarak namazın tamamlayıcısı olmak üzere meşru kılınmıştır. Namazın cemaatle kılınmasına dair esaslar da tamamlayıcı hükümler kabilindendir. İslam, insan neslinin devamı için evliliği meşru kıldığı gibi, evliliğin kalıcı olması ve mutluluk içinde devam edebilmesi için eşler arasında *kefâeti* şart koşmuştur. İslam, neslin korunması için zina ve diğer gayrimeşru ilişkileri yasakladığı gibi, üçüncü bir kişinin bulunmadığı bir ortamda yakını olmayan bir kadınla baş başa kalmayı, yabancı bir kadına şehvetle bakmayı, avret sayılan organların açılmasını yasaklamıştır. Aklı korumak için içki yasaklanmış, çoğu sarhoşluk verenin azı da haram kılınmıştır.

Hâciyyât hükümlerinin tamamlayıcıları: İslam namazı korumak için tamamlayıcı bir hüküm olarak yolculuk hâlinde kısaltmaya izin verdiği gibi, bunun tamamlayıcısı olarak yolculuk hâlinde namazların birleştirilmesini de meşru görmüştür. Bu hüküm Mâlikîler, Şâfiîler ve Hanbelîlere göredir. Hanefîler'de namazlar sadece hac farizasının ifası sırasında kısaltılabilir.

Hataen meydana gelen öldürme olayında diyeti *âkıle*nin ödemesi durumunda, taksite bağlanması, yükümlülüğü hafifleten ve sıkıntıyı kaldıran bir özelliktedir. Öğrenim kredisi alan öğrencilerin ödemesinde borcun mezuniyet sonrası görev alıncaya kadar tehir edilmesi, öderken taksite bağlanması malı koruma amacına hizmet eden bir kolaylaştırmadır.

Alışveriş yapılırken akit sırasında meçhul bir şeyin kalmaması, malı koruma ilkesine bir yardımcıdır. Mesela fiyatın belirlenmemesi (ne verirsen ver), ifa zamanının meçhul kalması (ne zaman verirsen ver) gibi bilinmezlikler insanlar arsında anlaşmazlık ve çatışmayı önlemeye dönük bir tedbir olmasının yanında malı koruma ilkesinin de bir gereğidir.

Tahsîniyâttaki tamamlayıcılara da şunu örnek verebiliriz: Hayır yapıp sevap kazanmak meşru kılınmıştır. Ama malın iyisini vermek ayrı bir güzelliktir ve bu bahsedilen hükmü tamamlamaktadır.

Tahsîniyyât Hâciyyâtın, Hâciyyât Zarûriyyâtın Tamamlayıcısıdır.

Öyleyse söz konusu hiyerarşik yapıdan da hareketle tahsîniyyât kabilinden hükümlerin hâciyyâtın; hâciyyât kabilinden olan hükümlerin de zarûriyyâtın tamamlayıcısı olduğunu söyleyebiliriz.

İnsanlar günlük hayatlarında bu sıralamayı dikkate alarak hareket etmek durumundadırlar. Mesela hâcî veya tahsînî maslahatı korumak isterken zarûrî maslahatı feda etmek caiz olmaz. Söz gelimi hasta olan bir kadının kendisini tedavi edebilecek bayan bir doktor bulunmadığında erkek doktora gidip tedavi olması farzdır. Benzer şekilde canın korunması ilkesine binaen çaresiz kalmış birinin haram kılınmış domuzu yemesi zorunludur. Evin zaruri ihtiyaçları varken bunları öteleyip, insanlara güzel görüntü verecek maddelere öncelik vermek uygun değildir.

Yukarıda zikredilen maslahatlar, birtakım külli kaidelerle ifade edilmiştir. Bunların bir kısmı, *Mecelle*'nin külli kaideleri içinde bulunmakta olup kitabımızın sonunda kısaca açıklanmıştır.

# BEŞİNCİ BÖLÜM

# ŞERİ HÜKÜMLER: KAYNAK, DELİL, YÖNTEM VE İLKELERİ

Aslü'l-Usûl: Kitap ve Sünnet

Fıkhın konusu olan şeri-amelî hükümler delillerle bilinir. Temel deliller ise Kur'ân-ı Kerîm ve Hz. Peygamber'in sünnetidir. Bu iki kaynak aslü'l-usûl'dür. Diğer deliller, delil olma değerini bu iki kaynaktan alır.

Delillerin bir kısmı üzerinde İslam hukukçuları arasında görüş birliği vardır. Bunlar Kitap ve sünnettir. Kitap, Allah'ın kelamıdır. Dolayısıyla hükümlerin ilk kaynağı olması tabiidir. Sünnet, ilahî kelamın, yani Kur'an'ın, beşer formuna bürünmüş örnekliğidir. Hz. Âişe (r. a.)'nın ifadesiyle sünnet, Resûlullah'ın yaşadığı Kur'an'dır.[215] O, kemâlâtı şahsında cemetmesi sebebiyle[216] yegâne modeldir.[217] Bu sebeple ikinci kaynak sünnettir. Sünnet delil olma gücünü Kur'an'dan alır.

Deliller Hiyerarşisi: Kitap, Sünnet, Re'y

Deliller arasında öncelik sıralaması, yani hiyerarşi bulunmaktadır. Daha önce geçtiği üzere Hz. Peygamber'in Muaz b. Cebel'i Yemen'e gönderirken sorduğu *"Ne ile hükmedeceksin?"* sorusuna, onun "Allah'ın kitabı ile, onda açık hüküm yoksa Resûlullah'ın sünneti ile, onda da bulamazsam re'yimle hüküm vereceğim." şeklindeki cevabı Resûl-i Ekrem'in onayını almıştı. İşte bu onay, hükme ulaştıran yollar arasındaki sıralamayı göstermektedir. Re'y, Kur'an ve sünnette açık hükmün bulunmadığı durumlarda belirli yol ve yöntemlerle ulaşılan metodik bilgiye işaret etmektedir. Bu anlamda re'y içtihada tekabül etmektedir.

Kitap ve sünnet dışındaki delil ve yöntemlerin hükümlerin kaynağı ya da onlara ulaşmada araç olmaları konusunda farklı görüşler ve tartışmalar bulunmaktadır. Peki, bu delil ve yöntemler nelerdir? Şimdi fıkıh usulünde genişçe işlenen bu konuyu ana hatlarıyla ele alacağız.

---

215 Ahmed b. Hanbel, *el-Müsned*, V, 188.
216 Kalem suresi, 68:4.
217 Ahzâb suresi, 33:21.

# KİTAP

## Tanımı ve Özellikleri

Kelamullah'ın Nitelikleri

Kitap ile kastedilen Kur'ân-ı Kerîm'dir, yani Allah Teâlâ tarafından Hz. Peygamber'e 23 yıl içinde gönderilen, Arapça, mushaflarda yazılı, tevatür yoluyla nesilden nesile aktarılan, evrensel ve süreklilik özelliği taşıyan, insanların benzerini getirmekten âciz kaldığı son ilahî kelamdır.

Kur'ân-ı Kerîm, fıkhî hükümlerin ana kaynağıdır. Arapça oluşu Kur'ân-ı Kerîm'in özelliklerindendir. Birçok ayette bu hususa değinilir.[218] Hem lafzı hem de anlamı açısından Allah'tan gelmiştir.

Son ilahî kitap oluşu ve korunmuş olması onun bir diğer özelliğidir.[219] Allah'tan geldiği şekliyle muhafaza edilen tek ilahî kitaptır. Bu özellik aynı zamanda diğer ilahî kitapların mevcut hâlleriyle hükümsüz kaldıklarına da işaret eder.

Tevâtür yoluyla gelişi de onun nesilden nesile güvenle taşındığının ifadesidir. Tevâtür, yalan söylemek üzere birleşmeleri mümkün olmayan toplulukların birbirlerinden yaptıkları rivayet demektir. Bu sebeple Kur'an'ın sübûtu katidir.

Evrensel oluşu[220] bütün insanlığa geldiğini, sürekli oluşu da kendisinden sonra başka bir kitabın gelmeyeceğini[221] ifade eder. Bu iki özellik Kur'an'ın tüm zaman ve mekânların ihtiyacını karşılayacak özellikte olduğunun ifadesidir.

Mucize oluşu da çağları aşan özelliği ve derinliğiyle, varlığa ait ilahî kanunların içinde dürüldüğü hazineleriyle, muhteşem üslubuyla benzerini insanların getirmekten âciz

218 Mesela bk. Yûsuf suresi, 12:2; Tâhâ suresi, 20:113; Zümer suresi, 39:28; Fussilet suresi, 41:3.
219 Hicr suresi, 15:9.
220 En'âm suresi, 6,19; A'râf suresi, 7:158; Furkân suresi, 25:1; Sebe' suresi, 34:28.
221 Âl-i İmrân suresi, 3:19, 85; Mâide suresi, 5:3; Ahzâb suresi, 33:40.

kaldığı kitap oluşuna işarettir. Nitekim bu konuda Kur'an meydan okuyan bir üsluba sahiptir.[222]

Dinî İlimlerin Kaynağı Olarak Kur'an

Kur'ân-ı Kerîm, hükümlerde izlediği yol itibarıyla Mekke ve Medine olmak üzere iki dönemde inmiştir. Mekke döneminde imanla birlikte ahlak oluşturulmuş, Medine'de kurulan devletin hukuku bu temel üzerine bina edilmiştir.

Kur'ân-ı Kerîm, bazı açık hükümler ihtiva etmekle birlikte sadece bir hukuk metni olarak görülemez. O iman, ahlak ve uhrevi konuları da içeren çok yönlü bir kitaptır. O, diğer disiplinlerin olduğu gibi hukukun da kaynağıdır. Onun hükümlere delaleti farklı şekillerde olabilir.

## Kur'an Ahkâmının Değişimi Meselesi

Kur'ân-ı Kerîm'in son kitap olarak korunmuş olması ve hükümlerinin belirli bir zaman diliminde gelmiş olması, onların değişimi yönünde bazı tartışmalara sebebiyet vermiştir. Özellikle modern hayatın oluşturduğu zihniyet dünyasında bu tartışma biraz daha belirginleşmiş durumdadır. Bu konuda en fazla gündeme gelen, hükümlere daha çok sosyolojik ve antropolojik açıdan yaklaşan modernist/tarihselci yaklaşımın tezleridir. Kategorik olarak Kur'an ahkâmının özelliklerini de dikkate alarak bu tez üzerinde kısaca durulabilir. Bu tez ana hatlarıyla şudur:

Tarihselci Yaklaşım

"Kur'ân-ı Kerîm belirli bir dönemde gelmiş ve hükümleri o dönemin toplumsal şartları içinde oluşmuştur. Dolayısıyla Kur'an hükümleri geldiği dönemin özelliklerini taşımaktadır. Bu şartlar değiştiğinde hükümlerin değişmesi de kaçınılmazdır. Bu değişim bütün hükümleri kapsar."

Kur'an hükümlerindeki –delaleti kati de olsa– değişimin alanını oldukça genişleten bu düşüncenin oluşumunda

222 Bakara suresi, 2:23-24; Hûd suresi, 11:13; İsrâ suresi, 17:88.

üç husus ön plana çıkmaktadır. Bunlar: 1) Tarihsel olduğu iddia edilen bazı hükümlerin, muhatabı olan tarihî şahsiyetlerle sınırlı tutulması; 2) Modernitenin meydan okuması karşısında bazı ahkâmın modern düşünce ile çatışması ve 3) Hz. Ömer'in bazı karar ve uygulamalarının esas alınması şeklinde sıralanabilir.

Öncelikle Kur'ân-ı Kerîm'deki hiçbir şahıs ya da topluma, sadece tarihî malumat sunmak amacıyla yer verilmediğini söylemeliyiz. Çünkü Kur'ân-ı Kerîm bir tarih kitabı değildir. Kişiler, model olma özellikleri ya da belirli bir davranış kalıbının tiplemesi olarak anlatılırken; toplumlar da yaşantılarındaki ibretlik davranış modelleri ve bazı sosyolojik veriler taşımaları sebebiyle anlatılmıştır. Bu özellikleri itibariyle kişi ve toplumların davranış ve yaşam biçimiyle verilen mesaj evrensel nitelik taşır. Mesela Süleyman Ateş'in "Hz. Peygamber'in özel hayatıyla ilgili olduğu gerekçesine bağlı olarak tarihsel saydığı ve günümüz açısından bu ayetlerin uygulanmasının mümkün olmadığını belirttiği"[223] şu ayeti örnek olarak zikredebiliriz:

*"Ey Peygamber'in hanımları! Sizden kim açık bir edepsizlik yaparsa onun azabı ikiye katlanır. Bu, Allah'a göre kolaydır. Ama sizden kim Allah'a ve Resulü'ne itaate devam eder ve yararlı iş yaparsa ona da mükâfatını iki kat veririz ve onun için bol rızık hazırlamışızdır."*[224]

Burada Hz. Peygamber'in hanımları model kişilik olarak zikredilmiştir. Ayette yer alan evrensel mesaj şudur: Toplumda örneklik ve liderlik vasfı taşıyanların, işledikleri kötülük ve yaptıkları iyiliklerin sadece kendileriyle sınırlı kalmayıp başkalarına da etki etmesi sebebiyle, yükümlülüklerinin diğer insanlara göre daha fazladır. Çünkü insanlar davranışlarını, onları model alarak

223 Süleyman Ateş, "Tarihsellik Sorunu-1", *Yeni Şafak*, 25 Haziran 1997.
224 Ahzâb suresi, 33:30-31.

belirlerler. Hz. Peygamber'in hanımları da bu konunun örneği olarak zikredilmiştir. Dolayısıyla ayetler, sadece onlarla sınırlı birtakım tarihî bilgileri verme amacı taşımamakta; evrensel bir mesaja vurgu yapmaktadır. Buna göre okulda öğretmen, hastanede doktor, toplum içinde din görevlisi vb. rol model alınan şahsiyetler aynı esasa tabidir. O zaman okulda öğretmenin öğrencilerin içinde; hastanede doktorun hastaların yanında, ramazan ayında imamın halkın arasında sigara içmesi sıradan bir vatandaşınki ile aynı değildir. Buna göre davranışları kendileriyle sınırlı olmayan model özellikteki insanların ya da bir camiayı temsil eden ve davranışın diğer camia üyelerine de mal edildiği kimselerin söz ve fillerinin olumlu ise sevabı, olumsuz ise günahı diğerlerine göre daha fazladır. İşte âyet-i kerîmede anlatılmak istenen hususlardan birisi bu olmalıdır.

İkinci olarak şu kategorik ayırımı yapmak durumundayız. İnsan-Allah, insan-âlem (cosmos), insan-insan (insan-toplum ve devlet-devlet) ilişkileri açısından gerek Kur'an-ı Kerîm'de gerekse hadislerde üç grup nastan söz etmek mümkündür:

1) İnsan-Allah ilişkilerini düzenleyen ayetler: Bunlar iman ve ibadet konularını içine alır. Bu alana ait hükümlerin en temel özelliği sabit ve değişmeye kapalı oluşudur. Esasen bu alanda değişime ihtiyaç da yoktur. Bunun kavramsal karşılığı *taabbüdî*liktir. Bu hususlar bizzat Kur'an ve sünnet tarafından insanları ilgilendirdiği kadarıyla ayrıntılı olarak açıklanmıştır. Genel anlamda imanla sağlanmak istenen husus, bir Allah'a inanç sayesinde beşer aklını hurafe ve taklit esaretinden özgürleştirmek, ibadetlerden maksat da insan ruhunu arındırmak ve ahlaki tekâmülü gerçekleştirmek, Allah'a kulluğu bu yolla göstermektir.

Kevnî Ayetler: Evrenin İşleyişindeki Ahenk

2) Kevnî ayetler, yani evrendeki mükemmel denge ve düzenle ilgili olan ayetler: Kur'ân-ı Kerîm bunlara *işaretle* yetinerek insanlardan bu bilinçli tasarımın araştırılmasını talep etmiştir.[225] Klasik literatürde kevnî ayetlerin, yani evrendeki düzenin incelenmesi Allah'a götürecek yollardan birisi olarak değerlendirilmiştir. Kâinattaki varlıkların yaratılışı ile işleyişindeki eşsiz ahenk ve düzeni gören herkes, mükemmel bir yaratıcı fikrine ulaşabilir. Tersinden bu ahenk ve dengenin bozulması durumunda kimin böyle bir yaratma fiilini başarabileceğinin de düşünülmesi Allah'a götüren bir yol olarak kavranabilir. Nitekim birçok ayette bu noktaya vurgu vardır.[226] Kur'ân-ı Kerîm insana bu gerçekleri görebilecek idrak kabiliyetleri (besâir) verildiğini,[227] ön yargılı ve inatçı olmaması hâlinde bunları görebileceğini söyler.[228] Bu sebeple konusu madde olan ilimlerle uğraşmak, İslam toplumunda farz-ı kifâye, yani toplumsal vecibe olarak kabul edilmiştir. Buna göre dinî ilimlerle uğraşmanın hükmü ne ise, konusu madde olan fizik, kimya, matematik, astronomi ve tıp gibi ilimlerle meşgul olmak da aynı hükme tabidir. Her ikisi de Allah'ın ilmidir.

İnsan-insan ilişkileri konusunda ise iki tip hükümden bahsedilebilir: Birincisi, Kur'an ve genel anlamda sünnet, süreklilik ve evrensellik özelliğinin tabii sonucu olarak, temel ilkeler vazetmiş, bazı nadir konular dışında ayrıntıya girmemiştir. Bu ilkeler evrensel nitelik taşır ve her zaman ve zeminde ortaya çıkan problemlerin çözümünü ihtiva ederler. Ana çerçeveyi çizen bu prensiplerin günlük hayata tatbiki *içtihat* yoluyla olur. En genel anlamıyla içtihat bu iki kaynak

225 Furkân suresi, 25:2; Kamer suresi, 54:49; Rahmân suresi, 55:5-7; Mülk suresi, 67:3.
226 Mesela bk. Kıyâme suresi, 75:8-9; İnsân suresi, 76:8-10; Tekvîr suresi, 81:1-14; İnfitâr suresi, 82:1-9; İnşikâk suresi, 84: 1-5.
227 En'âm suresi, 6:104.
228 Müddessir suresi, 74:16.

tarafından açıkça belirlenmemiş bir meselenin, bu temel ilkelerle bağlantısını kurup şeri hükme ulaşmak demektir. Bu ilkelerin evrensel olduğu konusunda herhangi bir tartışma yoktur. İlke sabit kalmakla birlikte uygulamada zaman ve mekâna göre değişiklikler söz konusu olabilmektedir. Burada maslahatı sağlayan şey, ilkenin kendisidir.

İkincisi ise ayrıntılı hükümlerdir. Bunların sayısı son derece azdır. Bu hükümlerin özelliği insanların maslahatının sabit olması, bu menfaatin zaman ve zemine göre değişmemesidir. Miras hükümleri, evlenilmesi yasak olanlar (muharremât), bazı cezalar (hudûd) vb. bu çerçevede sayılabilir. Esas tartışma da miras ve cezalar konusunda ortaya çıkmaktadır. Belirlenen cezalar da son derece sınırlı sayıdadır; üstelik zaman ve zeminin ihtiyacı ve belirli ilkeler doğrultusunda cezaların takdiri yasama organına bırakılmıştır.

Ayrıntılı hükümler konusunda İslam hukuk geleneğindeki temel yaklaşım şudur: Sübûtu ve delaleti kati olan naslarla belirlenen hükümlerde herhangi bir değişiklik söz konusu olamaz. Bu düşüncenin temelinde ilgili alandaki maslahatın, bu hükümler dışında bir başkasıyla elde edilemeyeceği inancı yatmaktadır.

Kur'ân-ı Kerîm son ilahî kitaptır ve orijinalliğini muhafaza etmektedir. Allah katından geldiği şekliyle evrensellik ve süreklilik özelliğini de sürdürmektedir. Bu sebeple onun herhangi bir hükmünü değerlendirirken hem hükümlerin kendi sistem bütünlüğü içindeki yerine hem de uygulanma şartlarına bakmak gerekir. Bu açıdan bakıldığında onun getirdiği ilke ve hükümlerin de sürekliliği söz konusudur ve kendi bütünlüğü içinde tutarlı bir zemine oturmaktadır.

Tarihî süreç içinde Tanrı adına hareket eden Hristiyan din adamlarının (ruhban sınıfı) toplum üzerindeki olumsuz algısı tabii olarak dine ve kutsal metinlere bakışı değiştirmiştir. Otantik metinlere sahip olmamaları da çeşitli yorum tekniklerine yoğunlaşmayı beraberinde getirmiştir.

Batı toplumları, kilise ile problemleri sebebiyle uzun mücadeleden sonra dinden özgürleşme yönünde önemli sonuçlara ulaşmışlar ve Tanrı'nın yerine insanın, vahyin yerine aklın, mabedin yerine mektebin, dinin yerine bilimin egemen olduğu bir zihniyetin temsil ettiği hayat tarzını benimsedikleri bugünkü noktaya gelmişlerdir. Aslında bu süreç, Tanrı'nın insan formuna büründüğü (Tanrı adına hareket eden din adamları sınıfı) ve kilisenin temsil ettiği Hristiyanlık'tan, insanın tanrılaşıp dinden özgürleştiği, aslında nefsinin kulu olduğu bir görüntünün resmidir. Bu ise iki uç noktayı temsil eden bir durumdur. Bu sebeple bir Müslüman olarak meseleye içeriden bakma zorunluluğu vardır. Buna göre hem İslam'ın kendi bütünlüğü hem de Kur'an'ın otantik yapısı itibariyle tarihselci yaklaşıma kapı aralayacak bir hususun olmadığı açıktır.

Meselenin bir başka yönü de tarihselci yaklaşımın diğer kutsal metinlere, mesela İncillere uygulanmasının tarihî bir zorunluluk olduğudur. Çünkü bu kitaplar otantik metin olma özelliklerini kaybettikleri için belirli bir tarih diliminin etkisini taşımaktadırlar. Dolayısıyla evrensellik ve süreklilik özelliklerine sahip değillerdir. Benzeri yöntemlerin Kur'an'a uygulanması mümkün değildir.

### Hz. Ömer'in Uygulamalarının Temel Alınması

Son olarak üzerinde durulması gereken husus şudur: Hükümlerin değişimi ile ilgili alanı oldukça genişleten tarihselci akımın en temel hareket noktası, Hz. Ömer'in bazı uygulamaları, özellikle de onun *müellefe-i kulûb*a yaklaşımıdır. Bazı bilim adamlarının iddia ettiklerinin aksine

Hz. Ömer'in maslahat gerektirdiği için naslardan bağımsız uygulamalarda bulunması ve nasların öngördüğü bazı hükümleri değiştirmesi ya da askıya alması söz konusu değildir. Başka bir ifade ile Hz. Ömer, nasların belirlediği hükümlere rağmen başka bir hüküm vazetmiş değildir. Bu nedenle "Hz. Ömer müellefe-i kulûba zekât vermedi." veya "zekâtı kesti" demek hatalıdır. Çünkü Hz. Ömer'in bu yöndeki tavrına muhatap olanlar müellefe-i kulûb özelliklerini kaybetmiş kişilerdi. Bunlar, Müslümanların zayıf olduğu dönemde zararından emin olunmak için kendilerine zekât fonundan yardımda bulunulan kişilerdi. Onların bazı kabile reisleri olduğu da ifade edilmektedir. Müslümanlar güçlenince söz konusu sebep ortadan kalkmış, bu yüzden kendilerine zekât verilmemiştir. Şu hâlde değişen, müellefe-i kulûba zekât verme hükmü değil, bu vasıfla zekât alanların özelliğidir. Zekât verilen bir fakirin zenginleşmesinin ardından artık zekât alamamasının sebebi ne ise, müellefe-i kulûb olarak zekât alırken, zekâtı kesilen kimsenin durumu da öyledir.

**Kur'an Ahkâmını Anlamada Yöntem**

Kur'an ahkâmını anlaşılmasında en sağlıklı yöntemi şöylece ifade edebiliriz:

1) Kur'an'ın iç bütünlüğü, yani ilgili ayetlerin birbirleriyle bağlantısı gözetilerek parçacı yaklaşımdan uzak durmak;

2) İlgili ayetlerin kronolojisi, yani hangi ayetin hangisinden önce veya sonra nazil olduğuna dair sağlıklı bilgi;

3) İlgili ayetlerin sahih hadislerle bağlantısı;

4) Nasların geldiği ortam ve şartların analizi;

5) Ayetlerin nüzul sebebinin bilinmesi, ancak sebebin sadece ilgili olduğu olayla sınırlandırılmamasıdır.

## Kur'an'dan Hüküm Çıkarma Yolları[229]

Kur'an'dan hüküm çıkarabilmek bir ihtisas işidir ve belirli bir donanımı zaruri kılar. İlahî kitapta herkesin anlayabileceği ayetler olduğu gibi uzmanlarına hitap edenleri de bulunmaktadır. Fıkhî hükümler bunun tipik örneğini oluştururlar.

İslam'ın iki ana kaynağı da Arapça olduğundan bu dilin anlama etki eden inceliklerini bilmek gerekir. Bu bağlamda usulcüler manaya göre Kur'an-sünnet lafızlarını çeşitli ayırımlara tabi turmuşlardır. Buna göre:

**1. Lafızların konulduğu mana bakımından taksimi:**

a) Hâss

- Mutlak
- Mukayyed
- Emir-Nehiy

b) Âmm

c) Müşterek

d) Müevvel

**2. Konulduğu manada kullanılıp kullanılmaması bakımından:**

a) Hakikat

b) Mecaz

c) Sarih

d) Kinaye

---

229 Bu bölümün yazımında şu iki kitaptan istifade edilmiştir: Abdülkerim Zeydan, *el-Vecîz fî usûlü'l-fıkh*, Amman, 1994, s. 275-377; Zekiyyüddin Şa'ban, *İslam Hukuk İlminin Esasları* (çev. İ. Kâfi Dönmez), Ankara, 1996, s. 309-412.

**3. Kullanıldığı manayı açıkça gösterip göstermemesi bakımından:**

Açık lafızlar:

a) Zahir

b) Nas

c) Müfesser

d) Muhkem

**4. Kapalı lafızlar:**

a) Hafi

b) Müşkil

c) Mücmel

d) Müteşâbih

**5. Manaya delalet şekli:**

a) İbarenin delaleti

b) İşaretin delaleti

c) Nassın delaleti

d) İktizanın delaleti

Şimdi söz konusu kavramları kısaca izah edeceğiz.

**Konulduğu Mana Bakımından Lafızlar**

**Hâss**

Bir manayı tek tek ifade etmek üzere tayin edilmiş sözdür. Aksine bir delil olmadıkça *hâss*ın manaya delaleti kesindir. Ahmet, Mehmet gibi özel isimler; kadın, erkek gibi cins isimler; ilim, hikmet gibi mana isimleri böyledir. Sayılar tek bir anlamı gösterdiği için hâsstır. Mesela yemin edip bozanların kefaretini belirleyen ayette geçen *"10 fakiri* *doyurmak"* ifadesi[230] hâsstır. Mükellef 10 sayısından az kişiyi doyurduğunda hüküm yerine gelmiş olmayacağı gibi, bir başkası da hükmün 10 sayısından fazla kişinin doyurulması durumunda gerçekleşeceğini söyleyemez. Söz gelimi "Askerlik 15 aydır." denildiğinde, askere gidecek olan kişi, daha azını teklif edemez ya da yapamaz; askere alacak kişi de daha fazlasını isteyemez.

Hâssın kısımları vardır:

***Mutlak:*** Herhangi birinin belirlenmediği ve bir kaydı olmayan fertlerden/üyelerden birini gösteren sözdür. Söz gelimi yemin edip bozanların kefaretini belirleyen ayette geçen *"bir köle azat etmek"* ifadesi mutlaktır.[231] Bu, herhangi bir köleyi belirlemediğinden bütün köleleri kapsar ve bunlardan sadece birisi ile ilgilidir. Bir köle azat edildiğinde hüküm yerine getirilmiş olur. Öğretmen öğrencilerine "Bir kitap okuyun!" dediğinde, bu bütün kitapları kapsar ve bunlardan sadece birisini ilgilendirir. Öğrenci herhangi bir kitabı okuduğunda görevini yerine getirmiş olur.

***Mukayyed:*** Herhangi bir kayıt ile sınırlandırılmış olan sözdür. Hata ile bir mümini öldürenin kefaretini belirleyen ayette geçen *"mümin bir köle azat etmek"* ifadesi mukayyeddir. Köle, mümin olarak kayıtlanmıştır. Buna göre gayrimüslim bir köle azadı ile hüküm yerine gelmiş olmaz. Ancak burada mümin kölelerden birisi belirlenmemiştir. Dolayısıyla bunlardan herhangi birinin azad edilmesiyle hüküm yerine gelir. Öğretmen öğrencilere ödev olarak "Bir hadis kitabı okuyun." dediğinde okunması gereken herhangi bir kitap değil, ancak herhangi bir hadis kitabıdır. Ayetlerin birinde mutlak diğerinde mukayyed gelmiş olan bir lafzın nasıl anlamlandırılacağı, fıkıh usulü kitaplarında geniş bir şekilde anlatılmıştır.

---

230 Mâide suresi, 5:89.
231 Mâide suresi, 5:89.

***Emir:*** Bir eylemin yerine getirilmesi talebini gösteren sözdür. Kur'an'da bazen: "*Namazı kılın, zekâtı verin.*"[232] ayetinde olduğu gibi "yap" emir kipiyle; bazen "*Sizden kim ramazan ayına erişirse o ayda oruç tutsun.*"[233] "*Adaklarını yerine getirsinler ve Kâbe'yi ziyaret etsinler.*"[234] "*Mümin kadınlar, başörtüleri yakalarının üzerine gelecek şekilde başlarını örtsünler.*"[235] ayetlerinde olduğu gibi "yapsın" şeklinde; bazen de "*Anneler çocuklarını iki tam yıl emzirirler.*"[236] "*Boşanmış kadınlar üç hayız dönemi beklerler.*"[237] ayetlerinde olduğu gibi "yapar" şeklinde gelmiştir.

Emir kipinin ifade ettiği talebin muhatap üzerinde zorunluluk ifade etmesi için talebin üst makamdan gelmesi esastır (isti'lâ'). Bununla beraber emir sadece "yap" kipi ile verilmez. Bu manayı ifade eden diğer kullanım şekilleri de vardır. Mesela "*Oruç size farz kılındı.*"[238] ayetinde "oruç tutun" manası açık bir biçimde anlaşılır.

Âlimlerin çoğunluğuna göre emir kipinin fıkıhtaki karşılığı farzdır, yani bir şeyin yapılmasının kesin olarak talep edilmiş olmasıdır. Bu anlamda emrin farza delalet etmesi hakikat, diğer anlamlarda kullanımı ise mecaz olacaktır.

Karine

Emir kipinin farz dışında bir başka anlama delaleti bir karine ile anlaşılır. Karine bir şeyin varlığını gösteren ipucu, belirti olarak tanımlanabilir. Burada karine, emir kipinin farz dışında başka bir anlama geldiğini gösteren ipucu demektir.

Emir kipi karine doğrultusunda şu anlamları da gösterir:

---

232 Bakara suresi, 2:43.
233 Bakara suresi, 2:185.
234 Hac suresi, 22:29.
235 Nûr suresi, 24:31.
236 Bakara suresi, 2:233.
237 Bakara suresi, 2:228.
238 Bakara suresi, 2:183.

- Farz: *"Allah'a itaat edin, Resulü'ne itaat edin!"*[239]

- Nedp/mendup: *"Kölelerinizde bir hayır görüyorsanız onlarla özgürlük sözleşmesi yapın."*[240]

- İbâha: *"İhramdan çıktığınızda avlanın."*[241]

- Tehdîd: *"Dilediğinizi yapın."*[242]

- İrşat, yani doğru yolu gösterme: *"Bir vakte kadar borçlandığınızda borcu yazın."*[243]

- Terbiye: *"Önünden ye!"*[244]

- Meydan okuma: *"(...) Haydi siz de Kur'an surelerinden birinin benzerini getirin de görelim!"*[245]

- Dua: *"Yâ Rabbi! Beni ve ana-babamı bağışla!"*[246]

- İyilik ve lütuf: *"Allah'ın rızık olarak verdiklerinden yiyin!"*[247]

- İkram: *"Selametle ve güvenle girin oraya!"*[248]

- İhanet ve aşağılama: *"Tat bakalım azabı! Hani sen güya çok saygın ve onurlu idin!"*[249]

Bazı farklı görüşler olmakla birlikte nehiyden sonra gelen emir, öncesindeki hükme delalet eder. Mesela ihram sebebiyle nehyedilen avlanma ihramdan çıkılınca tekrar mübaha döner. Çünkü öncesinde mübahtı. Emrin tekrara delalet edip etmediği ise karine ile anlaşılır. Söz gelimi beş vakit namaz emri vakit ile birlikte tekrara delalet eder.

---

239 Mâide suresi, 5:92.
240 Nûr suresi, 24:33.
241 Mâide suresi, 5:2.
242 Fussılet suresi, 41:40.
243 Bakara suresi, 2:282.
244 Buhârî, "Et'ime", 2; Müslim, "Eşribe", 108, 109.
245 Bakara suresi, 2:23.
246 Nûh suresi, 71:78.
247 En'âm suresi, 6:142.
248 Hicr suresi, 15:46.
249 Duhân suresi, 44:49.

Emrin derhâl (fevr) yerine getirilip getirilmeyeceği bir başka ifade ile emir ile talep edilen eylemin tehir (terâhî) edilip edilemeyeceği emir kipinden değil, onu çevreleyen etkenler ve şartlardan anlaşılabilir. Mesela "Bana bir bardak su ver!" diyenin talebi o anda yerine getirilmelidir. Çünkü su o andaki ihtiyaç için istenen bir nesnedir. Ama *"Namazı kılın!"*[250] emrinde o anda namaz kılın anlamı çıkmaz. Çünkü namaz için belirlenmiş bir vakit vardır ve o anda ifa edilebileceği gibi vaktin sonunda da eda edilebilir.

***Nehiy:*** Bir eylemi yasaklamaktır. "Yapma" kipi ile ifade edilir. *"Yetim malına yaklaşmayın."*[251] *"Hayâsızlığın açığına da gizlisine de yaklaşmayın."*[252] *"Aranızda mallarınızı haksız yollarla yemeyin."*[253] mealindeki ayetler buna örnek olarak zikredilebilir. Bir şeyin helal olmadığını açıklamak da nehiy anlamındadır. *"Üç talakla boşanmış bir kadın bir başka koca ile evlenmedikçe eski kocası ile evlenmesi helal değildir."*[254] mealindeki ayet ile *"Dikkat edin, kişiye din kardeşinin malından, gönül hoşnutluğu bulunmayan hiçbir şey helal olmaz."*[255] hadisi böyledir. Bizzat yasaklama ifade eden kip de nehiy ifade eder. *"Allah size hayâsızlığı, kötülüğü ve azgınlığı yasaklar (yenhâ)."*[256] *"Analarınız ile evlenmek size haram kılındı (hurrimet)."*[257] mealindeki ayetlerde durum böyledir. Bir şeyi yapmayı bırakmayı emretmek de nehiydir. *"Faizden arta kalanı da bırakın."*[258] *"Günahın açığını da gizlisini de bırakın."*[259] *"Alışverişi bırakın."*[260] mealindeki ayetler bu konuya örnektir.

---

250 Bakara suresi, 2:43.
251 En'âm suresi, 6:152; İsrâ suresi, 17:34.
252 En'âm suresi, 6:151.
253 Nisâ suresi, 4:29.
254 Bakara suresi, 2:32.
255 Ahmed b. Hanbel, *el-Müsned*, V, 113.
256 Nahl suresi, 16:90.
257 Nisâ suresi, 4:23.
258 Bakara suresi, 2:278.
259 En'âm suresi, 6:120.
260 Cum'a suresi 62:9.

Nehiy Kipinin Haram Dışında Başka Bir Anlama Geldiğini Gösteren İpucu

Fakihlerin çoğunluğuna göre nehiy, bir şeyin haram kılındığını (tahrîm) ifade eder. Onun, başka anlamlarda kullanılışı mecazdır ve bu da karinelerle anlaşılır. Şöyle ki:

- Tahrîm: *"Hak etmedikçe Allah'ın dokunulmaz kıldığı cana kıymayın."*[261] mealindeki ayette yer alan nehiy haramlık ifade eder.

- Kerahet (Kötülüğünü ifade etme): *"Soğan-sarımsak yiyen mescide yaklaşmasın."*[262] hadisinde bu gözükür.

- Dua: *"Ya Rabbi! Bize doğru yolu ihsan ettikten sonra kalplerimizi saptırma."*[263] mealindeki ayette nehiy, dua anlamına işaret eder.

- Te'yîs (Ümitsizliğe düşürme): *"Ey kâfirler! Bugün mazeret beyan etmeyin!"*[264] ayetinde bu mana görülür.

- İrşat: *"Açıklandığında cevabı hoşunuza gitmeyecek soru sormayın."* mealindeki ayette bu mana gözükür.

Nehiy kipinin ifade ettiği yasağın muhatap üzerinde zorunluluk doğurması için yasaklayanın hiyerarşik olarak muhatabın üstünde yer alması gerekir (*isti'lâ*). Nehiy, yasaklanan şeyden derhal (*fevr*) ve sürekli olarak (*tekrar*) uzak durulması talebine delalet eder.

**Âmm**

Bir kullanımda bütün fertlerini içine alan lafızdır. Mesela "boşanmış kadınlar" ifadesi âmm olup istisnasız bütün boşanmış kadınları kapsar. Umumilik ifade eden lafızlar şunlardır:

1) "Hepsi", "bütünü" / "küll", "cemî" lafızları:

وَإِنْ كُلٌّ لَمَّا جَمِيعٌ لَدَيْنَا مُحْضَرُونَ

261 En'âm suresi, 6:151; İsrâ suresi, 17:33.
262 Ebû Dâvûd, "Et'ime", 40.
263 Âl-i İmrân suresi, 3:8.
264 Tahrîm suresi, 66:7.

*"Elbette onların hepsi toplanıp huzurumuza getirilecek."*[265] ayetinde "küll" ve "cemî" lafızları umumilik (âmm), yani bütün insanları ifade etmektedir.

2) Bir şeyin tamamını kapsadığını (istiğrâk) ifade eden;

a) harf-i tarif (ال) ile ya da

b) izafet ile (muzaf-muzafun ileyh) marife olan çoğul kelimeler:

Birincinin örneği,

وَأَحْسِنُوا إِنَّ اللَّهَ يُحِبُّ الْمُحْسِنِينَ

*"İyilik edin. Şüphesiz Allah, iyilik eden herkesi sever."*[266]

İkincinin örneği ise,

خُذْ مِنْ أَمْوَالِهِمْ صَدَقَةً تُطَهِّرُهُمْ وَتُزَكِّيهِمْ بِهَ

*"Onların mallarından zekât al ki böylece onları arındırıp yüceltesin!"*[267] ayetidir.

3) Bir şeyin tamamını içerdiğini ifade eden;

a) harf-i tarif (ال) ile ya da

b) izafet ile (muzaf-muzafun ileyh) marife olmuş tekil kelimeler:

إِنَّ الْإِنْسَانَ لَفِي خُسْرٍ

*"Şüphesiz insan zarardadır."*[268] ayeti birinciye;

وَإِنْ تَعُدُّوا نِعْمَةَ اللَّهِ لَا تُحْصُوهَا

*"Allah'ın nimetlerini saymaya kalkarsanız sayamazsınız."*[269] ayeti de ikinciye örnek verilebilir.

4) İsm-i mevsuller:

---

265 Yâsîn suresi, 36:32.
266 Bakara suresi, 2:195.
267 Tevbe suresi, 9:103.
268 Asr suresi, 103:2.
269 Nahl suresi, 16:18.

إِنَّ الَّذِينَ يَكْتُمُونَ مَا أَنْزَلَ اللَّهُ مِنَ الْكِتَابِ

*"Allah'ın indirdiği kitabın bir bölümünü gizleyenler..."*[270]

5) Şart isimleri:

فَمَنْ شَهِدَ مِنْكُمُ الشَّهْرَ فَلْيَصُمْهُ

*"Sizden her kim ramazan ayına kavuşursa o ayda oruç tutsun."*[271]

مَنْ كَانَ عَدُوًّا لِلَّهِ وَمَلَائِكَتِهِ وَرُسُلِهِ وَجِبْرِيلَ وَمِيكَالَ فَإِنَّ اللَّهَ عَدُوٌّ لِلْكَافِرِينَ

*"Her kim Allah'a, meleklerine, peygamberlerine, Cebrail'e ve Mîkâil'e düşman ise bilsin ki Allah da inkârcıların düşmanıdır."*[272]

6) Soru isimleri:

مَنْ ذَا الَّذِي يُقْرِضُ اللَّهَ قَرْضًا حَسَنًا

*"Kim Allah'a güzel bir borç versin de..."*[273]

7) Nefy ve nehy edatlarından sonra gelen nekre kelimeler:

لَا إِكْرَاهَ فِي الدِّينِ

*"Dinde zorlama yoktur."*[274] ayeti birinciye;

وَلَا تُصَلِّ عَلَى أَحَدٍ مِنْهُمْ مَاتَ أَبَدًا

*"Ve onlardan hiçbir kimseye asla namaz kılma!"*[275] ayeti de ikinciye örnek verilebilir.

Âmm lafızların içinde yer alan fertlerden bir kısmı onun dışına çıkarılabilir. Buna *âmmın tahsisi* denir. Mesela *"Sizden kim ramazan ayına ulaşırsa o ayda oruç tutsun."* ayeti umumilik ifade eder ve o aya erişen herkesin oruç tutmasını emreder. Ancak ayetin devamı hasta ve yolcuları

270 Bakara suresi, 2:174.
271 Bakara suresi, 2:185.
272 Bakara suresi, 2:98.
273 Bakara suresi, 2:245.
274 Bakara suresi, 2:256.
275 Tevbe suresi, 9:84.

bunun dışına çıkarır. Yine *"Ölü eti size haram kılındı."*[276] ayeti bütün ölü hayvanların haram kılındığı konusunda umumi bir ifade iken Hz. Peygamber[277] (s.a.v.) deniz hayvanlarının ölüsünü helal kılarak[278] onu âmm lafzın dışına çıkarıp tahsis etmiştir. Âmmı tahsis eden delillere muhassıs denir ve Hanefîlere göre bunlar akıl, örf-âdet ve âmma bitişik müstakil nastır.

**Müşterek**

Her biri ayrı kullanımlar ile olmak üzere birden fazla manaya gelen lafızlardır. Mesela *ayn* kelimesi müşterek bir lafız olup casus, pınar, göz, altın ve mal gibi her biri ayrı ayrı anlamlarda kullanılmaktadır. Burada önemli olan söz konusu anlamlardan her birinin hakiki anlamda olmasıdır. Biri mecaz, diğeri hakikat olmakla iki manası olan kelime müşterek lafız olmaz. Müşterek lafzın klasik örneği şu ayette yer almaktadır:

وَالْمُطَلَّقَاتُ يَتَرَبَّصْنَ بِأَنْفُسِهِنَّ ثَلَاثَةَ قُرُوءٍ

*"Boşanmış kadınlar kendi kendilerine üç kurû' beklemelidirler."*[279]

Bu ayetteki *kurû'* kelimesi müşterektir. Hem hayız hem de iki hayız arasındaki temizlik dönemi anlamına gelmektedir. Her iki kelime de hakiki anlamdadır ve tek bir kullanımla değil ayrı ayrı (zaman veya mekândaki kullanım ile aynı ağırlıkta) kullanımla bu anlamlarını kazanmıştır. Belirli delil ve karinelere bağlı olarak anlamlarından birisi tercih edildiğinde onunla amel edilir. Mesela bu kelimeyi Hanefîler hayız; Şâfiîler ise temizlik olarak almışlar ve hükmü buna göre uygulamışlardır.

---

276 Bakara suresi, 2:185.
277 Mâide suresi, 5:3.
278 Ebû Dâvûd, "Tahâret", 41; Tirmizî, "Tahâret", 52.
279 Bakara suresi, 2:228.

### Müevvel

Anlamlarından birisi tercih edilmiş lafızdır. Hanefîlere göre *kurû'* kelimesi müevveldir; tevil edilen anlamı ise hayızdır. Buna göre boşanmış bir kadın bir başkasıyla evlenmek istediğinde üç hayız beklemek durumundadır.

### Konulduğu Manada Kullanılıp Kullanılmaması Bakımından Lafızlar

### Hakikat

Kelimenin konulduğu manada kullanılması demektir. Bu manayı tayin eden salât (namaz), sıyâm (oruç) ve zekâtta olduğu gibi din ise ona şeri hakikat; dâbbe (dört ayaklı hayvan) ve ref'de (kelimenin ötre okunması) olduğu gibi örf ise ona örfi hakikat denir.

Hakikatin hükmü: Tayin edilmiş manada hükmün sabit olmasıdır. Hakikat manası mümkün olmadığında mecaza gidilir.

### Mecaz

Kelimenin hakikat manasında kullanılmadığını gösteren bir ilgi (*alâka*) ve karine sebebiyle tayin edildiği manadan başka bir anlamda kullanılan lafız veya sözdür. İlgi, benzerlik ise buna *isti'âre* denir. طلع البدر علينا "Dolunay, üzerimize doğdu" ifadesinde Hz. Peygamber'in yüzü ayın on dördündeki parlaklığına benzetilmiştir.

Alaka benzerliğin dışında bir şey ise buna da *mecaz-ı mürsel* denir.

وَدَخَلَ مَعَهُ السِّجْنَ فَتَيَانِ قَالَ أَحَدُهُمَا إِنِّي أَرَانِي أَعْصِرُ خَمْرًا

*"Hapishaneye iki genç girdi. Birisi ben kendimi içki sıkarken görüyorum (...) dedi."*[280]

---

280 Yûsuf suresi, 12:36.

Bu ayette mecaz-ı mürsel vardır. Çünkü gencin sıktığı şey üzümdür. O, üzümün sıkıldıktan sonra aldığı şekli kastederek bu sözü söylemiştir. Bazen bir şeyin bir kısmı (cüz) söylenip tamamı (kül) kastedilebilir. Mesela "boynumun borcu" ifadesinde bu anlam görülebilir.

Mecazın hükmü: Hakiki manayı engelleyen alaka ve karine dikkate alınarak mecazi manaya göre hareket edilmelidir.

**Sarîh**

Çok kullanılması sebebiyle manası açık hâle gelmiş lafızdır. Söyleyenin niyetine bakılmaksızın anlamı sabit olup gereği yapılır. "Evlendim." ifadesi böyledir.

**Kinâye**

Kapalı lafızdır. Söz söylendiğinde anlamı hemen akla gelmez. Çünkü anlam hâlin delaleti ve niyete göre sabit olur. Söz gelimi tartışmadan sonra eşine "Dilediğin yere git!", "Kapıyı dışarıdan ört!" gibi sözler söyleyen kocanın bu sözüyle talakı kastetmiş olması imkân dâhilindedir.

**Açık Lafızlar**

**Zahir-Nas:** Her ikisi de anlamı haricî bir karineye ihtiyaç duymayacak kadar açık olan lafızdır. Zahirde açıkça anlaşılan anlam onun söylenişinin asıl maksadı değildir, ancak nasta, bu esas sebeptir.

وَأَحَلَّ اللَّهُ الْبَيْعَ وَحَرَّمَ الرِّبَا

*"Allah alışverişi helal, faizi haram kıldı."*[281] ayetinde alışverişin helal, faizin haram olduğu herhangi bir ek bilgiye ihtiyaç duyulmaksızın açıkça anlaşılmaktadır. Ancak ayetin açık manası onun geliş amacı değildir ve bu yönüyle söz zahir olmaktadır. Ayetin geliş amacı "Faiz de alışveriş

281 Bakara suresi, 2:275.

gibidir." diyenlere karşı alışveriş ile faizin birbirinden farklı olduğunu bildirmektir ve bu yönüyle de söz nas olmaktadır. Hükmüne gelince açıkça anlaşılan manaya göre hareket edilmelidir. Mana, te'vil ve tahsise açıktır.

**Müfesser**

Tevil ve tahsise kapalı olacak ölçüde manası açık sözdür.

يَاأَيُّهَا الَّذِينَ آمَنُوا إِذَا نَكَحْتُمُ الْمُؤْمِنَاتِ ثُمَّ طَلَّقْتُمُوهُنَّ مِنْ قَبْلِ أَنْ تَمَسُّوهُنَّ فَمَا لَكُمْ عَلَيْهِنَّ مِنْ عِدَّةٍ تَعْتَدُّونَهَا

*"Ey inananlar! Mümin kadınlarla nikâh yapıp zifaf vaki olmadan kendilerini boşamış olursanız onların beklemeleri gereken bir süre (iddet) yoktur."*[282] ayeti nikâhlanıp zifaftan önce ayrılmış kadının bir başkası ile evlenebilmesi için beklemesi gerekmediğini çok açık bir şekilde, herhangi bir yoruma ihtiyaç bırakmaksızın açıklamaktadır. Öyleyse buna göre amel etmek gerekmektedir.

**Muhkem**

Tevil ve tahsise asla ihtiyaç bırakmayacak ölçüde çok açık olan sözdür.

وَلَا أَنْ تَنْكِحُوا أَزْوَاجَهُ مِنْ بَعْدِهِ أَبَدًا

*"Kendisinden sonra Resûlullah'ın eşleri ile evlenmeniz asla caiz değildir."* ayeti buna örnektir. Hz. Peygamber'den sonra eşleri ile evlenme yasağı çok açık olup tevile kapalıdır.

Tevil, bir delile bağlı olarak sözün görünen manasından başka bir anlama çekilmesidir. Bunun için söz tevile uygun olmalı, tevil de sözün muhtemel anlamlardan birine karşılık gelmeli, bir delile dayanmalı ve tercih edilen anlam açık bir nas ile çelişmemelidir.

282 Ahzâb suresi, 33:43.

## Kapalı Lafızlar

### Hafi

Manası açık olmakla birlikte kapsamında bulunan fertlerden bir kısmına delaletinde kapalılık bulunan lafızdır. Söz gelimi hırsızın tanımı bellidir ve cezası belirlenmiştir.[283] Ancak yankesicilik (et-tarrâr) ve kefen soyuculuğun (en-nebbâş) haddi gerektiren hırsızlık eylemine dâhil olup olmadığı konusunda bir kapalılık vardır. Ulema yankesicinin hırsız kapsamına girdiğinde görüş birliği içindedirler. Çünkü yankesicilik, adi hırsızlıktan farklı olarak ustalık da gerektirmektedir. Peki, kefen soyuculuk belirlenen cezayı (hadd) gerektiren bir eylem olarak hırsızlık suçuna dâhil midir, yoksa takdiri yasama organına bırakılmış *ta'zîr* kapsamında bir suç mudur? Ebû Hanîfe ve öğrencisi Muhammed b. Hasan eş-Şeybânî ikinciyi (ta'zîr); Ebû Yûsuf ile diğer üç imam birinciyi (hadd) benimsemişlerdir. Görüldüğü gibi her iki eylem de üzerinde düşünmeyi gerektirecek şekilde bir kapalılığa sahiptir. İnceleme sonucu bir tercih ortaya çıkmaktadır. Bu nedenle hafi lafızda delilin gösterdiği şekilde kapalılık giderildikten sonra varılan sonuca göre amel edilir.

### Müşkil

Anlamı onu çevreleyen karinelerin incelenmesi ve deliller üzerinde derin şekilde düşünülerek sonucu anlaşılabilen lafızdır. Mesela Bakara suresinin 228. ayetinde geçen *kurû'* kelimesi, anlamındaki müştereklikten dolayı aynı zamanda müşkil lafzın da örneğidir. Anlamı tespite yönelik yapılan içtihatla bir sonuca varılarak ona göre hareket edilir.

283 Mâide suresi, 5:38.

### Mücmel

Sözü söyleyen açıklamadıkça manası anlaşılamayan lafızdır. Namaz, zekât, oruç ve hac bunun örneğidir. Allah Teâlâ bunları emretmiş, ancak onlar Hz. Peygamber'in açıklamalarıyla anlaşılabilmiştir.

### Müteşâbih

Manası en kapalı lafızdır. Kapalılık, lafzın ya da ibarenin birden fazla ihtimalli mana taşımasından kaynaklanmaktadır. Teklifî hüküm içeren ayetlerde müteşâbih yoktur. Ulema arasında ahireti, gaybı ve evrendeki sebep-sonuç ilişkilerini belirleyen ilahî yasalardan oluşan kevnî ayetlerdeki müteşâbihlerin anlaşılması meselesinde farklı yaklaşımlar bulunmakla birlikte ilimde derinleşmiş olanların bunları anlayabilecekleri ancak sonuçların bağlayıcı özellik taşımayacağı görüşü öne çıkmaktadır. Gayb ve ahiret ahvali itikat konularını oluşturduğu için haber verildiği kadarını tasdik etmekle yetinmek en sağlıklı yoldur. Ancak Kur'ân-ı Kerîm'in evrensellik ve süreklilik özelliği sebebiyle, dünya hayatını ilgilendiren özellikle insanda hayranlık uyandıran kevnî ayetlere dikkat çeken müteşâbihlerdeki saklı anlam ya da anlamların açığa çıkması belli bir zaman diliminde ve coğrafyada mümkün olabilir. Bu tür müteşabihâtın hiç anlaşılamayacak oluşu Kur'an'ın gönderiliş gayesiyle örtüşen bir durum değildir. Bu tür ayetlerdeki kapalılık zamana bağlı olarak, ilim ilerledikçe giderilebilecek özelliğe sahiptir. Bu anlayışa göre kapalılık zaman unsuru ile ilgilidir.

## Manaya Delalet Şekli Bakımında Lafızlar

### İbarenin delaleti

Lafzın, nassın gelişindeki asli maksadı olan veya ona tabi olarak kastedilen manaya delalet etmesidir.

وَأَحَلَّ اللَّهُ الْبَيْعَ وَحَرَّمَ الرِّبَا

*"Allah alışverişi helal, faizi haram kıldı."*[284] ayetinde ilk olarak alışverişin helal, faizin haram olduğu; ikinci olarak da faiz ile alışverişin farklı olduğu bildirilmektedir.

**İşaretin delaleti**

Nassın dolaylı olarak anlaşılan manaya delaletidir. Mesela Ahkâf suresinin 15. ayetinde çocuğun anne karnında bulunma (hamilelik) ve emme süresi 30 ay olarak; Lokmân suresinin 14. ayetinde ise çocuğun emme süresi iki yıl (24 ay) olarak belirtilmiştir. Bu iki ayet, süt emme ve hamilelik süresini belirlemektedir. Birlikte değerlendirildiğinde her iki ayet, hamileliğin en alt sınırının 6 ay olduğuna işaret etmektedir.

**Nassın delaleti**

Dil unsurundan hareketle nasta zikredilen manada yer alan ortak illet sebebiyle, zikredilmeyen manaya delalet eden lafızdır.

فَلَا تَقُلْ لَهُمَا أُفٍّ

*"Ana-babaya öf bile demeyin."*[285] ayeti örnek olarak zikredilebilir. Ayet ibaresiyle öf demeyi yasaklarken işaretiyle ondan daha büyük olan dövme, sövme, hakaret, hapis gibi tutum ve davranışları da işaretiyle yasaklamaktadır. Ortak illet, anne-babayı üzmek ve onlara eziyet etmektir. İşaret edilen tutum ve davranışlarda ise zikredilenden daha fazlası vardır. Bu delaletin kıyastan farkı, mananın kıyasta olduğu gibi illeti bulma yolları ile değil, dil unsurundan hareketle tespit edilmiş olmasıdır.

**İktizanın delaleti**

Sözün sağlıklı şekilde anlaşılması nasta zikredilmemiş

284 Bakara suresi, 2:275.
285 İsrâ suresi, 17:23.

kısmın takdirine bağlı olduğunda nassın bu söylenmemiş kısma delaletine iktizanın delaleti denir.

حُرِّمَتْ عَلَيْكُمْ أُمَّهَاتُكُمْ

*"Analarınız size haram kılındı."*[286] ayetinin sağlıklı şekilde anlaşılması orada söylenmemiş olan *"meskûtün anh"* kısmın takdiri ile mümkündür. Buna göre ayetin anlamı "Analarınız ile evlenmek size haram kılındı." şeklindedir.

Hanefîlerin söz konusu delalet türleri dışında diğer mezhep usulcüleri *mantukun* ve *mefhumun delaleti* şeklinde ikili bir ayrıma daha giderler. Bunların da kendi içinde kısımları vardır. *Mantukun delaleti,* lafzın söylendiği manaya delaleti demektir. Bunlar Hanefîlerde ibare, işaret ve iktizanın delaletine karşılık gelir. *Mefhumun delaleti* ise nasta zikredilmeyen bir şeyin, hükmüne delaleti anlamına gelir ki bu da *mefhûmu'l-muvâfakat* ve *mefhûmu'l-muhâlefet* olmak üzere iki kısımda incelenir. Birincisi Hanefîlerdeki nassın delaletinin karşılığıdır. İkincisi ise mantukun hükmünün, hükümde zikredilen kayıtlardan birini taşımaması sebebiyle, *meskûtün anh,* yani söylenmemiş olanda geçerli olmamasıdır. Mesela *"Sâime olan hayvanlarda zekât vardır."* hadisinin mefhumu muhâlifi "saime olmayanda yoktur" şeklindedir. Bunun da sıfat, şart, gaye ve aded olmak üzere kısımları vardır. Bunlara ilişkin hükümler, fıkıh usulü kitaplarında genişçe ele alınmaktadır.

## SÜNNET

İslam hukukunun ikinci kaynağı sünnettir. Sünnet, bir bütün hâlinde Hz. Peygamber'in sözleri, eylemleri ve takrirleridir. Hz. Peygamber'in sözleri "hadîs-i şerîf" olarak isimlendirilir. Bunlar İslam ümmetinin titiz çalışmalarıyla en ince

286 Nisâ suresi, 4:23.

ayrıntısına kadar tespit edilmiş ve kitaplara girerek korunmuştur. Onun eylemleri (amel), dinî nitelik taşıyan davranışlarıdır. Takrîrleri, onun karşılaştığı davranışlara sessiz kalmasıdır. Bu, onun söz konusu davranışı tasvip etmesi anlamına gelir. Aksi takdirde davranış sahibini ikaz etmesi gerekecektir. Çünkü bu, onun görevinin bir parçasıdır. Hz. Peygamber'in takrirlerinin delil olmasının sebebi budur.

Kur'ân-ı Kerîm'in Allah'a ve Resulü'ne itaati emreden ayetleri,[287] özellikle de *"Allah Resulü'nde sizin için en güzel örnek vardır."* ayeti[288] Hz. Peygamber'in ümmeti ilgilendiren konulardaki söz ve eylemlerinin tespit edilmesinin gerekliliğine işaret eder. Çünkü tanınmayan bir kişiye itaat edilemeyeceği gibi bilinmeyen davranışın da örnekliği olmaz. Hz. Peygamber'in ümmetin modeli; onun ümmetinin de her türlü aşırılıktan (ifrat ve tefrit) uzak, orta yolun temsilcisi olmakla, diğer toplumların modeli olduğu vurgusu,[289] sünnetin sübutu ve işlevselliğini göstermektedir.

Sünnetin tespitinde sahabe, tâbiûn ve tebeü't-tâbiînin önemli bir yeri vardır. Dolayısıyla gelişi itibariyle hadislerin söz konusu tabakalardaki durumu onların güvenilirliğinde etkili olan kriterlerden birisidir.

Hadislerin Kısımları

Hanefîler, hadisleri gelişi itibariyle üç grupta ele alırlar:

1) Mütevatir: Her üç tabakada da yalan üzere birleşmeleri mümkün olamayan toplulukların birbirlerinden naklettikleri hadislerdir. Bu hadislerin sayısı son derece azdır.

2) Meşhur: Sahabe döneminde tevatür derecesine ulaşmamış olmakla birlikte sonraki iki tabakada bu özellikteki toplulukların rivayet ettikleri hadislerdir.

3) Âhâd: Üç tabakada ravi sayısının tevatür derecesine

287 Mesela bk. Âl-i İmrân suresi, 3:31; Nisa suresi, 4:65, 80; Mâide suresi, 5:92; Ahzâb suresi, 33:36; Haşr suresi, 59:7.

288 Ahzâb suresi, 33:21.

289 Bakara suresi, 2:143.

ulaşmadığı hadistir. Âhâd haberler genellikle bu yolla gelmiştir.

Diğer mezhepler hadisleri mütevatir ve âhâd olmak üzere iki gruba ayırırlar. Onlar Hanefîlerin meşhur hadis kategorisinde yer verdikleri hadisleri âhâd haberler içinde; ahâd haberleri de üç kategoride değerlendirirler:

1) Garîb: Her üç tabakada veya tabakaların birinde ravi sayısı tek olan hadistir.

2) Azîz: Her üç tabakada veya tabakaların birinde ravi sayısı iki olan hadistir.

3) Müstefîz: Her üç tabakada ravi sayısı üçten aşağıya düşmeyen hadistir.

Sünnet genelde âhâd haberler yoluyla tespit edilmiştir. Bu ise hadislerin sübutunda zannîliğin olduğunu gösterir. Bu nedenle her mezhebin hadislerle ilgili kendine özgü kabul şartları vardır. Bunları şöyle özetleyebiliriz:

Âhâd Haberinin Kabul Şartları

Hanefîler, âhâd haberlerin kabulünde ravinin rivayetine aykırı davranmamasını veya aykırı fetva vermemesini; hadisin sık tekrar eden bir konuda olmamasını (aksi takdirde mütevatir olması gerekir); ravi fakih değilse rivayetinin gerek kıyasa gerekse de fıkhın temel ilkelerine aykırı olmamasını şart koşarlar.

Mâlikîler âhâd haberle amel etmek için, ilgili haberin Medinelilerin uygulamalarına ve kesin olarak sabit olmuş şeri ilkelere aykırı olmamasını şart koşarlar.

Şâfiîler ise senedin sahih ve kesintisiz (muttasıl) olması gerektiğini ileri sürerler. Hanbelîlere göre ise senedin sahih olması âhâd haberlerin kabulü için yeterlidir.

Hadisleri Doğru Anlamada Yöntem

Hz. Peygamber'in görevi gereği hadisler, Kur'an'ın açıklanması gereken ayetlerini açıklar, Kur'an'da yer verilmeyen hükümler koyar. Sahih olduğu anlaşılan bir hadisin sağlıklı biçimde anlaşılabilmesi için şu hususlar göz önünde bulundurulmalıdır:

- Hadislerin Kur'an hükümleriyle bağlantısının kurulması,

- Hz. Peygamber'in söz veya davranışlarının hangi olay sebebiyle ortaya çıktığının tespit edilmesi,

- Hadislerin içinde varid olduğu ortamın bilinmesi,

- Hadislerin, Hz. Peygamber'in hangi niteliğiyle, yani peygamber, devlet başkanı ve ordu komutanı olarak mı söylediğinin tespiti,

- Beşer olması hasebiyle Hz. Peygamber'in hadislerinin teşrii karakter taşıyıp taşımadığının anlaşılması,

- Hadislerin tayin ettiği hükmün *taabbüdîlik* mi yoksa *talil edilebilirlik* özelliği mi taşıdığının belirlenmesi,

- Hadislerde geçen hükmün *vesâil* (vasıta) türünden mi yoksa *makâsıd* (amaç) türünden mi olduğunun netleştirilmesi.

Kur'an ve sünnet fıkhın iki ana kaynağıdır. Bu iki kaynak arasında tam anlamıyla uyum olup çelişki söz konusu değildir. Şayet böyle bir görüntü ortaya çıkmışsa bunun sebebi ya Kur'an ve sünnetin sağlıklı şekilde anlaşılamaması ya da sünnet malzemesinin Hz. Peygamber'e aidiyetinde bir problem oluşmasıdır.

## İCMA

İcmanın Şartları

İcma, şeri hükümlerin kaynaklarından birisi olarak kabul edilmiştir. "Hz. Peygamber'in vefatından sonra herhangi bir asırda yaşamış olan müçtehitlerin şeri bir hükümde ittifak etmeleri" şeklinde tanımlanmaktadır. Bu tanımda icmanın şartlarının yer aldığını görüyoruz. Buna göre üzerinde durulan şey, şeri hükmü aranan mesele olmalı; hüküm

Hz. Peygamber'den sonra oluşmalı, hüküm üzerinde ittifak edilmeli ve ittifak edenler müçtehit olmalıdır.

İcma, sarih ve sükûtî olmak üzere ikiye ayrılmıştır. Sarîh olan, üzerinde ittifak edilen meselenin hükmünün müçtehitlerce tek tek açıkça ifade edilerek meydana gelen icmadır. Sükûtî icma ise bazı müçtehitlerin görüşünü açıkladıktan sonra diğerlerinin bu görüş karşısında sessiz kaldığı icma türüdür.

İcmanın Delil Oluşunun Temeli

Âlimlerin büyük çoğunluğu sarih icmanın, hükümlerin kaynağı olduğu yönünde hemfikirdir. Ancak sükûtî icmanın, hükümlere kaynaklık edip edemeyeceği tartışmalıdır. İcmanın muteber bir kaynak olduğu, *"doğru yolun ortaya çıkmasından sonra müminlerin yolundan ayrılmayı"* reddeden ayet[290] ile *"ümmetin dalalet üzerinde birleşmeyeceğini (ismetü'l-ümme)"*[291] ifade eden hadisle temellendirilmiştir.

Müçtehitlerin icma ettikleri hükme ulaşırken dayandıkları bir delilin bulunması gerekir. Bu delile *icmanın senedi* denilir. Bu sened nas olmalıdır. Kıyas ve maslat-ı mürselenin delil olup olamayacağı konusu ise tartışmalıdır. Maslahatın icmanın senedi olduğunu kabul edenlere göre icma, söz konusu maslahatı gerçekleştirdiği sürece kaynak olma özelliğini korur. Maslahat değiştiğinde icmaya dayanak teşkil eden esas ortadan kalktığı için hüküm de değişir. Söz gelimi narh koymanın başlangıçta yasak olması konusunda müçtehitler arasında bir görüş ayrılığı yok iken daha sonraları maslahat, yani faydayı elde etme, zararı ortadan kaldırma ilkesi narhın uygulanması yönünde olunca, onlar bunun caiz olduğuna fetva vermişlerdir.

İcmanın İşlevi

Bazı eserlerde, açık nas olmasına rağmen delil olarak Kitap ve sünnetin yanında icmanın da zikredilmesi, "Bu hususun böyle anlaşıldığı konusunda icma oluşmuştur, başka

290 Nisâ suresi, 4:115.
291 Ebû Dâvûd, "Fiten", 1; İbn Mâce, "Fiten", 8.

bir şekilde anlamaya imkân yoktur." demektir. Bu yönüyle icmanın özellikle kendilerinde maslahatın sabit olduğu taabbüdî hükümlerle ilgili nasların anlaşılmasında uçlara savrulmanın önünde bir engel oluşturduğunu; en azından daha dikkatlice hareket etmenin gerekliliğini sağlamış olduğunu söylemek mümkündür. Gerçekten tarihte olduğu gibi günümüzde de hep aşırı ve uç fikirler etrafında gruplanmalar oluşmuştur. Ancak ümmetin sağduyusu sayesinde bunlar hâkim zihniyeti oluşturamamış ve marjinal kalmışlardır.

Usul kitaplarındaki icma tanımına uygun olarak bir meselede ittifak edilmiş hükümlere rastlamak çok kolay değildir. Nitekim Cevherî (ö. 350/961?) üzerinde icma edilen konularda farklı görüşe sahip olan âlimlerin isimlerine yer verdiği bir eser yazmıştır.[292] Ancak bu durum, icmanın mümkün olmadığı anlamına gelmez. İbnü'l-Münzir (ö. 318/930), *Kitâbü'l-İcmâ'* adlı eserinde bazı icma örneklerini toplamıştır.

Belirli bir mezhebe bağlı olarak yazılmış fıkıh kitaplarında söz edilen icmanın o mezhebin âlimlerinin icmaı (mezhep içi icma) olduğu örneklere sıkça rastlanmaktadır. Ayrıca özellikle Hanefî fıkıh kitaplarında, "Bu uygulama başlangıcından günümüze kadar böyle gelmiş, hiç kimse buna itirazda bulunmamıştır, dolayısıyla icma oluşmuştur." gibi ifadelerle sükûtî icmanın örneklerine bolca rastlanılmaktadır.

## KIYAS

Kıyas hükme ulaştıran bir araç olması nedeniyle bir yöntem olarak kabul edilebilir. Kıyas yeni baştan hüküm üretmez, var olan hükmü başka bir meseleye uygulayarak onun hükmünü açığa çıkarır. Kıyası aşıya benzetebiliriz. Buna göre kıyas,

292 Cevherî, *Nevâdiru'l-fukahâ* (nşr. M. Fazl Abdülaziz), Beyrut, 1993.

özellikleri bilinen bir ağaç dalını, aynı özellikte kökü Kur'an ve sünnet olan diğer bir ağacın dalına aşılamak demektir. Ağaç ile aşı yapılacak dal aynı özelliklere sahip olmalıdır.

Sözlükte bir şeyin başka bir şeyle ölçülmesi anlamına gelen kıyas, fıkıh usulü kavramı olarak Kitap ve sünnette hükmü bulunmayan bir meseleye, aralarındaki ortak illet sebebiyle bu kaynaklardan birisinde bulunan hükmü vermek demektir. İcma ile sabit hükme kıyas yapılıp yapılamayacağı tartışmalıdır.

Kıyasın Unsurları

Tanımdan da anlaşılacağı gibi kıyasın dört unsuru vardır:

Asıl veya *makîsün aleyh*: Hükmü nas tarafından belirlenmiş mesele

Fer veya *el-makîs*: Hükmü belirlenmemiş mesele

İllet: Hükmün kendisine dayandığı vasıf

Hüküm: Nasla sabit olan hüküm.

Usul kitaplarında kıyası en güzel anlatan klasik örnek şarapla ilgili olandır. Kur'ân-ı Kerîm *hamr*ı (şarap) yasaklamıştır.[293] Hamr üzümden yapılan özel bir içkidir. Hamr, sarhoş etmesi sebebiyle ortaya çıkardığı birçok kötülükten dolayı haram kılınmıştır. Ancak aynı özelliklere sahip çeşit çeşit içkinin, mesela votka, viski, likörün hükmü ile ilgili açık bir nas yoktur. Bu içkiler de sarhoş etmekte ve aynı kötü sonuçları doğurmaktadır. İşte aralarındaki ortak özellikten dolayı hamrdaki hüküm söz konusu içkilere de verilir ve onların da hamr gibi haram olduğu sonucuna varılır. Bu örnekte:

Asıl: Hamrın hükmünü açıklayan ayet

Fer: Viski, votka

İllet: İskâr (sarhoş edici özellik)

Hüküm: Hamr gibi diğerlerinin de haram oluşu.

293 Mâide suresi, 5:90-91.

Kıyasın İşlevi

Görüldüğü gibi kıyasla yeni bir hüküm tesis edilmiş değildir. Mevcut bir hükümle boşlukta bulunan meselenin bağlantısı kurularak hüküm açığa çıkarılmıştır. "Kıyas, hükmün müsbiti değil, muzhiridir." şeklindeki ifadenin anlamı da budur. Buna göre kıyas, hukuku tamamlayıcı, boşlukları yine belirlenmiş hükümlerle doldurucu güvenli bir yol özelliği taşımaktadır. Bu yönüyle kıyas, sınırsız olayların hükümlerini sınırlı naslardan elde edebilmek için oldukça verimli bir yöntemdir.

Kıyasın en önemli unsuru illettir. İllet, hükmün kendisine dayandığı, açık (zahir), objektif (değişken olmayan) ve hükme münasib özelliktir (vasıf). İslam hukukçuları, yere, zamana ve kişilere göre değişkenlik gösterdiği için hikmetlere göre hüküm bina edilemeyeceğini düşünürler.

Mesâlikü'l-İlle: İlleti Bulma Yöntemleri

Kıyasın alanını belirleme açısından hükümler taabbüdî ve talilî olmak üzere iki grupta ele alınır. Taabbüdî hükümler, illetleri anlaşılamayan hükümlerdir. Bu tür hükümlerde kıyas geçerli değildir. Mesela namazın dört rekât olmasına başka bir şey kıyas edilemez. Talilî hükümler, illetleri açık veya çeşitli yöntemlerle anlaşılabilen hükümlerdir. Bu alanda kıyas geçerlidir. Fıkıh usulü kitapları, illeti bulma yöntemleri (*mesâlikü'l-ille*) üzerinde ayrıntılı şekilde durur.

## İSTİHSAN

Sözlükte güzel bulma anlamına gelen istihsan, daha çok Hanefîlerle öne çıkan bir yöntemdir. Istılahta, birbirine yakın şekilde bazı tarifler yapılmıştır. Söz konusu tariflerde yer alan ortak unsurları dikkate alarak istihsanı şöyle tanımlamak mümkündür: İstihsan, karşılaşılan bir meselede, yerleşik genel kural veya açık kıyasa göre hüküm verildiğinde genel hukuk politikası açısından doğacak bir olumsuzluğun giderilmesi amacıyla o özel delili bırakıp üst ilkelere göre hüküm vermektir.

İstihsan, bir anlamda meselenin hükmünü adalet ve hakkaniyet ilkelerine bağlı olarak genel kuraldan istisna etmek anlamına gelmektedir. Şöyle ki; Ebû Hanîfe'ye göre kişi kendi mülkünde dilediği gibi tasarrufta bulunabilir. Bu onun mülkiyetinden doğan hakkıdır. Mesela bir malik, binasının üzerine ihtiyacı olmadığı hâlde görkemli baca inşa ederek komşusunun deniz manzarasını engellese ya da komşusunun penceresine yakın bir yere foseptik çukuru açsa, bu onun mülkiyetinden doğan hakkıdır. Haklara mutlaklık özelliği kazandıran bu kuralın zaman içinde adalet ve hakkaniyet ilkelerine aykırı uygulamalara sebep olmasından dolayı, Hanefî uleması *maslahata dayalı istihsan* kuralı gereğince hakkın kullanımından fahiş zararın doğduğu hâlleri, hakkın kullanımından elde edilen menfaatin verdiği zarara göre basit kalmasını (orantısızlık ilkesi) ya da hakkını kullananın zarar verme kastını, hakkın kötüye kullanılması olarak kabul etmiş; bu tür uygulamalara izin vermemişlerdir.

Bununla ilgili olarak zikredilebilecek bir başka örnek şudur: Kendi nezdinde emanet bırakılan kişiler emin (yed-i emîn) sayıldıklarından sadece kusurlu oldukları hâllerden sorumludurlar. Bu kural gereğince bir terziye elbise dikmesi için kumaş bırakıldığında kumaş emanet hükümlerine tabidir; kumaşın telef olması hâlinde terzinin eğer kusurlu davranmamışsa tazmin sorumluluğu yoktur. Ancak belirli bir dönemden sonra ahlakın bozulduğunu gören fukaha bu kuralın katı biçimde uygulanmasının doğurduğu adaletsizlikleri önleme amacıyla maslahat düşüncesine dayalı istihsana göre sanatkârların kendi nezdine bırakılan malların tazmininden sorumlu olacakları hükmünü getirmişlerdir.

İstihsanın İşlevi

Hukuk bir sistemdir. Her yeni bir hüküm, yeni bir parça olarak sisteme entegre edilmektedir. Dolayısıyla meselenin çözümünde hukuk sisteminin bütünü gözetilmelidir. Bazı durumlarda bir meselenin benzerlerine verilen hüküm, sistemin bütünlüğü dikkate alındığında bazı noktalardan sıkıntı çıkarabilmektedir. İşte istihsan daha üst bir ilkeye bağlı olarak hükmü sisteme uyumlu hâle getirmektedir.

İstihsan daha çok Hanefîler ve Mâlikîler tarafından bir yöntem olarak kullanılmıştır. İmam Şâfiî'nin istihsan yöntemine karşı sert eleştirilerinin Hanefîlerden ziyade delilsiz ve keyfî hüküm verenlere, güzel bulduğunu dinin hükmü zannedenlere yönelik olduğu anlaşılmaktadır.

Kur'ân-ı Kerîm'de ve Hz. Peygamber'in sünnetinde özel durumları sebebiyle genel kuraldan istisna edilen hükümler bulunmaktadır. Bu açıdan istihsanın bir yöntem olarak kullanılmasının nasların ruhuna aykırı olmadığı söylenebilir. Mesela Kur'ân-ı Kerîm, iffete iftiranın cezasını belirlemiştir. Bir kadına zina isnat edip bunu dört şahitle ispat edemeyenler seksen kırbaçla cezalandırılacaklar, bir daha da şahitlikleri kabul edilmeyecektir.[294] Bu, genel kuraldır. Ancak zina isnat eden kişi, kadının kocası ise burada özel bir durum vardır. Bu nedenle, kocadan dört şahit istenmesi ve getiremediği takdirde aynı hükümlerin ona da uygulanması adalet ve hakkaniyete aykırıdır. Bu sebeple kocanın karısına zina isnadı farklı bir hükme tabi kılınarak *liân* hükümleri getirilmiştir.[295]

Kur'ân-ı Kerîm'de köle ve cariyelerin aynı eylemlerine hürlerden farklı hükümler belirlenmesine de aynı zaviyeden bakılabilir.

Hz. Peygamber'in genel bir kural olarak madumun

294 Nûr suresi, 24:4.
295 Nûr suresi, 24:6-9.

satışını yasaklayan[296] hadisinden sonra *selem*i istisna etmesi,[297] sıkıntıyı giderme ve kolaylaştırma ilkesine bağlı olarak adalet ve hakkaniyeti sağlama amacına yöneliktir.

İstihsanın Dayanakları

İstihsanla verilen hükümde delilin bulunması zarureti, onun kelimenin sözlük anlamındakiyle doğru orantılı olarak keyfî hüküm vermek anlamına gelmediğinin de bir ifadesidir. İstihsanla varılan hükmün gerekçesine veya dayanağına *vechü'l-istihsân* denir. Literatürde nas, icma, zaruret, kapalı kıyas (kıyas-ı celî), örf ve maslahat istihsanın dayanakları arasında sayılır. Ancak Mustafa Ahmed ez-Zerkâ (ö. 1999) haklı olarak "dayanağı nas ve icma olan istihsan" ifadelerini tenkit etmektedir.[298] Çünkü nas ve icma zaten kendileri hüküm kaynağı olduğuna göre; üstelik ele alınan meselenin hükümleri bunlarla sabit olduğuna göre meseleyi ayrıca istihsanla ilişkilendirmeye gerek yoktur. Nas ve icma, istihsanın hükme ulaşmada sağlıklı bir yöntem olduğuna delil alınırsa anlamlı olabilir.

## İSTİSLÂH/MESÂLİH-İ MÜRSELE

Şeri hükümlerin konuluş amacı, kulların maslahatını sağlamaktır. Maslahat, faydalı olanı almak, zararlı olanı (mefsedet) kaldırmak veya engellemek demektir. Klasik ifadesiyle "Maslahat (ç. mesâlih) def-i mefâsid, celb-i menâfi'"dir. İstislâh da maslahata göre hüküm vermek demektir.

Maslahatın Türleri

Kanun koyucunun hüküm koyarken dikkate alıp almamasına göre maslahatlar üç grupta ele alınmıştır:

1) Maslahat-ı mu'tebere: Kanun koyucunun hüküm koyarken dikkate aldığı maslahatlardır. Örneğin, vücut

296 Ebû Dâvûd, "Büyû'", 70.
297 Ebû Dâvûd, "Büyû'", 57; Nesâî, "Büyû'", 63.
298 Mustafa Ahmed Zerkâ, *el-Fıkhu'l-İslâmî fî sevbihi'l-cedîd*, Dımaşk, 1967-1968, I, 85-89.

bütünlüğünün korunması insanlar için maslahattır. Bunun için *kısas* meşru kılınmıştır.

2) Maslahat-ı merdûde: Kanun koyucunun reddettiğini ve dikkate almadığını gösteren maslahatlardır. Bunlar maslahat olarak değerlendirilebilirse de, kanun koyucunun itibar etmediği geçersiz maslahatlardır. Bu açıdan bunların maslahat olmadığını söylemek mümkündür. Mirasta kadın-erkek eşitliği gibi.

3) Maslahat-ı mürsele: Muteber veya geçersiz sayıldığına dair bir delilin bulunmadığı maslahatlardır. Maslahat-ı mürselenin özelliği kendisine hüküm bina edilmesi insanlara bir fayda sağlamakta veya bir zararı kaldırmaktadır. Ancak kanun koyucunun bu maslahatı muteber veya geçersiz saydığına dair bir delil yoktur.

İslam hukukçuları maslahat-ı mürseleye göre hüküm verilebileceğini kabul etmişlerdir. Bu konuya aynı zamanda referans olabilecek sahabe uygulamalarından bazı örnekler de zikredebiliriz. Kur'an sahifelerinin bir mushafta toplanması, Hz. Ebû Bekir'in Hz. Ömer'i hilafete aday göstermesi, cuma namazı için iç ezan okunması, ölümle sonuçlanan hastalık hâlinde boşanan karının kocasına mirasçı kılınması, bulunmuş hayvanların (lukata/dâlle) alınarak sahipleri gelinceye kadar beytülmal tarafından bakılması konunun sahabe uygulamalarından örnekleridir.

Maslahat, sübjektif yorumlara yol açabilecek özelliğe de sahiptir. Bu sebeple İslam hukukçuları maslahat-ı mürseleye göre hüküm verebilmek için belirli ölçütler geliştirmişlerdir. Bunları şöylece ifade edebiliriz:

1) Maslahat kati, yani kesin ve varlığından emin olunmalıdır.

2) Külli olmalıdır. Kişiye özel maslahata itibar edilmez. Toplumda bir yararı gerçekleştirecek veya bir mefse-

deti kaldıracak özellikte olmalıdır.

3) Zaruri olmalıdır. Yani, can ve mal emniyetini, neslin güvenli şekilde üremesini sağlayacak, dini, aklı ve aklın ürettiği değerleri koruyacak nitelikte olmalıdır.

4) Şeri bir hükümle çatışmamalıdır.

5) Maslahat mahiyeti itibarıyla makul olmalıdır. Yani sağduyulu insanlarca kabul görecek bir niteliğe sahip olmalıdır.

Gazzâlî bu şartlardan ilk üçünü sayar. Ancak dikkatli bakılınca ilk üç şart son iki şartı da ihtiva etmektedir.

Maslahat-ı Mürselenin İşlevi

Maslahat-ı mürsele birçok açıdan hukuka dinamizm sağlayan özelliğe sahiptir. Alım-satım işlemlerinde tapu siciline kaydın esas alınması, evlenenlere evlilik cüzdanının verilmesi gibi günümüzde bu esasa uygun birçok hüküm yürürlüktedir.

## SEDD-İ ZERÂİ

Sedd-i zerâi, kelime olarak vasıtaların engellenmesi demektir. İslam hukuk terimi olarak ise, "Yasaklanmış sonuçlara vasıta olan meşru yolların kapatılması" anlamına gelmektedir. Özellikle Mâlikî ve Hanbelî hukukçuların önem verdiği bu ilkeyi kısmen Hanefîler de kullanmışlardır. İmam Şâfiî'nin muhalefetine rağmen sonraki dönem Şafiî âlimler de bu ilkeye itibar etmişlerdir.

Sedd-i zerâinin muteber bir ilke olduğunu savunan hukukçular:

1) Allah'a sövmeye vesile olabileceği gerekçesiyle müşriklerin ilahlarına sövmenin Kur'ân-ı Kerîm tarafından yasaklamasını,[299]

299 En'âm suresi, 6:108.

2) Yürürken zinetleri bilinsin diye kadınların ayaklarını yere vurmalarının yasaklanmasını,[300]

3) Hz. Peygamber'in münafıkların öldürülmesi yoluna gitmemesini delil olarak alırlar.

*Bey'u'l-îne*, hülle nikâhı, toplumsal kargaşa sırasında birini öldüreceği bilinen kişiye silah satışı, içki yapacağı bilinen birine üzüm satışı, kumarhane yapacağı bilinen birine dükkânını kiraya verme ve ölümle sonuçlanan hastalık hâlinde iken karıyı boşama bu ilkenin klasik örnekleri arasındadır.

*Bey'u'l-îne*, veresiye satılan bir malın daha düşük bir fiyata peşin olarak geri alınmasıdır. Burada şekil olarak değerlendirildiğinde iki alışveriş bulunmaktadır. Birincisi veresiye satış, ikincisi de satılandan daha ucuza peşin olarak geriye alıştır. Sedd-i zerâiyi esas alanlar bunun faiz almak için alışverişin kullanıldığını, bir başka ifadeyle faizin alışverişin ardına gizlendiğini, dolayısıyla meşru bir yol ile gayrimeşru bir sonuca ulaşılmak istendiğini düşünmektedirler.

Kur'ân-ı Kerîm, karısını üç talakla boşamış kocanın eşine doğrudan dönüşünü yasaklamıştır. Kadın ancak bir başkasıyla evlenir ve kocası da onu boşar veya ölürse iddetini bekledikten sonra yeniden eski kocasıyla evlenebilir.[301] Kadının bir başkasıyla şeklî nikâh yapıp ondan boşanmasından sonra tekrar eski kocasıyla evlenmesine hülle denir. Bununla amaç evlilik değil, nikâhın eski kocaya dönüş için kullanılarak şekil şartının yerine getirilmesidir.

Sedd-i zerâiye itibar edenler daha çok adalet ve hakkaniyeti sağlamayı, meşru hükümlerin bir hile aracı olarak kullanılmasını engellemeyi hedeflerken; ona karşı çıkanlar

300 Nûr suresi, 24:31.
301 Bakara suresi, 2:230.

hukukta istikrarı sağlamayı, sübjektif yaklaşımlara fırsat vermemeyi amaçlamışlardır.

Sedd-i zerâinin güncel örnekleri arasında şunlar sayılabilir: Bugün tarlaların verimini arttırmak amacıyla satılan gübreler, patlayıcı olarak kullanılabilmektedir. Patlayıcı yapacağı bilinen birisine gübre satışı sedd-i zerâi ilkesi ile engellenebilir. Nitekim Türkiye'de bu şekilde kullanılabilen gübreler son dönemde yasaklanmıştır.

Haşhaş faydalı bir bitkidir. Ancak uyuşturucu yapımında hammadde olarak da kullanılabilmektedir. Uyuşturucu yapacağı bilinen birisinin haşhaş ekimine izin verilmemesi sedd-i zerâinin örnekleri arasında düşünülebilir.

Tiner, yasal olarak satışı yapılan ve boya işlerinde çözücü veya inceltici olarak kullanılan bir maddedir. Ancak insanların bağımlılık yapan ve tedavi gerektiren tineri, keyif verici madde olarak kullandıkları bilinmektedir. Tiner koklayacağı bilinen birisine bunun satışının engellenmesi sedd-i zerâi ilkesinin bir başka örneğidir.

## ÖRF

Örf, günlük hayatta insanların çoğunluğunun benimseyip alışkanlık hâline getirdiği eylemler veya duyulduğunda hatıra başka bir anlam gelmeyecek şekilde sözlü anlatım biçimleridir. Tanımdan da anlaşılacağı üzere örf, amelî ve kavlî olmak üzere ikiye ayrılır.

Örfün Kısımları

Mehrin muaccel (peşin) ve müeccel (veresiye) şeklindeki kısımları, amelî örfe örnektir. Bugün satın alınan, beyaz eşyanın bayi tarafından eve teslim edilmesi veya mesela kombiyi kurup çalıştırdıktan sonra teslim edilmiş sayılması amelî örfe örnek verilebilir.

Söz gelimi çamaşır makinası satın alan müşterinin, eşyanın eve taşınması hususunda satıcı ile ihtilafa düşmesi durumunda dikkate alınacak olan örftür. Eğer örfteki uygulama, satıcının çamaşır makinasını eve götürüp, kurup çalıştırdıktan sonra teslim etmesini gerektiriyorsa buna göre davranmak satıcının yükümlülüğündedir. Ayrıca bunu konuşmalarına gerek yoktur. *Mecelle*'nin 43. maddesinde de yer aldığı üzere "Örfen şart koşulan şey, konuşularak şart kılınmış gibidir." Şayet müşteri, satıcının malı eve teslim etmeme şartını kabul ederse örf, irade beyanı ile iptal edildiği için burada artık örfe itibar edilmez, taşıma yükümlülüğü müşteriye geçer.

Kavlî örf sözlere yüklenen anlamla ilgilidir. Mesela et yemeyeceğine yemin eden birinin, beyaz et yemesiyle yemini bozulmuş olmaz. Çünkü et örfte, kırmızı et için kullanılmaktadır. Böylece balık ve beyaz et ondan ayrılmış olmaktadır.

Yaygınlık derecesine göre de örf genel (umumi) ve özel (hususi) olmak üzere ikiye ayrılmaktadır.

Örfün İşlevi

Örf, hukuk metinlerinin yorumunda, hak ve yükümlülüklerin belirlenmesinde, ihtilafların çözümünde hakem rolü oynayan bir özelliğe sahiptir. Kur'ân-ı Kerîm'de bazı yükümlülüklerin ölçüsünün belirlenmesinde mesela nafakanın tespitinde,[302] boşanmış kadınlara verilecek hediyenin ölçüsünde[303] örfe itibar edilmesi istenmiş; örf de *ma'rûf* kelimesiyle ifade edilmiştir.

İnsanlardan zorluğu kaldırma ve maslahatı dikkate alma esasına dayanan örfün hukukta muteber bir kaynak olabilmesinin birtakım şartları vardır. Bunlar:

---

302 Bakara suresi, 2:233; Şemsüleimme es-Serahsî, *el-Mebsût*, Kahire, 1324-1331, XIII, 81.

303 Bakara suresi, 2:241; Kâsânî, *Bedâi'u's-sanâî*, II, 304.

Örfün Delil Oluşunun Şartları

1) Örfün muttarid olması, yani söz konusu işlemlerin tamamında veya çoğunluğunda uygulanıyor olması gerekir.[304]

2) Örfün, söz konusu işlemin kuruluşu esnasında uygulanması gerekir. İşlemden sonra ortaya çıkan örfe itibar edilmez.

3) Örfün açık bir irade beyanı ile iptal edilmemiş olması gerekir.

4) Örfün şeri bir delile veya İslam hukukunun temel ilkelerinden birine aykırı olmaması gerekir.

*Mecelle*'nin 39. maddesinde yer alan "Ezmânın tegayyürüyle ahkâmın tegayyürü inkâr olunamaz." kaidesi aynı zamanda örf ile de ilgilidir. Belirli bir örfe bağlı olarak gelmiş olan hükümler, o örfün değişmesiyle değişir. Fıkıh kitaplarında bu tür değişimler için "Bu görüş ayrılığı delilden değil, zaman ve coğrafyadan kaynaklanmaktadır." şeklindeki ifadelere rastlanır. Mesela Hanefî fıkıh kitaplarında şöyle bir hükme yer verilir: Bir kimse kelle yemeyeceğine dair yemin etse, ancak koyun, inek ve deve kellesi yese Ebû Hanîfe'ye göre bu kişinin yemini bozulur. Ebû Yûsuf ve Muhammed'de göre ise sadece koyun kellesi yemekle yemini bozulur. Şimdi bu görüş ayrılığı, delilden değil, zaman ve coğrafyadan kaynaklanmaktadır. Çünkü Ebû Hanîfe'nin söz konusu fetvayı verdiği dönemde kelle denildiğinde bu üçü de anlaşılıyorken; onun iki talebesi zamanında kelle denildiğinde sadece koyun kellesi anlaşılıyordu.

---

304 bk. *Mecelle*, md. 41, 42.

# SAHÂBÎ KAVLİ

Sahabe, Hz. Peygamber'i görmüş, onun eğitiminden geçmiş, Kur'an'ın nüzulüne, hadislerin vürûduna şahit olmuş seçkin topluluktur. Bu özellikleri onları diğer nesillerden farklı kılmaktadır. Hz. Peygamber'in vefatından sonra hepsi de müçtehit olan dört halife, hem yöntem olarak hem de bazı meselelere buldukları çözümlerle sonraki dönem fıkıh faaliyetlerinde etkili olmuşlardır. Sahâbî kavli ile ilgili şu hususlarda ulema arasında görüş birliği vardır:

1) Akıl ile kavranamayan konularda sahâbî kavli delil değeri taşır. Çünkü sahabenin bunları Hz. Peygamber'den duymaları ihtimal dâhilindedir.

2) Sahabenin ittifak ettiği görüşler delildir. Bu bir icmadır.

3) Bir sahâbînin görüşü diğer sahâbî için delil değeri taşımayabilir. Çünkü birbirlerine itirazları vardır.

Şayet sahâbî kavli içtihada dayanıyor ise sonraki nesiller için delil alınıp alınamayacağı konusunda ulema arasında görüş ayrılıkları vardır. Bir görüşe göre Kitap, sünnet ve icmada bir hüküm bulunmadığı zaman sahâbî kavli bağlayıcıdır. Hanefî mezhebi imamlarının, eski görüşünde İmam Şâfiî'nin, kendilerinden yapılan rivayete göre İmam Mâlik ve Ahmed b. Hanbel'in görüşü bu yöndedir. Bu görüş sahipleri, sahabenin diğer müçtehitlerden farklı olarak bazı avantajlara sahip oldukları düşüncesine dayanırlar.

İmam Şâfiî, sonraki Hanefî uleması ve bazı Mâlikî ve Hanbelî fukahasına göre sahâbî kavlinin bağlayıcılığı yoktur. Bu görüş sahipleri sahabenin de diğer müçtehitler gibi hataya düşebileceğini, bu sebeple sahâbî kavlinin diğer müçtehitler için bir kaynak değeri taşımadığını savunurlar.

İçtihat zann-ı galipten ibaret olduğu için tartışılabilir bir yapıya sahiptir. Bu sebeple sahabenin diğer müçtehitlere göre bazı avantajları bulunsa da bu durum, içtihada açık konularda başka bir müçtehidin faaliyette bulunmasına engel teşkil etmemelidir. Nitekim bazı içtihatlarda sahabe birbirine itiraz ettiği gibi tâbiûndan da sahabeye itiraz edenler olmuş, hatta bazı sahâbîlerin onların görüşüne döndüğü bile nakledilmiştir.

## ŞER'U MEN KABLENÂ: BİZDEN ÖNCEKİLERİN ŞERİATI

Allah Teâlâ insanlardan talep ettiği şeyleri peygamberler aracılığıyla onlara bildirmiştir. Allah'ın emir ve yasaklarından oluşan bu sisteme din denilmektedir.

Kur'ân-ı Kerîm birçok ayetinde "din" kelimesine yer verir,[305] ancak özel anlamda bununla "İslam"ı kasteder.[306] Bu bakımdan o, İslam ile dini âdeta aynı manayı ifade eden iki kelime gibi kabul eder ve bütün peygamberlerin getirdikleri dinin İslam olduğunu belirtir.[307] İlahî dinlerin birbirlerini tasdik ettiğini bildiren ayetler,[308] ilahî kitapların ortak noktasını hak ile batılı, doğru ile eğriyi birbirinden ayıran özelliklerin oluşturduğunu ifade eden ayetler,[309] peygamberlerin baba bir kardeş olduklarını bildiren hadis,[310]

305 M. Fuad Abdulbaki, *el-Mu'cemü'l-müfehres*, s. 340-342.

306 Âl-i İmrân suresi, 3:19.

307 Şûrâ suresi, 42:13; ayrıca bk. Bakara suresi, 2:97, 131-132; Âl-i İmrân suresi, 3:48, 50, 84-85; Nisâ suresi, 4:47, 125; Mâide suresi, 5:3, 46, 48; Hac suresi, 22:78; Fâtır suresi, 35:31; Saf suresi, 61:6.

308 Bakara suresi, 2:53, 185; Âl-i İmrân suresi, 3:4; Enbiyâ suresi, 21:48; Furkân suresi, 25:1.

309 Bakara suresi, 2:41, 89, 91, 101; Âl-i İmrân suresi, 3:3, 50; Mâide suresi, 5:46, 48; En'âm suresi, 6:92; Yûnus suresi, 10:37; Fâtır suresi, 35:31; Ahkâf suresi, 46:30; Saf suresi, 61:6.

310 Buhârî, "Enbiyâ", 48; Müslim, "Fezâil", 145.

bütün hak dinlerin, –ibadetler gibi bazı hususlar[311] ve insan topluluklarının tekâmülü sebebiyle beşerî ilişkilerdeki bazı uygulamalar hariç– temel prensiplerde ortak olduğuna işaret eder.[312]

Kur'ân-ı Kerîm İslam'dan bahsettiği zaman "hak din" tabirini kullanarak daha önceki bütün dinlerin tahrif edilmiş olduğuna işaret eder ve bu yeni dinin de bütün dinlerden üstün kılındığını ve sağlam esaslarla donatıldığını belirtir.[313] Buna göre İslam son din olması sebebiyle daha önceki dinleri tasdik etmiş, onların tahrif edilen aslî değerlerini tashih etmiş ve son dönem insanı için gerekli olan esasları tamamlamıştır. Bu sebeple Kur'ân-ı Kerîm İslam'ın bütün insanlığa gelmiş evrensel bir din olduğunu söyler.[314] O, dünya hayatının muhasebesinin yapılacağı ahiret gününü "din günü" olarak isimlendirir.[315] Kur'an, buna *"Allah nezdinde hak din İslam'dır."*[316] *"Sizin için din olarak İslam'a razı oldum."*[317] ayetleriyle dikkat çeker.

**Diğer Dinlerde Bulunan Hükümler, İslam Hukukunun Kaynağı Olabilir mi?**

Diğer insanların İslam'la sorumlu olmalarının sebebi, İslam'ın kendi dinlerinin orijinal yapısını ihtiva etmiş olmasındandır. Bununla birlikte diğer dinlerde yer alan hükümlerin İslam hukukunun kaynaklarından olup olamayacağı hususu usul kitaplarında *şer'u men kablenâ* başlığı altında ele alınmıştır. *Şer'u men kablenâ* ile kast edilen, bizden önceki semavi dinlerde bulunan hükümlerdir. Allah

311 Hac suresi, 22:67.
312 Günay Tümer, "Din", *DİA*, IX, 313.
313 Tevbe suresi, 9:33; Fetih suresi, 48:28; Saf suresi, 61:9; Beyyine suresi, 98:5.
314 A'raf suresi, 7:158; Sebe' suresi, 34:28; Saf suresi, 61:6; Furkan suresi, 25:51; Hz. Peygamber de bütün insanlara gönderildiğini söylemektedir (bk. Buhârî, "Teyemmüm", 1, "Salat", 56; Nesai, "Gusül", 26; Dârimî, "Salat", 111).
315 Fatihâ suresi, 1:4; Hicr suresi, 15:35; Şuarâ suresi, 26:82; Sâd suresi, 38:78; Zâriyât suresi, 51:12.
316 Âl-i İmrân suresi, 3:19.
317 Mâide suresi, 5:3.

Teâlâ'nın Hz. İbrâhim, Hz. Mûsâ, Hz. Îsâ gibi peygamberleri aracılığıyla bizden önceki ümmetlere bildirdiği hükümlerin İslam hukukunun kaynaklarından olup olmadığı iki durumda değerlendirilmiştir.

1) Kur'ân-ı Kerîm ve Hz. Peygamber'in sünnetinde yer almayan hükümlerin kaynaklık değeri ve Müslümanlar için bağlayıcılığı yoktur.

2) Kur'ân-ı Kerîm ve Hz. Peygamber'in sünnetinde yer alanlar hükümler ise üç gruptur:

a) Müslümanlar açısından yürürlükten kaldırıldığı bildirilen hükümlerin bağlayıcı olmadığında ittifak vardır. Mesela daha önceki şeriatlerde ganimet almak,[318] iç yağlar ve tırnaklı hayvanların etlerini yemek,[319] cumartesi günü balık avlanmak[320] yasak iken Müslümanlar için böyle bir yasak yoktur.

b) Müslümanlar hakkında da geçerli olduğuna dair delil bulunan hükümler bağlayıcıdır. Oruç tutmak, kurban kesmek ve kısas gibi hükümler Kur'an ve sünnette yer alması sebebiyle kaynaklık değeri taşır.

c) Kur'ân-ı Kerîm'de veya Hz. Peygamber'in hadislerinde Müslümanlara emredildiğine ya da Müslümanlar açısından yürürlükten kaldırıldığına dair bir delil bulunmayan hükümlerde ise görüş ayrılıkları vardır. Hanefîler bu hükümlerin İslam'ın bir parçası olduğu düşüncesinden hareketle onların Müslümanlar için de geçerli olduğunu savunurlar.

Bu tür hükümler, Kur'ân-ı Kerîm ve sahih sünnette yer aldığına göre İslam'ın bir parçasıdır. Nitekim Hz. Peygamber, uyuyarak veya unutarak namazını geçiren kimsenin uyandığında veya hatırladığında namazını kaza etmesini

318 Buhârî, "Teyemmüm", 1.
319 En'âm suresi, 6:145-146.
320 Bakara suresi, 2:65.

istemiş ve peşinden de Hz. Mûsâ'ya hitap eden, *"Ve beni anmak için namaz kıl!"*[321] ayetini okumuştur.[322] İslam âlimleri de bölüşülemeyen ya da bölündüğünde özelliği kaybolacak olan ortak malların menfaatinin paylaşımı anlamına gelen *muhâyee* usulüne, Sâlih peygamberin kavmi Semûd'un suyu deve ile ortak olarak dönüşümlü şekilde kullanmalarından söz eden ayetlerden[323] hareketle ulaşmışlardır.

# İSTİSHÂB

Kelime olarak "beraber bulunmak" ve "beraberliğin devamını istemek" anlamına gelen istishâb bir İslam hukuk terimi olarak, "geçmişte sabit bir durumun değiştiğine dair bir bilgi bulunmadıkça söz konusu durumun devam ettiğine hükmetmek" demektir.

Aralarında nikâh bağı bulunanların boşandıklarına dair bir bilgi bulunmadıkça evli olduklarına, abdestli olduğu bilinen birinin abdestinin bozulduğuna dair bir bilgi bulunmadıkça abdestli bulunduğuna, borçlu olduğu iddia edilen birinin borçlu olduğunu iddia sahibi ispat etmedikçe borçsuz olduğuna hükmetmek gibi. Örneklerde de görüldüğü gibi istishâb, yeni bir hüküm koymaz, meseleyi var olan duruma göre sonuçlandırmada akli bir yöntem olarak kullanılır.

İstishâbın Kullanım Esasları

İstishâb üç kısımda ele alınmaktadır:

**1. İbâha-i Asliyye İstishâbı:** "Eşyada aslolan ibâhadır, ırz ve namusu ilgilendiren hususlarda haramlıktır."[324] kuralı gereğince hakkında şeri bir hüküm bulunmayan konularda

321 Tâhâ suresi, 20:14.
322 Müslim, "Mesâcid", 309; İbn Mâce, "Salât", 10.
323 Şuarâ suresi, 26:155-159; Kamer suresi, 54:28-31.
324 Süyûtî, *el-Eşbâh ve'n-nezâir*, Kahire, 1959, s. 60-61; İbn Nüceym, *el-Eşbâh ve'n-nezâir*, Beyrut, 1985, I, 225.

temel hareket noktası helalliktir, yani serbestliktir. Özellikle bitkiler, deniz ürünleri vb. konularda bu ilkeden hareket edilir. Faydalı olduğu tespit edildiğinde bir başka delile ihtiyaç yoktur. Irz ve namusu ilgilendiren konularda ise haramlık esastır. Mesela evlenilmesi yasak olan kimseler ayrıntılı olarak belirlenmiştir. Bunların dışında bir evlilik meşru kılınamaz. Örneğin bu kural gereğince Müslüman bir kadının Ehl-i kitaptan bir erkekle evliliği meşru görülemez. Çünkü bunu meşru kılan bir nas yoktur. Nitekim bu konuda icma vardır.

Öyleyse eşyada helalik esastır (asıl), ancak haramlar istisnadır. Kur'an'da bunlar ana hatlarıyla ifade edilmiştir. Irz ve namusu ilgilendiren hususlarda ise yasaklılık/haramlık esastır, ancak helaller istisnadır. Bunlar da açıklanmıştır.

**2. Aslî Berâet İlkesi:** "Berâet-i zimmet asıldır." kuralı gereğince aksi ispat edilinceye kadar bir insanın suçsuzluğu ve borçsuzluğu esastır. İnsanın doğuştan suçsuz ve borçsuz oluşu masumiyeti için bir karinedir. Buna göre ispat edilemediğinde temiz hâlin devam ettiğine hükmedilir. Suçluluk ve borçluluk sonradan ortaya çıkan arızi bir durum olduğundan delil ile ispatı gerekir.

"Sıfat-ı ârızada aslolan ademdir."[325] kaidesi de konuyla ilgili bir diğer kaidedir. Bu kural gereğince asıl olanın hilafına sonradan olan arızi bir durumun meydana geldiği iddia ediliyorsa bunun ispatı gerekir. Söz gelimi bir kimse avlanmayı bildiğini öne sürerek av köpeğini sattıktan sonra satıcı ile müşteri arasında ihtilaf çıkarsa, bu durumda ispat satıcıya düşer. Satıcı ispat edemez ise müşterinin sözüne itibar edilir. Çünkü öğrenme sonradan kazanılan (arızi) bir durumdur.

Bu sebeple Hz. Peygamber (s.a.v.) "Delil ile ispat iddia edene, yemin ise inkâr edene düşer." buyurmuş,[326] bu

325 *Mecelle,* md. 9.
326 Buhârî, "Rehin", 6; Tirmizî, "Ahkâm", 12; İbn Mâce, "Ahkâm", 7.

kaide *Mecelle*'de, "Beyyine müddeî için ve yemin münkir üzerinedir."[327] şeklinde yer almıştır. *Mecelle*'nin diğer bir maddesi de bunun sebebini açıklamıştır: "Beyyine hilâf-ı zâhiri isbat için ve yemin aslı ibkâ içindir."[328]

Buna göre biri çıkıp da başka biri hakkında bir alacak davası açtığında o kişiden iddiasını ispat etmesi istenir. Çünkü insan borçsuz doğduğu için masumiyet karinesi gereği ilkece borçsuz kabul edilir. Borç sonradan gerçekleşen arızi bir durumdur. Sıfat-ı arızada aslolan ise yokluktur. Onun varlığını, iddia eden kişi ispat etmelidir. İddiasını ispat ederse hakkını alır. Şayet ispat edemez ise davalıya yemin verilir. O da borcunun bulunmadığına dair yemin ederse, bu yemin asıl olan borçsuzluk hâlinin hâlâ geçerli olduğu temel alınır ve dava biter.

Emek-sermaye ortaklığında (mudârebe), sermaye sahibi ile işletmeci arasında kârın yapılıp yapılmadığı konusunda bir ihtilaf ortaya çıkarsa, işletmecinin kâr yaptığını iddia eden sermaye sahibi eğer bunu ispat edemez ise kâr yapmadığını söyleyen işletmecinin sözüne itibar edilir. Çünkü kâr arızidir. Alım-satım esnasında malın kusurlu olduğunu iddia eden bunu ispat etmelidir. Çünkü aslolan malın ayıptan salim oluşudur.

**3. Vasıf İstishâbı:** Sebebinin ortadan kalktığına dair bir bilgi bulunmadıkça ona ait hükmün devam etmesi demektir. Evli oldukları bilinen insanların boşandıklarına dair bilgi bulunmadıkça evliliklerine hükmetmek gibi.

İstishâb, var olanı olduğu gibi bırakma (def') hususunda delildir. Olmayanı var kabul etmek için ise (isbat) delil değildir. Buna göre istishâb ile yeni haklar kazanılmaz, sadece mevcut haklar muhafaza edilir.

327 bk. *Mecelle*, md. 76.
328 bk. *Mecelle*, md. 77.

Yukarıda yer alanlar dışında, "Bir şeyin bulunduğu hâl üzere kalması asıldır."[329] "Şek ile yakîn zâil olmaz."[330] şeklindeki *Mecelle* kaidelerini de istishâb ile ilgili olarak söz konusu edebiliriz.

329 bk. *Mecelle*, md. 5.
330 bk. *Mecelle*, md. 4.

ALTINCI BÖLÜM

# FIKHIN GELİŞİM DÖNEMLERİ VE ÖZELLİKLERİ

Fıkhın, doğuşundan günümüze kadar geçirdiği evreler çeşitli açılardan kategorize edilmiştir. Bu dönemler ana hatlarıyla tarihî süreçte aldığı şekle ve gelişimine göre şöylece ele alınabilir:

1) Doğuş dönemi: Hz. Peygamber devri

2) Kuruluş dönemi: Sahabe ve tâbiûn asrı

a) Dört halife (Hulefâ-i Râşidîn) dönemi

b) Dört halifeden sonra yaşamış sahâbîler ile tâbiûn (Emevîler) devri

3) Olgunluk ve kemal dönemi: Mezheplerin oluşum dönemi

4) İstikrar (tahrîc-taklit) dönemi: 4. (10.) yüzyılın ikinci yarısından sanayi devrimine kadar geçen süre

5) Sanayi devriminden günümüze kadarki dönem

6) Günümüzde İslam hukuku.[331]

---

331 6. ve 7. bölümün yazımında büyük ölçüde şu çalışmalardan yararlanılmıştır: İbn Kayyim el-Cevziyye, *İlâmü'l-muvakkıîn*, I, 11 vd.; Muhammed b. Hasan Hacvî, *el-Fikrü's-sâmî fi târîhi'l-fıkhi'l-İslâmi*, Medine, 1976, I, 20 vd.; Muhammed Yusuf Mûsâ, *Ebû Hanîfe*, 19 vd.; Mustafa Ahmed Zerkâ, *el-Fetâvâ*, Dımaşk, 1999, I, 146-210; Ebû Zehre, *el-Milkiyye*, s. 5-44; Bedran, Ebülayneyn Bedrân, *Târîhu'l-fikhi'l-İslâmî*, Beyrut, 1968, s. 35-115; A. Ahmed Ebû Süleyman, *İslamın Uluslararası İlişkiler Kuramı* (çev. Fehmi Koru), İstanbul, 1985, s. 20 vd.; Muhammed Hudarî Bek, *Târîhut-teşrîi'l-İslâmî*, Beyrut, 1983, s. 9 vd.; Hayreddin Karaman, *İslam Hukuk Tarihi*, İstanbul, 1989, s. 55 vd.; N. C. Coulson, *Fî Târîhi'l-fıkhi'l-İslâmî* (çev. M. A. Serrâc-H. M. eş-Şâfi'î), Beyrut, 1992, s. 27 vd.; Abdülkerim Zeydan, *el-Medhal li-dirâseti'ş-şerî'ati'l-İslâmiyye*, Bağdat, 1969, s. 91-129; Saffet Köse, "İslam Hukukunun Tarihsel Dönemleri", *İslam Hukuku El Kitabı* (ed. Talip Türcan), Ankara, 2012; a.mlf., *İslam Hukukuna Giriş*, İstanbul, 2016, s. 140 vd.

# DOĞUŞ DÖNEMİ: HZ. PEYGAMBER DEVRİ

Fıkhın Oluşumu: Mekke ve Medine Dönemleri

Fıkhın ilk devri Hz. Peygamber'in risâlet görevini yerine getirdiği süreçtir. Genel olarak söylemek gerekirse Hz. Peygamber dönemi, temel özellik itibarıyla vahyin belirleyici olduğu 22 yıl 2 ay 22 günlük müddeti ifade eder. Bu dönem, sonraki devirlerin temel referans noktasıdır. Mekke ve Medine dönemi olmak üzere iki aşaması vardır. İlk vahyin alındığı 610 yılından Medine'ye hicretin gerçekleştiği tarihe kadar geçen on üç yıllık Mekke devrinde, imanla birlikte ahlaki ilkelerin içselleştirilmesi faaliyetlerine ağırlık verildiği görülmektedir. Hicretten sonraki yaklaşık on yıllık Medine devrinde ise bu ahlak temeli üzerine fıkhî hükümlerin konulduğu ve hukukun oluşturulduğu dikkati çekmektedir. Böyle bir sürecin izlenmesinin sosyolojik gerçeklikle yakından ilgisi vardır. Çünkü ahlakı oluşturulmamış kuralın kalıcılığı ve işlevselliği zayıftır. Eğer ahlakın arka planında din yok ise ahlak da müeyyideden yoksun demektir.

Hz. Peygamber'in Medine'de geçirdiği yaklaşık on yıllık süre içerisinde (622-632) fıkhın temel ilkelerinin yanı sıra ayrıntılı hükümler de belirlenmişti. Temel ilkeler, İslam'ın evrensel ve süreklilik özelliğinin zaruri sonucudur. Genel çerçeveyi çizen bu prensiplerin içtihat yoluyla işletilmesi sonucu bütün zamanlar ve mekânların ihtiyaçlarını karşılamak mümkündür. Bu sebeple Kur'an hükümlerinin ana karakterini, bu tür ilkelerin kolaylıkla elde edilebileceği ayetler oluşturur. Hz. Peygamber'in hadislerinde de bu özelliği görmek mümkündür.

Fıkhın ana kaynağını oluşturan Kur'ân-ı Kerîm'de ayrıntı sayılabilecek hükümlerin sayısı azdır. Bu hükümlerin ana karakteri kendilerindeki maslahatın sabit oluşu sebebiyle zaman ve mekâna göre değişmez özellik arz etmesidir.

Nübüvvet Döneminde Fıkhın Özellikleri

Nübüvvet döneminde fıkhın beş temel özelliğinden bahsedilmektedir. Bunlar, fıkhî hükümlerin yaşanan gerçek olaylar üzerinden oluşması, ihtilafın bulunmayışı, tedriç, kolaylık, -kabul edenlere göre- *nesih* ve hükümlerin tek kaynağının vahiy oluşudur. Bunları şöyle izah edebiliriz:

## Fıkhî Hükümlerin Yaşanan Gerçek Olaylar Üzerinden Oluşması

Sonraki dönemlerde özellikle Kûfe Re'y Okulu'nun, öğrencilerde meleke oluşturmak amacıyla sıkça başvurduğu farazi olaylar üzerinden fıkhî bilgi üretme yöntemi, Hz. Peygamber döneminde tabii olarak bulunmuyordu. Hükmü, bir olay veya sorulan soru üzerine nazil olan ayetler ya da varid olan hadisler belirliyordu. Kur'ân-ı Kerîm'de *"sana soruyorlar"*[332] *"senden fetva istiyorlar"*[333] ifadelerinde bunu görmek mümkündür.

Hz. Peygamber'in, kendisine sorulan bazı sorularda o günkü teamüllere veya uygulamalara göre verdiği cevaplardan tatmin olmayan bazı sahâbîlerin ısrarları karşısında nazil olan ayetlerin belirlediği hükümler mevcut[334] olduğu gibi, onun bazı davranış[335] ve hükümleri[336] ile ilgili ilahî vahyin müdahalesi de söz konusuydu.

Hz. Peygamber'in uygulamaları, karşılaştığı bir olaya dair sözü ya da onayı (takrîr) da hükümlerin belirlenmesinde etkili olmuştur. Literatürde buna sünnet denilir ki fıkhın Kur'an'dan sonraki ikinci kaynağıdır. Hz. Peygamber'in

332 Mesela bk. Bakara suresi, 2:189, 215, 217, 219; Mâide suresi, 5:4.
333 Nisâ suresi, 4:127, 176.
334 Nûr suresi, 24:6-10; Mücâdele suresi, 58:1-4.
335 Abese suresi, 80:1-10.
336 Enfâl suresi, 8:67.

onayının hükme kaynaklık teşkil etmesi onun peygamberlik görevinin tabii sonucudur. Çünkü Hz. Peygamber gördüğü hataları düzeltmekle yükümlü olup onun görüp de ikaz veya itiraz etmediği eylemler onun tarafından kabul edilmesi anlamına geliyordu.

Vahyin Bir Parçası Olarak Sünnet

Sünnetin vahyin bir parçası olduğuna Kur'ân-ı Kerîm'de işaret edilmiştir. Allah'a ve Resulü'ne itaati emreden ayetler;[337] Allah ve Resulü'nün belirlediği bir hüküm konusunda mümin erkek ve kadınların bir başka seçeneğinin bulunmadığını beyan eden ayet;[338] Hz. Peygamber'in emrine muhalefet etmekten sakınılmasını isteyen ayet;[339] yine onun kendi arzusu doğrultusunda değil, kendisine vahyedilenleri konuştuğunu bildiren ayet[340] bu konuda delildir. Hz. Peygamber'in söz ve eylemlerine, nazil olan bir ayetin müdahale etmemesi, o davranışın Allah Teâlâ tarafından da tasvip edildiği anlamına gelmektedir.

Sahabenin yapmış olduğu içtihatlar da netice itibarıyla Hz. Peygamber'in onayı ile geçerlilik kazandığı için sünnet çerçevesinde telakki edilmektedir. Bu sebeple onların bu dönemdeki uygulama ve içtihatları fıkhî hükümlerin kaynakları arasında yer almaktadır.

## İhtilafın Bulunmayışı

Bu dönemde hükümlerin tek belirleyicisi nazil olan ayetler ve bizzat Hz. Peygamber'dir. Onların açıkça belirlediği hükümlere bir başkasının itirazı veya muhalefeti söz konusu olamayacağı için[341] herhangi bir ihtilaftan söz etmek

337 Âl-i İmrân suresi, 3:32; Nisâ suresi, 4:59, 80; Enfâl suresi, 8:20; Nûr suresi, 24:54; Muhammed suresi, 47:33; Haşr suresi, 59:7.
338 Ahzâb suresi, 33:36.
339 Nûr suresi, 24:63.
340 Necm suresi, 53:3-4.
341 Ahzâb suresi, 33:36.

mümkün değildir. Sahabenin kendi aralarındaki ihtilaflarında ya da Hz. Peygamber'in, Kur'ân-ı Kerîm'in emriyle sıkça başvurduğu istişarelerde[342] ortaya çıkan görüş ayrılıklarında nihai sözü yine Hz. Peygamber söylediği için bu dönemde ihtilaf görülmemektedir.

## Hükümlerin Zamana Yayılması: Tedriç

Kur'ân-ı Kerîm, birey veya toplumun bağımlılık kazandığı olumsuz bazı alışkanlıkları radikal bir kararla bir anda terk etmenin fiilî imkânsızlığından ötürü, bir başka ifade ile ferdî veya toplumsal zaruretlerden dolayı *tedriç* yöntemini benimsemiştir. Bağımlılık sebebiyle bünyenin bir anda kendisinden kopmaya izin vermediği bireysel ve toplumsal alışkanlıklardan kurtulmanın yolu olarak tedriç, yani "tedaviyi ya da nihai çözümü zamana yayma prensibi" benimsenmiştir. Esasen bu tabii bir kuraldır da. Çünkü bağımlılık yapacak düzeye gelmiş alışkanlıkları bir anda terk etmeye çalışmak bütün dengeleri altüst ederek bünyeyi çökertecek bir sonuç verebilir. Söz gelimi uyuşturucu bağımlısı hâline gelmiş ve bundan kurtulmaya karar vermiş birinin tedavisine başlandığında, nasıl bir anda bağımlıdan uyuşturucu kesilemiyor ve hekim onu kontrollü biçimde azaltarak bizzat kendisi hastaya veriyor; bünye ondan bağımsız yaşamaya uygun hâle geldiğinde ise artık uyuşturucu vermeyi bırakıyorsa toplumsal bağımlılıklar için de benzer yöntemin uygulanması gerektiğini söyleyebiliriz. Bu konuda biri bireysel, diğeri toplumsal bağımlılık olmak üzere iki örnek zikredeceğiz. Birincisi içki, ikincisi de faizdir. Peşinden hem bireysel hem toplumsal yönü bulunan kölelik meselesine değineceğiz.

342 bk. Âl-i İmrân suresi, 3:159; Şûrâ suresi, 42:38.

İçkinin Tedricî Olarak Yasaklanması

İslam öncesi Arap toplumunun iyice müptela olduğu içki, İslam'ın gelişiyle birlikte dört aşamada yasaklanmıştır. İlk adım Mekke'de, *"Hurma ve üzüm gibi meyvelerden hem içki hem de güzel gıdalar elde edinirsiniz. İşte bunda aklını kullanan kimseler için büyük ibret vardır."*[343] ayetiyle atılmıştır. Burada güzel rızıktan ayrı zikredilmek suretiyle içkinin hoş bir şey olmadığı ima edilmiş, özellikle ayetin son kısmıyla bunun üzerinde düşünülmesi gerektiğine dikkat çekilmiştir.

Alkolün fayda ve zararını mukayese eden ikinci ayet Medine'de gelmiştir: *"Sana şarap ve kumarı soruyorlar. De ki: İkisinde de büyük günah ve insanlar için birtakım faydalar vardır. Ancak her ikisinin de günahı faydasından daha büyüktür."*[344]

Müfessirlerin çoğunluğu bu ayetin şarapla ilgili açık bir yasak getirmediği, muhatapları böyle bir yasağa zihnen hazırladığı görüşündedir. Bu ayetin nüzulünden sonra bazı sahâbîler içkiden sakınmaya başlamış; ancak ayette içki açık bir biçimde yasaklanmadığı için birçok Müslüman içmeye devam etmiştir. Şu hâlde tüm zihinlerin tam bir kanaate sahip olabilmeleri için daha açık bir hükme ihtiyaç vardı.

Üçüncü merhalede bazı sahâbîlerin içkili iken namaza durmaları ve imamın kıraatte bazı ayetleri birbirine karıştırması üzerine: *"Sarhoşken namaza yaklaşmayın."*[345] ayeti nazil olmuş; bunun üzerine sahâbîlerin bir kısmı içkiyi terk etmişlerdir.

Namazın düzenli olarak beş vakitte kılındığı ve dinin en önemli vazifelerinden biri olduğu dikkate alınırsa artık içkinin yasaklanmasının nefs için ağır gelmeyeceği bir ortamın oluştuğu söylenebilir. Böylece toptan ve ani bir

343 Nahl suresi, 16:67.
344 Bakara suresi, 2:219.
345 Nisâ suresi, 4:43

yasaklamayla psikolojik direnç noktaları bertaraf edilmiş, ekonomik anlamda da içki ticaretinin durmasıyla çıkabilecek ani kriz önlenmiş oluyordu.

İçki sebebiyle sahabe arasında bazı olayların yaşanması, üstelik gerekli psiko-sosyal şartların olgunlaşmasıyla içkiyi kesin olarak yasaklayan şu ayetler gelmiştir:

*"Ey İnananlar! İçki, kumar, putlar (dikili taşlar), fal ve şans okları şeytan işi pisliktir, bunlardan uzak durun ki kurtuluşa eresiniz. Şeytan, içki ve kumar yoluyla aranıza düşmanlık ve kin sokmak ister ve sizi Allah'ı anmaktan ve namazdan alıkoymak ister. Artık vazgeçtiniz değil mi?"*[346]

Bu ayetlerle içki kesin olarak yasaklanırken, aynı zamanda bu yasağın dayandığı gerekçeler de açıkça ifade edilmiştir.[347] Söz konusu ayetlerin nüzulüyle bütün sahâbîler içkiyi terk etmişlerdir.

Faizin Tedricî Olarak Yasaklanması

İçkinin yasaklanmasıyla bireysel bağımlılık tedavi edildiği gibi, faizin yasaklanmasıyla da toplumsal ve ekonomik bağımlılık tedavi edilmiştir. Burada da söz konusu tedriç yönteminin uygulandığını söylemek mümkündür. Konu ile ilgili Mekke'de nazil olan *"İnsanların mallarında artış olsun diye verdiğiniz herhangi bir faiz Allah katında artmaz. Allah'ın rızasını isteyerek verdiğiniz zekâta gelince, bunu yapanlar (bereketini ve sevabını) kat kat arttıranlardır."*[348] şeklindeki ilk ayette, faizi yasaklayan bir hüküm bulunmamakla birlikte, Allah'ın faizi sevmediği ve onun malın bereketine herhangi bir katkısının bulunmadığı ifade edilerek Müslümanlar zihnen faiz yasağına hazırlanmıştır.

İkinci merhalede, Medine döneminde, kendilerine haram kılınan faizi yiyen Yahudilerin Allah'ın lanet ve gazabına uğradıklarını anlatan şu ayet gelmiştir:

346 Mâide suresi, 5:90-91.
347 Saffet Köse, "Kur'âna Göre Mes'ûliyet", s. 129-135.
348 Rûm suresi, 30:39.

*"Yahudilerin zulmü sebebiyle, bir de birçok kimseyi Allah yolundan çevirmeleri, menedildikleri hâlde faizi almaları ve haksız yollar ile insanların mallarını yemeleri yüzünden kendilerine (daha önce) helal kılınmış olan temiz ve iyi şeyleri onlara haram kıldık; ve içlerinden inkara sapanlara acı bir azap hazırladık."*[349]

Bu ayette de faizin yasaklandığına dair bir hüküm bulunmamakla birlikte, tıpkı içkinin yasaklanışının ikinci merhalesinde gördüğümüz gibi ima ile faizli muamelelerin Müslümanlara yakışmadığına işaret edilmiştir. Çünkü burada önceki kavimlerin başından geçenler anlatılarak sonrakilerin ibret alması sağlanmaya çalışılmıştır.

Üçüncü merhalede Arap toplumunda yaygın olan ve vadesinde ödenmeyen borçlara uygulanan tefecilikten vazgeçilmesi istenen şu ayet nazil oldu:

*"Ey İnananlar! Kat kat arttırılmış olarak faiz yemeyin. Allah'tan sakının ki kurtuluşa eresiniz."*[350]

Bu ayet faizin asıl borcu geçtiği ve borçlunun hiçbir zaman ödeyemeyeceği –ki Roma'da bu durumdaki borçlu alacaklısının kölesi hâline geliyordu– faizin en büyük çeşidini yasaklıyordu. Söz konusu aşamalar neticesinde Müslümanlar faizin yasaklanması uygulamasına hazır hâle gelmişlerdi. Son olarak faizin kesin bir biçimde yasaklandığını bildiren şu ayetler nazil oldu:

*"Ey İman edenler! Allah'tan korkun. Eğer gerçekten inanıyorsanız mevcut faiz alacaklarınızı terk edin. Şayet faiz hakkında söylenenleri yapmazsanız, Allah ve Resulü tarafından faizcilere karşı açılan savaştan haberiniz olsun. Eğer tevbe edip vazgeçerseniz anaparanız sizindir, ne haksızlık etmiş ne de haksızlığa uğrayanlardan olursunuz."*[351]

349 Nisâ suresi, 4:160-161.
350 Âl-i İmrân suresi, 3:130.
351 Bakara suresi, 2:278-279.

Bu ayetlerle faiz, dördüncü merhalede, içkinin yasaklanma sürecindeki yöntemle kesin olarak kaldırılmış oldu.[352]

Köleliğin Tedricî Olarak Kaldırılması

Kölelik ve cariyelik ile ilgili düzenlemelere de aynı açıdan bakılabilir. Tarihî bakımdan bu kurumları İslam'ın oluşturmadığı ve onu ciddi bir problem olarak kucağında bulduğu tartışma konusu yapılamayacak kadar açıktır. İslam öncelikle insanın sırf insan olması sebebiyle saygıdeğer bir varlık olduğunu belirlemiş[353] ve bunun tabii sonucu olarak fıkhî açıdan insanda asıl olanın hürriyet olduğunu ilke olarak benimsemiştir.[354] Bununla beraber İslam bir anda köleliğin kaldırılması cihetine de gitmemiştir. Çünkü o günkü psikolojik, siyasi, sosyal ve ekonomik şartlar buna imkân vermemiştir. Her şeyden önce kölelerin psikolojik anlamda hür bir hayata hazır hâle getirilmesi belirli bir süreci gerektiriyordu. Zira ruhunun derinliklerinde kölelik duyguları kök salmış olan bu insanların, aniden kitleler hâlinde azat edilerek günlük hayatın yükü ile baş başa bırakılmaları durumunda onların toplum için daha büyük bir problem hâline gelmeleri kaçınılmazdı. Nitekim yakın zamanlarda bunun bir örneği yaşanmıştır. ABD'nin 16. Cumhurbaşkanı Abraham Lincoln (1809-1865) döneminde çıkarılan kanundan sonra, özgürlüğüne kavuşan köleler efendilerinin yanına dönerek köle kalmayı tercih etmişlerdir.[355]

Ayrıca o dönemin şartları içerisinde köleliğin toplumsal hayat içerisindeki rolünü de göz ardı etmemek gerekir. Kaldı ki İslam'ın o dönemde köleliği tek taraflı olarak kaldırmasının kendi aleyhine birtakım sonuçlar doğurması da kuvvetle muhtemeldi. Çünkü gayrimüslim devletler ele ge-

352 M. Ali es-Sâbûnî, *Ahkâmü'l-Kur'ân*, I, 390-391; Özsoy, İsmail, "Faiz", *DİA*, XII, 112-113.
353 İsrâ suresi, 17:70
354 Mevsılî, *el-İhtiyâr*, III, 29; IV, 134.
355 Muhammed Kutub, *İslâm'ın Etrafındaki Şüpheler* (çev. Ali Özek), İstanbul, 1969, s. 61.

çirdikleri Müslüman esirleri köleleştirirlerken İslam devletinin elindeki esirleri serbest bırakması onu zayıflatabilirdi. Bunun yanı sıra esirlerin öldürülme yerine kölelik statüsüyle hayatta kalabilmeleri (hem esir değişimi sebebiyle hem de savaş sonrası kendilerinin becerilerinden istifade edilme düşüncesiyle) belirli ölçüde köleliğin devamına bağlı bulunuyordu.[356] Bu tür sebepler köleliğin çok kısa bir sürede kaldırılmasını engellemiş ve meselenin zaman içinde halli yoluna gidilmiştir.

Bu çerçevede İslam, öncelikle köle ve cariyelerin eşya olarak görülmesine karşı çıkmış ve onları belirli haklarla donatmış,[357] hürlere göre yükümlülüklerini hafifletmiş,[358] insanlık dışı muameleye maruz kalmalarına müsamaha göstermemiş,[359] onları psikolojik olarak hayata hazırlamış, peşinden kefaretlerle ya da nafile ibadet telakkisiyle köleleri hürriyetine kavuşturmaya teşvik etmiş,[360] hatta devletin gelirlerinin bir kısmını köle azadına ayırmıştır.[361] Toplumsal ve psikolojik şartların getirdiği zorunluluklar dikkate alınmaksızın doğrudan doğruya ani bir biçimde köleliğin kaldırılması cihetine gidilmesi eşi görülmemiş sosyal bir krizin patlak vermesi sonucunu doğurabilirdi.

Kur'an'ın Tedricen Nüzulü

Öyleyse bireysel ya da toplumsal düzeyde bağımlılık hâline gelmiş birtakım sorunları aniden ve toptan kaldırmanın

356 bk. M. Akif Aydın–Muhammed Hamîdullah, "Köle", *DİA*, XXVI, 238.

357 Mesela efendisiyle sözleşme yaparak belirli bir meblağı ödemesi hâlinde hürriyetine kavuşabilmesi (Nûr suresi, 24:33); Köle ve cariyelerle evliliğin teşvik edilmesi (Bakara suresi, 2:221; Nisâ suresi, 4:25); efendisinden çocuğu olan cariyenin onun ölümünden sonra doğrudan doğruya hürriyetine kavuşması (bk. "Köle", *DİA*, XXVI, 239) burada zikredilebilir.

358 Mesela prensip olarak köleye, hür birine uygulanan cezadan daha hafifi verilir (bk. Nisâ suresi, 4:25; Nûr suresi, 24:4).

359 Nisâ suresi, 4:36; Buhârî, "Îmân", 22; Müslim, "Eymân", 29-42; Ahmed b. Hanbel, *el-Müsned*, I, 78; IV, 35-36; M. Akif Aydın–Muhammed Hamîdullah, "Köle", *DİA*, XXVI, 239.

360 Nisâ suresi, 4:92, Mâide suresi, 5:89, Mücâdele suresi, 58:3, Beled suresi, 90:13.

361 Tevbe suresi, 9:60.

eşyanın tabiatına aykırı olduğunu söyleyebiliriz. Öncelikle amaçlanan hedef konusunda ikna olma ve bilinçlenme, peşinden içselleştirme ve olgunlaşma, son noktada da yaşam biçimi olarak benimseme ve süreklilik kazanmak için Kur'an âdeta yeniden nazil oluyormuş gibi böyle bir sürecin işletilebileceğine ve siyaset olarak benzer şartların oluşması hâlinde aynı hedeflere ulaşabilmek için benzer merhalelere göre hareket etmenin Kur'an'ın ruhuna uygun düşeceğini söylemek mümkündür. İşte bu sebeple Kur'an inkârcıların *"Kur'an O'na toptan bir defada indirilseydi ya!"*[362] şeklindeki itirazına, *"Biz onu senin kalbine iyice yerleştirmek için böyle yapıyoruz."*[363] demiş; bir başka ayette de *"Onu insanlara öğretmen için ağır merhaleler hâlinde parça parça indirdik."*[364] şeklinde bireysel ve toplumsal hayatın doğasına uygun bir cevap vermiştir. Kur'an'ın Hz. Peygamber'in kalbine onu insanlara öğretmesi için tedricen indirilmiş olmasına yapılan bu vurgu, bilinçlendirme ve belirli bir yaşam biçimini kazandırma amacına yönelik toplumsal dönüşümün zamana yayılan planlı bir süreçle gerçekleşmesi gerektiğine işaret etmektedir.[365]

Tedricîlik, sadece söz konusu yasakların tedavisinde değil, aynı zamanda emirler için de uygulanan bir yöntem olmuştur. Mesela namazın kılınması ve zekâtın verilmesi Mekke döneminde daha az ve isteğe bağlı olarak talep edilmiş, insanların söz konusu ibadetleri yapabilirliği göz önünde bulundurularak bugünkü nihai hükümleri belirlenmiştir.

## Zorluğun Kaldırılması

Nübüvvet dönemi devrinin ayırıcı özelliklerinden biri, onun

362 Furkân suresi, 25:32.
363 Furkân suresi, 25:32.
364 İsrâ suresi,17:106.
365 bk. Saffet Köse, "Kur'ân-ı Kerîm'e Göre Mes'ûliyet", s. 129-135.

zorluğun kaldırılması ilkesinin geçerli olduğu bir zaman dilimi oluşudur. Kur'ân-ı Kerîm ve Hz. Peygamber'in öngördüğü "yükümlülüğün güç nispetinde olacağı"[366] ilkesi, meşakkat içinde olanlar[367] ve özürlülere birtakım muafiyetler sağlanması[368] o dönemde temelleri atılan ve İslam'ın bir özelliği olarak belirlenen esaslardır. Hz. Peygamber'in bu yönde gösterdiği gayret iyi bilinmektedir.

Resûlullah'ın ümmetine çok düşkün olduğunu Kur'ân-ı Kerîm haber verir: *"Andolsun size içinizden öyle bir peygamber geldi ki, gayet izzetli ve şereflidir. Sıkıntıya düşmeniz ona çok ağır gelir. O sizin üstünüze titrer, müminlere gayet merhametli ve şefkatlidir."*[369]

Bu ayette ifade edildiği üzere Hz. Peygamber ümmetinin sıkıntıya girmesine razı olmamış, her zaman için onlara kolaylık sağlayacak bir tutumu benimsemiş, dinin kolaylık dini olduğunu bildirmiştir.[370] *"Siz, kolaylık istenen bir ümmetsiniz."*[371] hadisiyle ümmetini sıkıntıya düşürmemeye özen gösterdiğini açıkça dile getirmiş, *"Dininizin en hayırlısı, kolay olanıdır."*[372] hadisiyle de bu gerçeği teyit etmiştir. O, bizzat ümmetine örnek olması açısından tercihine bırakılan iki şeyden kolay olanını seçmiştir.[373] Bütün bunlar Hz. Peygamber'in ümmetine olan merhametinin bir ifadesidir.

#### Dinî Hükümlerde Meşakkatin Değil, Kolaylığın Esas Oluşu

Şu hâlde dinî hükümlerin özellikle meşakkatli olanını tercih etmek, sadece bu yönü sebebiyle bir üstünlük olarak görülmemelidir. Bu anlamda ibadet ve eylemlere değer kazandıran onların işlevselliğidir. Öyleyse zaruret, özür,

366 Bakara suresi, 2:286; Talâk suresi, 65:7.
367 Mâide suresi, 5:6; Hac suresi, 22:78.
368 Nûr suresi, 24:61; Fetih suresi, 48:7.
369 Tevbe suresi, 9:128.
370 Buhârî, "Îmân", 29; Nesâî, "Îmân", 28.
371 Ahmed b. Hanbel, *el-Müsned*, V, 22.
372 Ahmed b. Hanbel, *el-Müsned*, IV, 228; V, 22.
373 Buhârî, "Menâkıb", 27, "Edeb", 809, "Hudûd", 10; Müslim, "Fezâil", 77; Ebû Dâvûd, "Edeb", 4.

ihtiyaç, sıkıntı, ikrah, acziyet ve zaaf durumu gibi fertlerin ve toplumun karşı karşıya kaldığı olağanüstü hâlleri dikkate alıp güçlüğü kaldıracak, bu durumlarda kolaylık sağlayacak, bazı mükellefiyetleri hafifletecek istisnai kaidelerin vazedilmesi, insanların örf ve âdetlerinin dikkate alınarak maslahata riayet edilmesi, bu ilkenin bir gereğidir.

## Hükümlerde Nesih

En genel anlamıyla *nesih,* mevcut bir hükmün yeni bir hükümle kaldırılması demektir. Nesih teorisini kabul edenlere göre böyle bir uygulama sadece nübüvvet dönemine özgüdür.

Neshin amacı ihtiyaca göre maslahat ilkesine riayet, mükelleflerden zorluğu ve meşakkati kaldırma, hükümlerin kademeli olarak vazedilişi geleneğine uymak şeklinde belirlenmiştir.[374] Bu konuda Hz. Peygamber'in kurban etlerinin saklanmasını ve kabir ziyaretlerini önce yasaklaması, ardından da buna izin vermesi nesih konusunda zikredilen örneklerdendir. O, Medine'ye gelen misafirlere ikram edilmesi amacıyla kurban etlerinin biriktirilmemesini istemiş, böyle bir sıkıntı ortadan kalkınca da buna izin vermiştir.[375] İnsanların kabirlere gidip ölüleri sayması çoklukla övünen kabilecilik anlayışını devam ettirme alışkanlığı (Tekâsür suresi, 102:1-2) anlamına geldiği için Hz. Peygamber, kabir ziyaretlerini yasaklamış; daha sonra söz konusu tehlike ortadan kalkınca buna izin vermiştir.

Hz. Peygamber dönemi, fıkhın kaynaklarının oluştuğu bir dönemdir. Hz. Peygamber en son veda hutbesinde ümmetine Kur'an ve sünnete sımsıkı sarılmalarını vasiyet etmiş, böylece fıkhın ana kaynaklarını bir kez daha vurgulamıştır.[376]

374 Zeydan, *el-Medhal li-dirâseti'ş-şerî'ati'l-İslâmiyye*, 95.
375 Müslim, "Cenâiz", 106.
376 Mâlik, *el-Muvatta*, "Kader", 3; Tirmizî, "Menâkıb", 31; Ahmed b. Hanbel, *el-Müsned*, I, 51; III, 59.

# KURULUŞ DÖNEMİ: SAHABE VE TÂBİÛN ASRI

Son Sahâbî: Ebu't-Tufeyl

Sahabe, Hz. Peygamber'in sohbetine katılan arkadaşlarını ifade eden bir kavramdır. Fıkıh tarihi açısından bakıldığında sahabe dönemi Hz. Peygamber'in ahirete irtihal edip Hz. Ebû Bekir (r.a.)'ın halife oluşuyla başlayan süreci ifade eder. Kronolojik olarak bu süre en son vefat eden sahâbî Ebu't-Tufeyl (ö. 100/718) ile son bulur. Tâbiûn dönemi ise sahabeyi Müslüman olarak gören ve iman üzere ölen ikinci nesildir. Bu nesil daha çok Emevîler döneminde yaşamıştır.

İslam hukukunun bu dönemini yasama faaliyetleri ve özellikleri itibariyle iki merhalede ele almak gerekir. Birincisi dört halife (Hulefâ-i Râşidîn) dönemidir. Bu devir, Hz. Peygamber'in vefatından 41 (661) yılına kadar geçen süreyi, ikincisi de dört halifeden sonra yaşamış sahâbîler ile tâbiûn dönemini (Emevîler) içine alır.

Sahabe Döneminin Özelliği

Sahabe döneminin fıkıh açısından hususiyeti bu seçkin topluluğun vahyin nüzulüne şahit olmaları, yaşanan olayların sebeplerini bilmeleri, Hz. Peygamber'in yaşantısını bire bir gözlemlemeleri ve onun olaylar karşısındaki tavrını tespit edebilmek için büyük çaba sarf etmeleridir. Bir başka ifadeyle vahyin ilk muhatapları olmaları ve Hz. Peygamber'in okulunda yetişerek onun eğitimini almaları kendilerine ayrıcalık kazandıran hususlardır. Bu noktadan bakıldığında sahâbîlerin olaylar karşısında ürettiği çözümler kadar sonuca giderken uyguladıkları yöntemler, esas aldıkları ilkeler de sonraki devirler için belirleyicilik özelliği taşımıştır. Dolayısıyla hüküm istinbat metotlarının yanı sıra içtihada açık konularda ürettikleri hükümler bakımından da sahabe devri, sonraki dönemler için fıkhın kaynaklarından birisini oluşturmuştur.

İslam Coğrafyasının Genişlemesinin Fıkhın Gelişimi Üzerindeki Etkisi

Sahabenin fıkhı dinamik olarak işletmelerinin önemli sebepleri vardı. Çünkü Hz. Peygamber sadece Arap yarımadasında yaşadı, muhatapları da genellikle âdetleri ve kültürleri birbirine benzeyen insanlardı. Sahabe ve tâbiûn döneminde ise Müslüman topraklarına Doğu'dan ve Batı'dan birçok yeni unsur katılarak İslam coğrafyası genişledi. Kuzey Afrika, Mısır ve Şam bölgesi fethedildi, Sâsânî ülkesi (İran) ve Bizans topraklarının büyük bir kısmı Müslümanların egemenliğine geçti. Böylece meseleler çeşitlendi ve farklı kültürlerle karşılaşma sonucu ya da onlardan bir kısmının Müslüman olmasıyla daha önce karşılaşılmayan problemler doğdu. Zira her toplumun kendine özgü geleneği, inancı, hukuku, kültürü ve hayat tarzı bulunuyordu.

İslam toplumunun çeşitlenmesi hiç şüphesiz fıkhın gelişiminde itici gücü oluşturan hususlardan biriydi. Çünkü bu toplulukların yaşantılarından kaynaklanan yeni problemlerin çözümü gerekiyordu. Bu sebeple içtihat kaçınılmaz oldu. Zira hiçbir problem, çözümsüzlüğü kabul etmez. Bir devlet de ancak kendi yasalarına uygun çözümler üretebilirse anlam kazanır. Aksi takdirde bireylerin kendi tutumlarına bağlı çözümler karmaşa, düzensizlik ve istikrarsızlık getirecek, bu ise devletin varlık sebebiyle, egemenlik haklarıyla örtüşmeyecektir. İşte bu dinamik yapı, söz konusu dönemde fıkha büyük bir zenginlik kazandırmıştır.

Müslümanların farklı kültürler karşısındaki tavrı, Hz. Peygamber döneminde belirginleşmişti. İslam, câhiliye dönemi uygulamalarının tamamını ortadan kaldırıp yeni bir dünya inşa etmiş değildi. Daha önce ifade edildiği üzere İslam bu noktada ilga, ibkâ ve tashih/tadil şeklinde üç tutum takınmıştır. Sahabe de aynı şekilde hareket etmiş ve farklı kültürlerin İslam'a katılması bu açıdan da bir zenginlik sağlamıştır. Hz. Ömer'in Sâsânîlerin vergi sistemini inceleyip İslami sisteme uyarlayarak yürürlüğe koyması bu konuda örnek olarak zikredilebilir. Şimdi fıkhın bu dönemdeki sürecine bakabiliriz.

## Dört Halife (Hulefâ-i Râşidîn) Dönemi

Bu dönemde fıkhî hükümler, öncelikle iki temel kaynaktan aranıyordu. Hiyerarşik olarak önce Kur'an'a başvuruluyor, onda açık bir hüküm bulunamadığında Resûlullah'ın sünnetine müracaat ediliyordu. Onda da açık bir hüküm tespit edilemez ise fıkhın temel ilkeleri ve genel amaçları doğrultusunda (makâsıdü'ş-şerî'a) re'y içtihadına göre çözüm üretiliyordu. Bu yöntem, Hz. Peygamber'in onayına dayanıyordu. Çünkü Hz. Peygamber, Muaz b. Cebel'i Yemen'e kadı veya idareci olarak tayin ettiğinde ona nasıl hükmedeceğini sormuş; onun daha önce de bahsedilen sıralama doğrultusunda verdiği cevaptan çok memnun kalarak *"Peygamberinin elçisini muvaffak kılan Allah'a hamdolsun."* demiştir.[377]

Şûrâ Yöntemi

Hz. Ebû Bekir ve Hz. Ömer özellikle toplumu ilgilendiren önemli kararlar öncesinde Kur'an'ın ısrarla istediği (Âl-i İmrân suresi, 3:159; Şûrâ suresi, 42:38) ve Hz. Peygamber'in de çok sık bir şekilde tatbik ettiği istişare sonucu hükümleri belirlemişlerdir. Şûra heyetinden ittifakla çıkan kararlara uymuşlar, ihtilaf durumunda ise en uygun gördükleri hükmü uygulamışlardır. Fethedilen Irak toprakları konusunda Hz. Ömer'in fakih sahâbîlerle günlerce istişare ederek vardığı sonuç meşhurdur.[378] Hatta Halife Ömer, herhangi bir sorunla karşılaştığında onu çözebilmek için oluşturduğu istişare heyetinin Medine dışına çıkışını da sınırlandırmıştır.

Burada re'yden maksat daha önce de ifade edildiği üzere naslardan bağımsız olarak ortaya çıkan fikirler değil,

377 Ebû Dâvûd, "Akdiye", 11; Tirmizi, "Ahkâm", 3.
378 Saffet Köse, "Hz. Ömer'in Bazı Uygulamaları Bağlamında Ahkâmın Değişmesi Tartışmalarına Bir Bakış", *İslam Hukuku Araştırmaları Dergisi* [*İHAD*], sy. 7, Konya, 2006, s. 35-43.

fıkhın temel ilkeleri ve *makasıdü'ş-şerî'a* bağlamında elde edilen bilimsel görüştür. Bu çerçevede re'yin hareket noktaları arasında kıyas, maslahat ve sedd-i zerâi gibi daha sonraları ferî deliller arasında yer alacak yöntemler ve ilkeler de bulunmaktadır.

İçtihadın Fikrî Bir Çaba Olarak Değerlendirilmesi

Hz. Ebû Bekir ve Hz. Ömer'in içtihadın nas gibi değerlendirilmemesi gerektiğini, her bir içtihadın zihnî-fikrî bir çabanın ürünü olarak hata ihtimali de taşıyan sonuçlar olduğunu kabul etmeleri, onların ulaştıkları kararlardan daha doğrusunu bulduklarında ona göre hareket edeceklerini göstermesi açısından da önemlidir. Mesela Hz. Ebû Bekir'in şöyle dediği nakledilir: "Bu, benim re'yimdir/içtihadımdır. Doğru ise Allah'tan, hatalı ise bendendir ve bunun için de Allah'tan af dilerim."[379] Hz. Ömer de içtihatta bulunduğunda aynı sözü söylemiş ve kâtibini, "Bu Ömer'in re'yidir/içtihadıdır şeklinde yaz." diye uyarmıştır.[380]

Deliller Hiyerarşisi: Kitap-Sünnet-Re'y

Sonuç olarak dört halife döneminde hüküm kaynakları Kitap, sünnet ve re'ydir. Bu husus Hz. Ebû Bekir ve Hz. Ömer'in ifadelerinde ve kadılara yazdıkları mektuplarda da görülmektedir. Hz. Ömer'in Ebû Mûsâ el-Eş'arî ve Kadı Şureyh'a yazdığı mektup meşhurdur. O, bu mektupta yargılama esaslarının yanı sıra olayın hükmünü bulmak üzere başvuracağı kaynaklar hiyerarşisini de zikretmiştir. Bunlar da Kitap, sünnet ve re'ydir.[381]

Sahabenin büyüklerinden dört halifenin olayların naslarla bağlantısını kurarken geliştirdikleri yöntemler de fıkıh usulü açısından önemli referans noktası teşkil eder. Bu bağlamda re'yin bir dayanağı olarak kıyas, maslahat, sedd-i zerâi gibi yöntem ve ilkelerin uygulama örnekleri de görülmüştür. Mesela Hz. Ebû Bekir'in zekât vermeyenlere karşı

379 İbn Kayyim el-Cevziyye, *İlâmu'l-muvakkıîn*, I, 54.
380 İbn Kayyim el-Cevziyye, *İlâmu'l-muvakkıîn*, I, 54.
381 Muhammed Hamidullah, *el-Vesâiku's-siyâsiyye*, Beyrut, 2001, 425-436.

savaş ilan etmesi re'ye dayalı bir uygulama örneğidir. Yine onun hilafeti döneminde, daha önce Hz. Peygamber'in kendilerine verdiği zekât hissesini almaya devam etmek isteyen *müellefe-i kulûb*dan bazılarına zekâtın verilmeyişi hükümlerin illete dayandığının esaslı bir örneğidir. Çünkü müellefe-i kulûb kategorisine dâhil olan kişiler, Müslümanların güçsüz olduğu dönemde şerrinden emin olunmak istenen kişilerdi. Müslümanlar güçlenip bu kişilerin verebileceği bir zarar kalmayınca Hz. Ömer'in re'yiyle bu tahsisat söz konusu insanlardan kesilmiştir. Hükmün illete bina edildiği; illet bulunmadığında ise hükmün de bulunmayacağının en güzel örneklerinden birisi bu uygulamadır.[382]

Hükmün İllete Dayandırılması

Keza Hz. Ömer bir kıtlık yılında suçun unsurları oluşmadığı için başkalarının mallarını çalanlara had cezasını uygulamamıştır.[383] Hâtıb b. Ebû Beltea'nın kölelerini aç bırakması sebebiyle onların bir deveyi çalıp keserek yemelerinden sonra, Halife, köleleri cezalandırmamış ve Hâtıb b. Ebû Beltea'ya o deveyi iki katıyla ödetmiştir.[384]

Hz. Peygamber'in, sahibi tarafından kaybedilmiş develeri bulanların almamaları yönündeki ifadelerine[385] Hz. Ebû Bekir ve Hz. Ömer döneminde aynen uyulmuştur. Ancak insanların ahlaki zaafları sebebiyle malların zayi olacağı ortamın doğması, sonraki iki halifeyi maslahat gereği farklı bir uygulamaya götürmüştür. Bu nedenle Hz. Ali halife olduğunda develerin alınıp satılması ve sahibi geldiğinde parasının kendisine verilmesi yönünde bir uygulama başlatmıştır. Hz. Osman ise paranın develerin yerini tutamayacağını düşünerek develerin alınmaya devam edilmesini, masrafları sahibine ait olmak üzere devlet hazinesinden bakılmasını,

382 Köse, "Hz. Ömer'in Bazı Uygulamaları", s. 15-29.
383 Köse, "Hz. Ömer'in Bazı Uygulamaları", s. 29-35.
384 Muhammed Yusuf Mûsâ, *Ebû Hanîfe*, s. 71-72.
385 Buhârî, "Edeb", 75, "Lukata", 2, 3; Müslim, "Lukata", 2; Ebû Dâvûd, "Lukata", 4.

sahibi geldiğinde de kendisine iade edilmesi yönünde bir uygulamaya gitmiştir.[386] Hz. Ömer *iddet* içinde bir kadınla evlenenlerin ömür boyu onunla evlenmelerini yasaklamıştır.[387] Yine Hz. Ömer'in Kur'an ve sünnette belirlenen prosedüre aykırı olarak aynı anda üç boşamayı şûra heyetiyle istişareden sonra üç sayması ve yürürlüğe koyması maslahata dayalı önemli bir örnektir.[388] Hz. Osman, ölümle sonuçlanan hastalık (maraz-ı mevt) hâlindeki boşamalarda boşanan kadını kocaya mirasçı kılmıştır. Çünkü burada bir yetkinin kötüye kullanıldığını ve bu yolla kadının mirastan mahrum bırakılmak istendiğini görmüştür. Kötü niyeti boşa çıkarma bağlamında maslahata uygun bir hüküm vermiştir.[389] Ecîr-i müşterekin kendileri nezdindeki malların tazmini de bu konuda önemli bir örnektir.[390]

Dört Halife Döneminin Fıkıh Tarihi Açısından Önemi

Sonuç olarak dört halifenin fıkıh tarihi açısından önem taşıyan faaliyetlerinin yaşandığı bu dönemin temel özelliklerini şöylece özetleyebiliriz:

1) Kur'ân-ı Kerîm bir mushafta cemedilmiştir.

2) Hadisler tedvin edilmemiştir.

3) Sahabenin üzerinde icma ettiği hükümler oluşmuştur.

4) Farazi meseleler üzerinde durulmamıştır.

5) Meselelerin şûra ile halledilmesine önem verilmiştir.

6) İhtilaflar azdır.

7) Re'yde serbestlik mevcuttur, taassup yoktur.

8) Fıkıh tedvin edilmemiş, ancak sahabenin fetva ve içtihatları günümüze kadar ulaşmıştır.

---

386 Muhammed Yusuf Mûsâ, *Ebû Hanîfe*, s. 84-86.
387 Muhammed Yusuf Mûsâ, *Ebû Hanîfe*, s. 90-91.
388 Köse, "Hz. Ömer'in Bazı Uygulamaları", 43-49.
389 Köse, *Hakkın Kötüye Kullanılması*, s. 168.
390 Muhammed Yusuf Mûsâ, *Ebû Hanîfe*, s. 91-93.

## Dört Halifeden Sonra Yaşamış Sahâbîler ile Tâbiûn (Emevîler) Dönemi

Bu dönem, Mu'âviye b. Ebî Süfyân'ın hilafet görevine geldiği 41 (661) yılında başlayıp Emevî Devleti'nin yıkılışının biraz öncesine kadar geçen süreyi içine alır.

Bu dönemde de fıkhî faaliyetin sahabenin metodu üzere devam ettiğini söyleyebiliriz. Çünkü bu kuşakta yer alan tâbiîler, fıkhı sahabeden almışlardır. Buna göre hükümlerin kaynağı Kitap, sünnet ve re'y içtihadıdır.

İtikadi Ekollerin Doğuşu

Bu dönemin ayırıcı özelliklerinden biri, büyük siyasi çekişmelerden sonra kurulan Emevî Devleti ile birlikte hilafet tartışmalarının ayrışmalara sebep oluşu, bu doğrultuda Hâricîler, Şî'a ve Ehl-i sünnet gibi farklı itikadi ekollerin doğuşudur. Bunlar siyasal anlamda ümmetin birliğini etkileyen önemli olaylar olduğu kadar, fıkhî hükümlerde de bazı ihtilafların yaşanmasına tesir etmiştir. Bu dönemin fıkıh tarihi bakımından üç ana özelliği vardır:

### 1. Fıkhın Alanın Genişlemesi ve Fıkhî Meselelerde İhtilafın Artması

Tâbiûn Döneminin Fıkıh Tarihi Açısından Önemi

Bu dönemde İslam coğrafyasının sınırlarının genişlemesi sebebiyle meseleler çeşitlenmiş ve yeni olaylar ortaya çıkmıştır. Çünkü farklı bölgelerden Müslüman topluma katılanların âdetleri, kültürleri, yaşantıları farklıydı. Bütün bunlar olayların çeşitlenmesine ve meselelerin çoğalmasına yol açmıştır. İhtilaf sebeplerini şöylece sıralayabiliriz:

a) Sahabe ve tâbiûn fakihleri farklı bölgelere dağılarak oraları yurt edinmişlerdir. Onların bu bölgede yaşayanların kendilerine sordukları soruları bilgi ve birikimlerine göre cevaplandırmaları ihtilaf sebeplerinden birisi olmuştur. Bu fakihlerin, fıkıh ve sünnet malzemesi konusundaki bilgi seviyelerinin, Kur'an ve sünneti anlamadaki maharetlerinin aynı olmayışı içtihat ettikleri ya da fetva verdikleri konularda farklı görüşlerin doğmasına sebep olmuştur.

b) Fukahanın farklı coğrafyalara dağılması o dönemde ittifak ya da görüşlerin birbirlerine yakınlığını sağlayan şûra uygulamasını mümkün kılmamıştır. Üstelik farklı fırkaların oluşması da bunda etkili olmuştur.

c) Örfe bağlı ihtilaflar da bu konuda kayda değerdir. Fukahanın yaşadığı yörelerin örf ve âdetlerinin farklı oluşu sebebiyle örfe bağlı hükümlerde farklılıkların ortaya çıkması tabiidir.

Bölge Fakihlerinin Ortaya Çıkışı

d) Bölge halkı kendi yörelerinde birlikte yaşadıkları fakihlerin içtihatlarına tabi olmuş ve tanımaları sebebiyle onlara itimat etmişlerdir, zorunluluk olmadıkça diğer bölgelerde yaşayan fakihlerin görüşlerine de ihtiyaç hissetmemişlerdir. Bu sebeple her bölgenin bir fakihi ortaya çıkmıştır. Mesela Medineliler daha çok Abdullah b. Ömer, Abdullah b. Abbâs ve onun öğrencileri Mücâhid b. Cebr, Atâ b. Ebî Rabah, Tavûs b. Keysân gibi fakihlere uymuşlardır. Kûfeliler ise daha çok sahabeden Abdullah b. Mes'ûd ve tâbiûndan Alkame b. Kays, Esved b. Yezîd ve İbrahim en-Nehaî'nin görüşlerine tabi olmuşlardır. Basralılar Ebû Mûsâ el-Eş'arî, Enes b. Mâlik ve Muhammed b. Sîrîn'in görüşlerini tercih etmişlerdir. Şamlılar sahabeden Muaz b. Cebel, Ubâde b. Sâmit ve tâbiûndan Ebû İdrîs el-Hûlânî, Ömer b. Abdilazîz vb. âlimlerin görüşlerinin takipçileri olmuşlardır. Mısırlılar da Abdullah b. Amr b. el-Âs'ın görüşlerini esas almışlardır.

### 2. Hadis Rivayetinin Yaygınlaşması

Hz. Peygamber ve sahabe devrinin aksine, bu dönemde hadis rivayeti çoğalmıştır. İslam coğrafyası genişleyince sahabenin buralara dağılması ve halkın, ortaya çıkan meseleleri kendilerine sormaları üzerine onların sünnet malzemesini kullanarak cevap vermeleri hadis rivayetinin yaygınlaşmasını beraberinde getirmiş, sahabenin hadis bilgisinin aynı düzeyde olmaması da hüküm ve fetvada bazı ihtilafları doğurmuştur.

### 3. Mevzû Hadislerin Ortaya Çıkması

Hz. Peygamber'in kendi adına hadis uydurulmasını yasaklaması ve bu tür bir tutum takınanların cehennemlik olduklarını[391] bildirmesine rağmen bazı fırka ve mezhepler, görüşlerinin doğruluğunu ispat için ayetleri kendi düşünceleri doğrultusunda tevil ettikleri gibi özellikle hadislerin tedvin edilmemiş olmasından da yararlanarak hadis uydurma yoluna gitmişlerdir. Bunun yanında kendi ırkını ya da mesleğini üstün göstermek isteyen kişilerin de amaçlarına ulaşabilmek için bu yola başvurdukları görülmüştür. Ancak âlimler, hadislerin tedvin edilmesiyle hadislerin zayıfını ve uydurma olanını sahih olandan ayıracak kriterleri belirlemiş, hadis diye uydurulan sözleri bir bir tespit ederek söz konusu faaliyeti sonuçsuz bırakmışlardır.[392]

### 4. Re'y ve Hadis Ekollerinin Doğması

Sahabe döneminde fıkhî hükümlerin kaynağının Kitap, sünnet ve re'y olduğunu belirtmiştik. Bu dönemde de re'y konusuna ağırlık veren sahâbîler bulunmakla birlikte, re'ye çok az yer veren ve mümkün oldukça bundan uzak duran, daha çok rivayetlerle yetinen fakih sahâbîler de vardı. İslam hukuk tarihçileri Hz. Ömer, Abdullah b. Mes'ûd, Hz. Ali gibi sahâbîleri birinci grupta; Abdullah b. Ömer ve Zeyd b. Sâbit gibi sahâbîleri de ikinci grupta sayarlar. Bu dönemde de fakihler söz konusu iki eğilim etrafında toplanmışi, böylece re'y ve hadis okulu şeklinde iki kurumsal yapı doğmuştur.

---

391 Buhârî, "İlim", 38.
392 bk. M. Yaşar Kandemir, "Mevzu", *DİA*, XXIX, 493-495.

Re'y okulunun merkezi Kûfe, hadis okulunun merkezi ise Medine'dir. Bu sebeple re'y okuluna aynı zamanda Kûfe veya Irak okulu, hadis okuluna da Hicâz okulu denilmektedir. Hadis/Hicâz okulunun imamı zühd, takva ve faziletiyle şöhret bulmuş olan ve aynı zamanda meşhur Medineli yedi fakihten birisi sayılan Sa'îd b. el-Müseyyeb'dir (ö. 94/713). Re'y medresesinin imamı ise İbrahim en-Nehâî'dir (ö. 96/715). Hanefî mezhebi Kûfe ekolü, Mâlikî mezhebi ise Hicâz ekolüyle şöhret bulmuştur.

Kûfe Re'y Okulu
Hicâz Hadis Okulu

Bu iki okul Kur'an ve sünnetin asli delil olduğu konusunda herhangi bir görüş ayrılığına sahip değildir. İhtilaf iki noktada ortaya çıkmaktadır. Birincisi re'ye başvurma, ikincisi de re'ye bağlı olarak çeşitli meselelerin üretimiyle ilgilidir. Şöyle ki; hadis ekolü, karşılaştıkları meselelerde naslar ve onlardan hemen zihne geliveren açık anlamlarıyla yetinen, zaruret olmadıkça re'ye göre hüküm vermekten, sorulan soruları cevaplamaktan kaçınan fakihlerin mensup olduğu okuldur. Re'y medresesi ise Kur'an ve sünnette açık hüküm bulunmayan meselelerde içtihada ağırlık veren ve meseleyi içtihat ile çözen fakihlerin mensup olduğu okuldur. Bu okulun hareket noktası şudur: Şeri hükümler anlamları anlaşılabilen ve illetleri kavranabilen bir özelliğe sahiptir. Bu hükümler kulların maslahatını sağlamayı, yani onların menfaatini temin etmeyi ve kendilerinden zararı kaldırmayı amaçlamaktadır. Hükümlerin amaçlarını ve illetlerini araştırmak bir hukukçunun öncelikli görevidir. Bir hukukçu ulaşabildiği illetler ve maslahatlar ışığında yeni gelişen meselelerin hükümlerini istinbat edebilir. Bu tutumun oluşumunda Hz. Ömer, Hz. Ali ve Abdullah b. Mes'ûd gibi fakih sahâbîlerin etkili olduğu kabul edilmektedir.

İki ekol arasındaki temel farklardan biri de Re'y okulunun farazi meselelere dayalı bir fıkıh üretirken Hicaz okulunun vakıaya dayalı ve gerçek olaylar üzerinden fıkhî araştırmalar yapmasıdır. Re'y mektebinin bu tavrında hükümlerin illetlerinin ve hangi maslahata dayandığının tespit edilmesinin getirdiği dinamizm ve fıkıh öğretiminde öğrenciye fıkıh melekesi kazandırma hedefi vardır.

İki Okulun Oluşumunda Faktörler

Söz konusu iki okulun oluşumunda etkili olan faktörler şöyle sıralanabilir:

**1. Hoca Faktörü:** Her iki okulun mensubu olan fakihler üzerinde hocalarının etkisinin bulunduğu inkâr edilemez. Medineli fakihler Abdullah b. Ömer gibi ya daha çok naslarla yetinen ve re'yi çok az kullanan ya da re'ye başvurmayı hoş karşılamayan fakihlerden fıkhı öğrendiler. Re'yi kullanan sahâbîlere öğrencilik yapanlar da onların yöntemini uygulamak yerine görüşlerini nakletmekle yetinerek rivayetin dışına çıkamadılar. Kûfe okuluna mensup fakihler ise Abdullah b. Mes'ûd gibi re'ye ağırlık veren sahâbîlerden fıkhı öğrendiler. Onun görüşlerini sadece nakletmekle kalmayıp aynı zamanda oınun yöntemini de aldılar.

**2. Medine'de Sünnet Malzemesinin Kûfe'ye Nispetle Daha Fazla Oluşu:** Medine, Hz. Peygamber'in yaşadığı, vahyin indiği, sahabenin vatan edindiği bir şehirdi. Dolayısıyla hadis ve bu çerçevede oluşan sahâbî görüşü oldukça baskındı. Sünnet malzemesinin ve sahabe fetvalarının bolluğu re'ye çok fazla ihtiyaç bırakmamıştı. Kûfe ise bu malzemeler açısından bu kadar şanslı değildi. Üstelik muhtelif fırkaların Hz. Peygamber adına hadis diye uydurdukları sözler de vardı. Bu karmaşa hadislere bakışta da ihtiyatlı olmayı gerekli kılıyordu. Bütün bunlar Kûfe'yi Medine'nin manevî havasından farklı kılıyor ve re'ye fazlaca başvurmayı zorunlu kılıyordu.

**3. Şehir Farkı:** Medine'de sosyal hayat Kûfe'ye göre daha sade ve basit idi. Yeni sayılabilecek meseleler çok az vuku buluyordu. Ortaya çıkan problemler de sahabe dönemindekine benzediğinden çözümü kolay oluyor ve re'ye çok az ihtiyaç bırakıyordu. Kûfe'de ise olaylar daha çok, çeşitli ve karmaşık yapı arz ediyordu. Çünkü Kûfe bölgesi eski medeniyetlere, âdet ve geleneklere, çeşitli fikrî akımlar ve farklı milletlere ev sahipliği yapmış olduğundan bu durum problemleri çeşitlendirmiş ve karmaşık hâle getirmiştir. Dolayısıyla Medine'de yaşayan fakihlere göre Kûfeli hukukçuların re'ye fazlaca başvurması gerekmiştir.

Bu dönemde fıkıh ve hadis adına herhangi bir tedvin faaliyetinin bulunmadığını söyleyebiliriz. Ömer b. Abdilazîz hadislerin tedvini konusunda bir teşebbüste bulunmuş olsa da bu, onun vefatıyla birlikte gerçekleşememiştir.

## OLGUNLUK VE KEMAL DÖNEMİ: MEZHEPLERİN OLUŞTUĞU DÖNEM

2-4. Yüzyıllar: Mezheplerin Teşekkülü

Bu dönem, hicri ikinci asrın başlarından dördüncü asrın ikinci yarısına kadar geçen yaklaşık 250 yıllık bir süreyi kapsar. Bu devirde fıkıh büyük bir gelişme göstermiş, olgunluk çağına ulaşarak meyvelerini vermiştir. Büyük müçtehitler bu dönemde yetişmiştir. Kurulan İslam devletleri İslam hukukunu uygulamışlardır. Günümüzde de yaşayan büyük mezhepler bu dönemde teşekkül etmiştir. Fıkıh tedvin edilmiş, istinbat metotları netleşmiş, fıkıh ve usul-i fıkıhla ilgili eserler yazılmış, tedris hayatında daha sistemli bir eğitim hayatı oluşmuştur. Bu sebeple söz konusu dönem, "fıkhın altın çağı" olarak kabul edilmektedir.

Mezheplerin Teşekkülü ve Fıkhın Gelişimine Etki Eden Amiller

Bu dönemde fıkhın gelişimindeki etkenler ve devrin özellikleri bağlamında şunları söyleyebiliriz:

1) Genel itibarıyla bakılacak olursa bu dönemde Emevî Devleti yıkılmış ve Abbâsî Devleti kurulmuştur (132/750). Abbâsîlerin ulemaya saygısı ve fıkha itibar göstermeleri,

uygulamalarında fukahanın görüşlerine başvurmaları ve dinî hassasiyetleri fıkhın gelişiminde önemli bir etken olmuştur. Mesela Hanefî mezhebinin Ebû Hanîfe'den sonraki iki imamından birisi olan Ebû Yûsuf, Harun er-Reşîd döneminde adalet hizmetlerinden sorumlu başkadılık makamına getirilmiştir. Üstelik Halife ondan, devlet yönetiminde dikkat edilmesi gereken siyasi ve mali esaslarla ilgili bir eser yazmasını talep etmiş ve o da günümüze kadar ulaşan ve birçok dile tercüme edilen *Kitâbü'l-Harâc* isimli eserini yazmıştır.

Halife Mansûr ve Hârûn er-Reşîd, İmam Mâlik'ten *el-Muvatta* adlı eserinin Kâbe'nin duvarına asılarak kanun kitabı olarak kabul edilmesini istemiş, ancak İmam Mâlik bu teklifi şu sözleriyle geri çevirmiştir: "Sahabe fakihleri ülkenin çeşitli şehirlerine dağıldılar. Her birinin ilmî ve fıkhî birikimi var ve hepsi de hak üzere bulunmaktalar. İlmî konularda ihtilaf hâlinde bulunmanın ise bir sakıncası yoktur."

Kur'an'ın mahluk olup olmadığı tartışmalarında görüleceği üzere bazı haksız uygulamalar istisna edilecek olursa, bu dönemde hükümdarların ulemaya saygının bir gereği olarak ilmî çalışmalarda onlara tam bir özgürlük sağladıklarını söyleyebiliriz. Bunun sonucunda ilim, siyasi otoriteden bağımsız olarak kendi tabii ortamında ve ilkeleri doğrultusunda gelişme fırsatı buldu.

2) Anılan dönem, tam anlamıyla özgür biçimde içtihadın yapılabildiği bir süreci ifade etmektedir. Düzenlenmiş ve herkesi bağlayıcı bir kanun metni bulunmadığı için içtihat şartlarını haiz ve bu birikime sahip olan müftü fetvasında; kadı ise hükmünde içtihadına göre hareket edebilmiştir. Bu seviyede bilgiye sahip olmayanlar ise dilediği müçtehide tabi olmuşlardır. Bu da fıkhın gelişmesinde önemli bir etkiye sahip olmuştur.

3) İslam coğrafyası İspanya'dan Çin'e kadar geniş bir alana yayılmıştı. Bu ise çok farklı milletin, dolayısıyla değişik gelenek ve kültürlerden insanların İslam'a girmesi ya da Müslümanların himayesinde yaşamaları anlamına geliyordu ki Kur'an ve sünnetin temel ilklerine aykırılık taşımadığı sürece bunları kabullenmek gerekiyordu. İşte tam da bu noktada gelenek ve örflere göre farklı hükümler ortaya çıktı. Mesela Iraklılar meselelerini Ebû Hanîfe'ye; Şamlılar Bizans kurumları, kültürünü ve geleneğini Evzâî'ye; Roma ve Mısır medeniyetine ait hususları Leys b. Sa'd'a sordular. Fukaha kendilerine sorulan bu tür sorulara cevaplar vermiş; bunlardan İslam'a uygun olduğu düşünülüp geçerli sayılan, aykırı olduğu düşünülüp reddedilen hususlar olmuştur. Sonuçta her bölgenin sosyal hayatı farklı renkte bir İslami hayata büründü.

Müslümanların, konuştukları her söz veya yaptıkları her türlü eylemde şeri hükmü araştırmaları, bunu ulemaya sormaları da fıkhın alanının genişlemesinin sebeplerinden birisidir.

İlmî Seyahetlerle Fukaha Arasındaki Etkileşimin Artması

Burada işaret edilmesi gereken hususlardan biri de ilmî seyahatlerin etkileşimi arttırması ve bunun fıkıh düşüncesinin gelişimine olumlu yönde katkı sağlamasıdır. İmam Şâfiî'nin Medine, Irak ve Mısır'a seyahati; İmam Muhammed'in Irak'tan Medine'ye gidişi burada örnek olarak zikredilebilir. Bu seyahatler sonucu fakihler birbirleriyle tartışma fırsatı buldu ve bu durum fakihin görüşlerini gözden geçirmesine, onların birbirlerini tanımalarına ve mezhepler arası iyi ilişkilerin doğmasına zemin hazırladı.[393]

4) *Mevâlî*'nin, yani Arap olmayan milletlerin Müslüman olması, farklı kültürlerde yetişmiş müçtehitlerin ortaya

---

393 Mezhepler arası ilişkiler konusunda Hristiyan dünyası ile İslam âlemini mukayese eden şu çalışmaya bakılabilir: Saffet Köse, "Din Özgürlüğü ve Barış Yolunda İki Farklı Tecrübe", *İHAD*, sy. 5, Konya 2005, s. 13-48.

çıkmasına zemin oluşturdu. Bu durum fıkha büyük zenginlik katmıştır.

5) Fıkhî meleke ve birikime sahip fakihlerin ortaya çıkışı, devletin kanun ve düzenlemelerinde fıkhı esas alarak ihtiyaçlarını karşılayabilmesi için çaba sarf etmesi fıkhın gelişmesinin itici güçlerinden birisi olmuştur. Ayrıca fukahanın önde gelen isimlerinin kurdukları okullarda güçlü bir fıkıh eğitiminin bulunması da benzer yönde bir etki yapmıştır.

6) Fıkhî hükümlerin ikinci kaynağı olan Sünnet'in tedvin edilmesinin, sahih olanın zayıftan ayrılmış olmasının fıkhın gelişip olgunlaşmasında önemli bir etkisi olmuştur. Çünkü fukahanın, hadis için özel bir çaba sarf ederek vakit kaybetmesine gerek kalmamıştır.

Fıkhî mezhepler bu dönemde ortaya çıkmıştır. İleride değinileceği üzere bunların bir kısmı hâlâ yaşamakta; bir kısmının ise mensubu kalmamakla birlikte içtihatları kitaplarda bulunmaktadır. Mezhepler temel kaynaklardan hüküm çıkarma metotlarını belirlemiş, bu doğrultuda hüküm üretmişlerdir. Ayrıca bu dönemde mezheplere ait içtihatlar yazıya geçirilmiş, bunların birçoğu günümüze ulaşmıştır.

Dönemin Temel Özellikleri

Sonuç olarak bu dönemin temel özelliklerini şöylece sıralayabiliriz:

1) Re'y ve hadis okulları arasında ortaya çıkan ihtilaf artmış, bilimsel tartışmalar çoğalmış, ancak bir müddet sonra re'yin delilsiz ve keyfî olarak görüş ortaya koymak olmadığı anlaşılmış, re'yin delile dayalı tutarlı bir fıkhî yöntem olduğu görüşü ağırlık kazanmıştır.

2) Fıkıh oldukça dinamik bir süreç yaşamıştır.

3) Mezhepler oluşmuştur. Her mezhep usulünü belirlemiş ve bu ilkelere bağlı olarak hüküm elde etmişlerdir.

4) Devletler fıkhî mezheplerden birisini devletin hukuku olarak kabul etmişlerdir.

5) Hadis, fıkıh ve fıkıh usulü tedvin edilmiştir.

6) Farazi fıkıh ortaya çıkmıştır.

7) Bir meselede birçok farklı görüş ve fetva ortaya çıkmıştır.

## İSTİKRAR (TAHRÎC-TAKLİT) DÖNEMİ: HİCRİ DÖRDÜNCÜ ASRIN İKİNCİ YARISINDAN SANAYİ DEVRİMİNE KADAR

Fıkıh tarihiyle ilgili çalışmalar, genellikle bu dönemi Bağdat'ın Moğolların eline düştüğü 656 (1258) yılına kadar uzatırlar. İkinci dönemi de bu evreden Osmanlı'nın son döneminde Hanefî mezhebinin kısmi olarak kanunlaştırılmış metni olan *Mecelle*'ye kadar geçen süre şeklinde belirlerler. Ancak her iki merhale de halkta taklidin, ulemada tahrîcin hâkim olduğu bir süreci ifade ettiği için söz konusu iki evre arasında bir farkın olmadığı söylenebilir.

Bu yapının sanayi devrimine kadar dinî-sosyal hayatta çok fazla olumsuz etkisine rastlanmasa da bu andan itibaren yeni bir dünyanın ortaya çıkışıyla daha önceki zihniyete bağlı çözümler yetersiz kalmış ve fıkhî düşüncenin yenilenmesine ihtiyaç hasıl olmuştur. Bu da yeni bir içtihat ruhunu gerekli kılmıştır.

Taklid ve Tahrîc Yöntemleri

Mezheplerin teşekkülünden sonra Müslümanların muayyen bir mezhebe bağlanmasıyla halkta *taklit*, müçtehitlerde *tahrîc* yöntemi hâkim olmuştur. Bunu bir olumsuzluk, yani fıkhın meseleleri çözmedeki yetersizliği veya İslam hukukçularının gayretinin bulunmaması şeklinde değil, olayların mahiyet ve yapısından kaynaklanan tabii bir olgu olarak değerlendirmek gerekir.

Mezhep İçi İstidlal: Tahrîc Yöntemi

*Taklit*, delilini bilmeden bir mezhebe bağlanmak demektir. Halkın tutumu bu yöndedir ve bunda da özü itibarıyla yadırganacak bir durum yoktur. Çünkü herkesin aynı derecede temel kaynaklardan hüküm çıkarabilecek bir birikime sahip olması beklenemez. Bu durumda gerekli olan, ilmine güvenilen bir âlime tabi olmaktır. Sadece mukallitten beklenen tutucu bir tavır takınmaması ve kendisinin dışında tercihte bulunanları olumsuz karşılamamasıdır. Mezhep imamlarının bu konuda olumlu tavrı iyi bilinmektedir.

*Tahrîc* ise mezhep içi istidlal demektir. Mezhebi temsil eden görüş veya metinlerden yola çıkarak meseleyi çözmek anlamına gelir. Esasen tarihî şartlar dikkate alındığında tahrîc yönteminin de bir dereceye kadar tutarlı olduğunu belirtmek gerekir. Çünkü hayatın problemleri genellikle birbirine benzeyen bir özelliğe sahip olduğundan meselelerin çözümünü mevcut içtihatlardan doğrudan doğruya ya da bu içtihatları yeni bir yorumla işleterek bulma imkânı ortaya çıkmıştır. Hatta özellikle re'y okulunun farazi fıkıh konusundaki faaliyetleri o kadar çok içtihadi hüküm ortaya çıkarmış, o kadar çok hüküm üretmişti ki muhtemelen bu, hicri 4. asırda mecazi anlamda "artık içtihat kapısının kapandığı" yönünde bir düşüncenin bile oluşmasına sebebiyet vermiştir. Aslında bu, "artık karşılaşılan her meselenin bir içtihatta hükmünün bulunduğu, yeni bir içtihada gerek kalmadığı" anlamında bir fikir olmalıdır. Çünkü fıkhın dinamizminin içtihatla sağlandığı dikkate alınırsa bir âlimin gerçek anlamda içtihat kapısının kapandığını söylemesi mantığa aykırıdır, bu onun kendisini inkâr etmesi anlamına da gelir. Üstelik bu düşünce kendi kendisiyle çelişmektedir. Çünkü geniş anlamda bakıldığında içtihat kapısının kapandığını söylemek de bir anlamda içtihattır. Kaldı ki pratikte içtihat kapısının kapandığını gösteren bir delile de rastlanılmamaktadır.

Moğol İstilasının Fıkhın Gelişimi Üzerindeki Sonuçları

656 (1258) yılında Hülâgû'nun Bağdat'ı ele geçirip son Abbâsî halifesi Musta'sım-Billâh'ı öldürerek bütün ülkeyi tahrip etmesinin fıkıh üzerinde olumsuz bir etkisinin bulunduğu yönünde genel bir kabul vardır. Gerçekten de Moğolların İslam topraklarını işgalleri, tarihte benzeri nadir görülen bir felaket olmuştur. Hatta tarihçilerin tespitlerine göre Moğol istilasıyla mukayese edilebilecek ikinci bir felaket yaşanmamıştır. Moğollar on binlerce insanı öldürmüş, kentleri tahrip etmiş, İslam kültür ve medeniyetini çiğneyip geçmişler ve İslam ülkelerini harabeye çevirmişlerdir. Mescitler ahır hâline getirilmiş, Mushaf sayfaları hayvanların ayakları altına atılmış, İslam kültür mirasına ait kitaplar yakılıp nehirlere atılmıştır.[394]

Ancak Moğollar, İlhanlı hükümdarı Gazan Han'a kadar (1271-1304) devleti Cengiz Yasası'na göre yönetseler de, şahsi-dinî tercihlerinde halkı serbest bırakmışlardır. Bu durum fıkhın inkişafında olumsuzluğun ortaya çıkmasını kısmen engellemiştir. Bu döneme gelinceye kadar mezhepler çerçevesinde oluşan çok güçlü fıkıh geleneği hayatiyetini sürdürmüştür. Bu sebeple Müslüman halk çeşitli fıkıh mezheplerinden birine sıkı sıkıya bağlanarak ona göre amel etmiş ve bu sayede hem teorik hem de pratik olarak fıkıh yaşamış ve gittikçe de güçlenmiştir. Dolayısıyla fıkıh mevcut hâliyle de potansiyel olarak problemleri çözebilecek karakterini her zaman korumuştur. Sonuçta Moğolların İslam dünyasını istilası siyasi birliğin bozulmasına yol açsa bile, fıkhın potansiyelini ve bu çerçevede oluşan geleneği çok da etkilemiş değildir. Hatta fıkhın bir ilim olarak siyasal otoriteden bağımsız olarak gelişmesi onun kendi tabii akışı içinde oluşmasına da imkân tanımıştır. Çünkü daha

394 O. G. Özgüdenli, "Moğollar", *DİA*, XXX, 228.

sonraki dönemlerde de fıkhın devlet hukuku olarak uygulandığı devirler olmuştur. Üstelik bu dönemlerde de tek bir mezhep yürürlükte tutulmuş, taklit ve tahrîc ruhu devam etmiştir. Osmanlı Devleti bu konuda temsil gücü yüksek bir örnektir. Osmanlılar Hanefî fıkhını devletin hukuku olarak uygulamışlardır. Bu mirası da her şeyiyle hazır bulmuşlardır. Tarihte fıkhın kaybolmadığının önemli göstergesi de bu olaydır. Öyle ki Osmanlı yıkılışına yakın bir dönemde bile hazırladığı *Mecelle*'de diğer mezhep görüşlerinden yararlanmak bir yana Hanefî mezhebi içindeki hiyerarşiden dahi taviz vermemiş, ihtiyaçlara daha iyi cevap verebilecek ikinci dereceden bir Hanefî imamının görüşünü almaktan bile imtina etmişlerdir. Bunun bir istisnası 25 Ekim 1917 tarihli Hukuk-ı Aile Kararnamesi'dir. Kararname, sadece Hanefî mezhebine mensup âlimlerin görüşlerinden değil, ihtiyaca göre diğer mezhep imamlarının da görüşleriyle teşekkül etmiştir.

Bu gerekçelerden ötürü fıkhın anılan dönemini Moğollar öncesi ve sonrası şeklinde ikiye ayırmak çok da anlamlı gözükmemektedir. *Mecelle* de sadece Hanefî mezhebine ait hükümlerin bir kısmının kodifikasyonundan ibarettir. Dolayısıyla şekil dışında *Mecelle*'nin de değiştirdiği bir şey yoktur.

Söz konusu dönem İslam hukukunun hâkim karakterini oluşturan taklidin sebeplerini şöylece ifade edebiliriz:

1) Bu devirde Moğolların etkisiyle İslam milletinin siyasi birliği hasar görmüş, İslam âlemi küçük küçük devletlere bölünmüştür. Bu devletlerin ise birbirleriyle siyasi bağları zayıftı. Mesela Endülüs'te Endülüs Emevî Devleti (756-1031) kurulmuş, bu devletin yıkılışıyla küçük devletçikler (Tevaif-i mulûk) ortaya çıkmıştır. Kuzey Afrika'da Fâtımîler (910-1174), Yemen'de Zeydîler, Mısır'da İhşidîler (934-969), Irak dolaylarında Büveyhîler (932-1055),

Buhârâ'da Sâmânîler (847-1055), bu devletlerden sadece birkaç örnektir. Yeni devletlerin tercihine göre mezheplere bağlı bir eğitim sistemi oluşmuştu. Mezhepler arası ilişkilerden daha çok mezhebe bağlı savunma mekanizması gelişmişti. Bu durum mezheplerin kurumsallaşması ve güçlenmesine katkı sağladı.

2) Bu dönemde mezhepler tam olarak tedvin edilmiş, ulema bir mezhebe bağlı faaliyetler çerçevesinde fıkhın meselelerini düzenlemek ve tasnif etmekle yetinmiştir.

3) İslam hukuk tarihi ile ilgili çalışmalarda, bu dönem âlimlerinin içtihat konusunda kendilerine güvenmedikleri veya buna muktedir olamadıkları yönündeki inançları sebebiyle içtihat faaliyetinden uzak durdukları[395] şeklinde bir kanaat sergileniyorsa da bu doğru değildir. Bu kanaatini taşıyanların, anılan dönemde fukahanın ortaya çıkan hangi meseleyi çözemediği ya da hangi meseleye uygun çözüm getiremediğine dair örnekler sunmaları gerekir. Olayların özelliklerinin mevcut yapıyı bütünüyle değiştirecek bir faaliyeti gerekli kılmadığını, dolayısıyla mutlak müçtehitlerin bulunmasını zaruri kılacak bir ihtiyacın bulunmadığını söylemek daha isabetli bir tespit gibi gözükmektedir. Kısaca bu dönemde mevcut yapıya meydan okuyucu bir sorun oluşmamış; bu durum da mevcut yapının korunmasına yönelik bir tutumun benimsenmesini sağlamıştır.

Bu dönemde fukahanın faaliyetlerini şöylece özetleyebiliriz:

1) İmamlardan nakledilen görüşleri anlama çabası içinde olmak. Bu bağlamda imamlarından nakledilen ferî meseleler üzerinde düşünmek, onların dayanaklarını tespit etmek, illetlerini bulmak ve bu esaslar üzerine yeni ferî hükümler üretmek.

2) Mezhep imamlarının içtihat yöntemlerini tanıyabil-

395 Zeydan, *el-Medhal li-dirâseti'ş-şerî'ati'l-İslâmiyye*, s. 123.

mek için onların ürettiği hükümlerden istinbat, yani hüküm çıkarma kaidelerini elde etmek.

3) İmamdan nakledilen görüşlerden birini tercih etmek.

Farklı Telif Tarzlarının Ortaya Çıkışı: Şerh, Haşiye ve Ta'lîk

4) Mezhep fıkhını düzenlemek. Bu da fıkhı tasnif, açıklanması gerekenleri *şerh, haşiye* ve *ta'lîk* yoluyla izah etmek, meseleleri delillendirmek, mezhebin görüşünü diğer mezheplerle mukayese etmek şeklindeki faaliyettir. *Şerh,* temel bir metnin tamamını izah ve açıklama anlamına gelir. *Haşiye,* şerhte kapalı kalan kısımları, *ta'lîk* de haşiyede sadece açıklanması gereken kısımları izah faaliyetidir. Bir de *ta'lîku't-ta'lîk* vardır ki bu da *ta'lîk*te kapalı kalan yerleri açıklama çalışmasıdır. Bu yöntem, fıkhın anlaşılması ve hükümlerinin genişlemesine büyük katkı sağlamıştır.

5) Mezhep âlimleri, imamlarını ve mezheplerini savunma yönünde gayret etmiş, üstünlüklerini ispat yönünde çaba göstermişlerdir. Bu bağlamda mezhep imamları ve ulemaya ait menkıbe kitapları günümüze kadar ulaşmıştır.

6) Tarafların kendi mezheplerini fiilî olarak savunduğu tartışma programları (*cedel* ve *münazara*) zengin bir yazılı malzemenin ortaya çıkmasını sağlamıştır.

Bütün bu faaliyetler fıkhın kurumsal yapısına, güçlü bir geleneğin oluşmasına ciddi katkı sağlamıştır. İslam dünyasını bütün felaketlere ve savrulmalara rağmen ayakta tutan tarihî süreç içinde oluşan bu güçlü geleneksel yapıdır. Hepsinden önemlisi Erol Güngör'ün işaret ettiği üzere[396] Moğol istilası gibi bazı istisnai olaylar hariç tutulacak olursa, buraya kadar geçen bütün devirlerde hayatı yapanlarla hukuku yapanlar aynı insanlar olmuş; bu nedenle Müslümanlar oluşturdukları hukuk sistemleriyle hayattaki değişmelere ayak uydurmada herhangi bir sıkıntı yaşamamışlardır. Her türlü siyasi, sosyal ve iktisadi

396 Erol Güngör, *İslam'ın Bugünkü Meseleleri,* s. 100.

değişmeler İslam dünyasını dışarıdan zorlamak yerine, içeriden yani İslam toplumunun kendi dinamiklerinin sonucu oluşmuştur. Bu da fıkhî faaliyetler açısından bir zaafa sebebiyet vermemiştir. Esas zaaf, sanayi devrimiyle birlikte Müslümanların kurmadıkları hayatın sorunlarıyla yüz yüze gelmelerinden sonra ortaya çıkmıştır. Bu da sadece fıkhın bir sorunu olmayıp çok yönlü bir mesele olarak değerlendirilmesi gereken bir problemdir. Ancak konuya fıkhı ilgilendiren tarafıyla bakıldığında, meselelerin çözümündeki yetersizliğin hukukun yapısı ve özünden değil, Müslümanların yöntemsizliklerinden kaynaklandığını açık biçimde söylemek gerekecektir.

## SANAYİ DEVRİMİNDEN GÜNÜMÜZE KADAR

Sanayi devriminin gerçekleştiği 12. (18.) yüzyılın ikinci yarısına kadar meselelerin birbirine yakın ve benzer olmasından dolayı taklit ve tahrîc yönteminin çok fazla bir sorun çıkarmadığını, fukahanın oluşturduğu güçlü geleneğin meselelerle baş edebilmenin yolunu sağladığını söylemek mümkündür. Peki, öyleyse yaşanan olumsuzluk nereden kaynaklanmaktadır? Burada genel itibariyle iki husus üzerinde durmak gerekecektir.

Fıkhî Düşüncede Yaşanan Olumsuzlukların Sebebi

Birincisi, olaylar karşısındaki yetersizlik fıkhın yapısından değil, bu alanda faaliyet gösteren âlim ve araştırmacıların gerekli hâllerde ya tahrîc yöntemini yeterince işletememelerinden ya da tahrîcin yetersiz kaldığı durumlarda naslara başvuruda dinamizmi kaybetmelerinden kaynaklanmaktadır.

Sanayi Devrimiyle Yaşanan Değişim

İkincisi haricî şartların etkisidir. Sanayi devrimi, sosyal hayattaki ilişkileri, problemlerin boyutunu baştan başa değiştirdiği gibi daha önce yaşanmamış yeni meseleleri de doğurmuştur. En önemlisi, Müslüman dünyanın hayatı kuran ve ilişkileri belirleyen konumdan çıkmış olması, bunun sonucunda olaylara hâkim olmadaki zaaf, fıkıh düşüncesinde olumsuzlukları da beraberinde getirmiştir. Söz gelimi hayatın en dinamik alanını oluşturan ticari hayat baştan başa değişmiş, üretim biçimleri farklılaşmış, iletişim vasıtaları insanları ve eylemlerini hızlandırmıştır. Finans sistemi ve bankacılık bambaşka bir yapıda ortaya çıktı. İslam ülkeleri sanayileşmiş ülkelerin pazarına dönüştü, onların büyük bir kısmı ise bu devletlerin sömürgesi hâline geldi. Borsa, sigorta ile ilgili meseleler günümüz araştırmacılarını uzun süre meşgul etti. Kapitalist düzenin hâkimiyeti, farklı bir işçi-işveren ilişkisinin doğması, genetik, tıp-sağlık ve gıda alanındaki gelişmeler hep yeni problemler doğurdu. Savaşlarda belirli hedeflere yönelik olarak kullanılabilecek silahların yerini, çok daha güçlü ve savaş dışı alanları da etkileyebilen, tahrip gücü yüksek kitle imha silahları aldı. Çevre sorunları yepyeni bir şekilde karşımıza çıktı. Kadının toplumsal hayatta ve ailede genişleyen rolleri farklı bir bakış açısı doğurdu. Uzay hukuku doğdu. Aydınlanma dönemiyle birlikte dinin hayattaki alanlarının sınırlandırılması ve seküler alanların genişlemesi dine karşı bazen psikolojik bazen de fiili bir karşı duruş meydana getirdi.

Örnek kabilinden zikredilen bu meselelerin klasik fıkıh problemleriyle benzer tarafları bulunsa da, sadece bu benzerliklere bağlı olarak ortaya atılacak çözümleri tutarlı ve geçerli kılmayacak karmaşık bir yapının söz konusu olduğunu belirtmeliyiz. Bütün bunlar meselelerin yeniden ele alınmasını zorunlu kılmaktadır.

Sonuçta İslam dünyası sadece hukuki açıdan değil, dışında oluşan değişimin tümüne kendi değerleri çerçevesinde kalarak ayak uyduramadı, bu dönemde yaşamış İslam âlimleri modern hayatın taleplerine cevap verecek biçimde kendilerini yenileyemedi, fıkhı daha hareketli ve dinamik bir yapıya kavuşturamadı. Bunda sadece taklit ve tahrîc alışkanlığının etkisiyle teknolojik gelişmelere bağlı komplike sorunları analiz edememe zaafı değil, sanayileşmiş ülkelerin Müslüman topraklarda kurdukları kaynaklara dayalı sömürü düzeninin yanı sıra zihinler üzerindeki işgallerinin de etkisinin bulunduğunu belirtmeliyiz. O hâlde sorun fıkhın kendisiyle ilgili değil, Müslümanların zihin dünyasıyla ve dış dünyadaki gelişmelerle yakından ilgilidir. Yapılması gereken, yeri geldiğinde Kur'an ve sünnetin temel ilkelerinden hareketle çözüm üretmeye cesaret edebilmektir. Bu konuda mezhep imamlarının sözleri bize ışık tutacak mahiyettedir.

Ebû Hanîfe: "Nereden söylediğimizi (hükmümüzün delil ve kaynağını) tetkik edip bilmeden bizim re'yimizle fetva vermek hiçbir kimse için helal değildir." Bu söz onun talebesi Ebû Yûsuf'a da nispet edilmektedir.[397] Yine Ebû Hanîfe "Bu benim re'yimdir ve elde edebildiğim re'ylerin en iyisidir. Bundan daha iyisini bulan olursa onu kabul ederiz." demiştir.

İmam Mâlik: "Resûlullah hariç herkesin sözü kabul ve reddedilebilir. Ben bir beşerim. Hata da ederim isabet de. Re'y ve içtihadımı inceleyin. Kitap ve sünnete uyan her sözümü alın. Onlara uymayan bütün sözlerimi de terk edin."

İmam Şâfiî: "Delilsiz olarak bilgi toplayan kimse gece karanlığında odun toplayana benzer. Topladığı bir arkalık odunu yüklenirken bunun içinde kendisini sokacak bir yılanın bulunduğunu bilmez." "Sahih hadis bulununca mezhebim odur."

Ahmed b. Hanbel: "Ne beni ne Mâlik'i ne Süfyân es-Sevrî'yi ne de Evzâî'yi taklit et. Hüküm ve bilgiyi onların aldığı kaynaklardan al." "Dinini hiçbir müçtehide ısmarlama,

397 İbn Kayyim el-Ceziyye, *İlâmü'l-muvakkıîn*, II, 201.

Hz. Peygamber ve ashabından geleni al. Sonra tâbiîler gelir ki kişi bunlarda muhayyerdir."[398]

İnsan hayatı dinamik bir süreçten ibarettir. Bu dinamizm içerişinde yeni olayların ortaya çıkması ya da eskiden yaşanmış olaylara yeni boyutların eklenmesi kaçınılmaz bir durumdur. Bu sebeple karşılaşmış olduğumuz bir probleme isabetli bir çözüm ararken onun mevcut özelliklerini dikkate alma zorunluluğu vardır. İçtihadı "Hakkında kesin hüküm bulunmayan bir meselenin İslam hukukunun temel kaynakları ve ilkeleriyle bağlantısını kurmak suretiyle şeri hükme (farz, vacip, mendup, haram, mekruh, mubah) ulaşmaktır." şeklinde tanımlayacak olursak fakihin sürekli bir biçimde temel kaynaklarla irtibatlı ve realitelerle iç içe olmasının zarureti kendiliğinden ortaya çıkar.

Böyle bir ortamda doğan yeni problemlere tahrîc yöntemiyle çözüm bulma imkânı daralmışa benzemektedir. Çünkü problemlerin kaynağı ve boyutları tamamen değişmiştir. Ayrıca bu tür bir tutumun selef âlimlerimize yönelik de bir haksızlık olduğunu söylemeliyiz. Öyleyse fıkhî mirasımızdan yararlanmanın ölçülerini daha tutarlı bir yönteme bağlama zorunluluğu vardır.

## GÜNÜMÜZ İSLAM DÜNYASINDA FIKIH

Günümüzde fıkhın konumunu çeşitli açılardan ele almak mümkün ise de burada üç ana noktaya işaret etmek bir fikir verebilir:

---

398 İbn Kayyim el-Cevziyye, *İlâmü'l-muvakkıîn*, II, 200-201; Karaman, *İslam Hukukunda İctihad*, s. 158-161.

## Dinin Hayatla Bağlantısını Kuran İlim Olarak Fıkha Yaklaşımlar

Günümüzde Fıkha Temel Yaklaşımlar

Fıkıh, dinin hayatla bağlantısını kuran bir ilim olup hayatın bütün alanlarını ilgilendiren problemlerle ilgili bir çözüm önerisine sahiptir. Sanayi Devrimi ile birlikte hayata yön veren aktörlerin değişmesi ve bunların meydan okuyuşunun ortaya çıkardığı zorluklar doğal olarak fıkha bakışı da etkilemiştir. Bu durumda üç yaklaşımın ortaya çıktığını söylemek mümkündür. Birinci yaklaşım, klasik fıkıh yöntemlerinin yeni meseleleri çözmede yeterli olduğunu savunan *katı gelenekçiler* tarafından temsil edilmektedir. Onlar, fıkıh kitaplarından doğrudan çözüm aramakla meşgul olmuş, yeni meseleleri klasik kaynaklardaki bilgilerle ilişkilendirerek çözümleme yoluna gitmişlerdir. Bu yaklaşımın en büyük açmazı, fıkıh imamlarının yöntemi ya da fıkhın ana ilkeleri yerine, ortaya çıkan yeni meseleyi eski mesele ile örtüştürme çabası içine girmesidir. Geleneği kutsayan bu akımın en temel özelliği ise tarihî süreç içinde zaman ve zemine bağlı olarak üretilmiş bilgiyi mutlaklaştırması ve bugünü her şeyiyle sözü edilen tarihî tecrübeye uydurmaya çalışmış olmasıdır.

Katı Gelenekçi Yaklaşım

Modernist Yaklaşım

İkinci yaklaşım modernist düşünürlere aittir. Gerçekte onları iki grupta ele almak mümkündür: Bir kısmı klasik yöntemler ya da fıkıh mirası yerine doğrudan Kur'an ve sünnete başvurarak problemlere çözüm aranması gerektiğini düşünmektedir. Bu kısma girenler "ılımlı modernistler" olarak tanımlanabilir. Bunlar içinde sadece Kur'an ile yetinmek gerektiğini ve sünnetin kaynak değeri taşımayacağını düşünenler de bulunmaktadır ki onları da "radikal modernistler" olarak isimlendirmemiz mümkündür. Bu gruptakiler Kur'ân-ı Kerîm'i antropolojik ve sosyolojik okumaya tabi tutarak ahkâmının tarihsel olduğunu savunmaktadırlar. Bu fikrin taraftarları Kur'an ahkâmını daha çok araç olma yönünden ele alarak değişmenin alanını oldukça geniş tutmakta ve amaca vurgu yapıp onu gerçekleştirecek her türlü araca açık kapı bırakmaktadırlar. Onlar Kur'ân-ı Kerîm ve sünnet-i seniyyenin otoritesini tarihle sınırlandırarak rasyonaliteye kapı aralamakta, Batılıların kutsal metinlerine yönelik yaklaşım tarzına benzer bir duruş sergilemektedirler.

Orta Yol

Orta yolu tutanlar olarak tanımlayabileceğimiz daha tutarlı yönteme sahip olanlar ise modernitenin meydan okumasının farkında olarak İslam'ın temel kaynaklarını tutarlı bir şekilde yorumlayan, kutsama, reddetme yahut anakronizm gibi hatalara düşmeden ve taassuba girmeden klasik mirastan yararlanma becerisini göstererek, İslam'ı çağa sunma gayreti içinde olmuşlardır. Bu yaklaşım şeklinin günümüz Müslümanlarının büyük çoğunluğu tarafından benimsendiğini söyleyebiliriz.

## Bilimsel Faaliyetlere Konu Olması Bakımından Fıkıh

Bilimsel faaliyetlerin konusu olarak fıkıh çalışmalarını kurumsal ve bireysel olmak üzere iki grupta ele almak mümkündür. Kurumsal çalışmalara baktığımızda sadece İslam ülkelerinde değil, Müslüman olmayan ülkelerde de özellikle Batılı devletlerin üniversitelerinde fıkıh merkezli araştırmaların sayısı artmıştır. Benimsediği rejime göre farklılık arz etmekle birlikte Müslüman ülkelerde fıkıh, üniversite öncesi eğitim-öğretim programlarında ders olarak yer almakta; ilahiyat öğrenimi yapan yükseköğretim kurumlarında da ayrıntılı şekilde işlenmektedir.

Günümüz Fıkıh Araştırmaları

Bazı İslam ülkelerinindeki ilahiyat öğretimi yapan yükseköğretim kurumlarının programında fıkıh ayrı bir bölüm şeklinde bulunmakta; ayrıca hukuk fakültelerinde fıkıh konuları modern hukukla mukayeseli şekilde işlenmektedir. Ayrıca lisansüstü seviyedeki araştırmalarla da fıkıh alanında çok değerli tezler yapılmaktadır. Bugün İslam ülkelerinde fıkıh alanında yetişmiş birçok uzman üniversitelerde görev yapmaktadır. Yapılan çalışmaların birçoğu da yayımlanmış durumdadır. Bu tür tetkiklerde klasik dönemin şartlarına bağlı olarak kazuistik (meseleci) metodun izlenmesi yerine, fıkhî miras içindeki meselelerin ortak noktalarındaki prensiplerin tespiti ve buradan teoriye ulaşma yolunda çaba sarf edilmekte, ihtiyaca bağlı olarak da Kur'an ve sünnetin temel ilkeleri doğrultusunda sonuçlara ulaşılmaya çalışılmaktadır.

Bunun yanı sıra İslam ülkelerinin ilgili kurumları, fıkıh alanında bazı araştırmaları bizzat yöneterek fıkha hizmet etmektedirler. Burada Kuveyt Vakıflar ve Din İşleri Bakanlığı'nın 23 yıllık bir emekle (1404-1427) fıkıh alanında çıkardığı 45 ciltlik hacimli ansiklopedi olan *el-Mevsû'atü'l-fıkhiyye*'yi örnek olarak zikretmek mümkündür. Ayrıca birçok İslam ülkesinde faaliyet gösteren ilgili kurumlar, klasik eserlerin ilmî neşirlerine katkıda bulunmakta ve bunu teşvik etmektedirler. Böylece fıkıh mirası gün yüzüne çıkarılarak araştırmacıların istifadesine sunulmaktadır.

Sürekli biçimde fıkhî meseleleri konu alan ulusal ve uluslararası birçok seminer, konferans, sempozyum ve kongrenin düzenlendiğini, bu ortamlarda da oldukça verimli ve zengin bir tartışma ortamının bulunduğunu belirtmek gerekir.

Günümüz dünyasında fıkıh sadece Müslümanların araştırma alanına giren bir ilim değil, aynı zamanda Müslüman olmayanların da ilgisini çekmiş bir disiplindir. Bu nedenle fıkhın, Batılı araştırmacıların en çok ilgi duyduğu İslami disiplinlerden biri olduğunu söyleyebiliriz. Birçok Batı ülkesinde İslam fıkhı alanında araştırmalar yapılarak yayımlanmaktadır. Nitekim bu alanda *Islamic Law and Society* gibi müstakil dergiler bile çıkarmaktadırlar.

Fıkıh alanında yapılan kurumsal çalışmalar dışında, bireysel araştırmalar da bulunmaktadır. Bu faaliyetlerin daha çok fetva niteliği taşıyan güncel meselerle ilgili olduğunu belirtmek gerekir. Özellikle benimsedikleri dinî anlayışa uygun yapılaşmalardan oluşan cemaatlerin bu noktadaki faaliyetlerini de zikretmek gerekir.

Bireysel çalışmaların akademik araştırma hüviyetinde olanları da bulunmaktadır. Bu bağlamda fıkhî çalışmaların yayımlandığı ve bireysel gayretlerle çıkarılan bilimsel dergileri hatırlamak gerekir. Bunlar arasında Suudi Arabistan'da çıkan *Mecelletü'l-buhûsi'l-fıkhiyye el-mu'âsıra* adlı dergi ile Türkiye'de uzun süredir yayın hayatını sürdüren *İslam Hukuku Araştırmaları Dergisi*'ni örnek olarak zikredebiliriz.

## Resmî Faaliyetlere, Özellikle Yasamaya Konu Olması Bakımından Fıkıh

Fıkıh, resmî faaliyetlere de konu olan bir disiplindir. Bu bağlamda özellikle İslam ülkelerindeki ifta ve yasama faaliyetleri önem arz etmektedir.

Birçok İslam ülkesinde, Türkiye'deki Diyanet İşleri Başkanlığı gibi, din hizmetlerini yürüten kurumlar bulunmaktadır. Özellikle toplumu ilgilendiren hususlarda ihtiyaç duyulan dinî bilgi bu kurumlar aracılığıyla daha nitelikli şekilde üretilmektedir. Türkiye'de Diyanet İşleri Başkanlığı'na bağlı Din İşleri Yüksek Kurulu bu görevi yerine getirmektedir. Bunun yanında İslam Konferansı Teşkilatı'na bağlı İslam Fıkıh Akademisi (*Mecma'u'l-fıkhi'l-İslâmî*) uluslararası bir kuruluş olarak bütün Müslümanları ilgilendiren problemleri ele almakta, bunları karara bağlayarak yayımlamaktadır.

İslam hukukunu uygulayan ülkelerde resmî faaliyet olarak fıkhî hükümlerin kanunlaştırılması kastedilmektedir. Özellikle *Mecelle-i Ahkâm-ı Adliyye* ile başlayan bu süreç ihtiyaçlar gerektirdiği ölçüde bugün de devam etmektedir.

Ahmed Cevdet Paşa ve Mecelle-i Ahkâm-ı Adliyye

*Mecelle,* 1868-1876 yılları arasında Ahmed Cevdet Paşa (ö. 1895) başkanlığında bir heyet tarafından Hanefî mezhebinin muteber kaynakları esas alınarak hazırlanan ve bir mukaddime ile 16 bölümden (kitap) oluşan 1851 maddelik kanun metnidir. Her bölümün başında o konuya ait terminolojik bilgiler yer almaktadır. Mukaddime, birincisi fıkhın tanımına ait olmak üzere 100 külli kaideden oluşmaktadır.

İslam hukukunun kanunlaştırılması çalışmalarının ilk örneğini oluşturması açısından önemli olan *Mecelle,* hazırlanışından sonra Mısır ve Arap yarımadası hariç bütün Osmanlı ülkesinde yürürlükte olmuş, 1970'li yıllara kadar çeşitli bölümleri İsrail'de de uygulamada kalmıştır.[399]

Ali Haydar Efendi ve Mecelle Şerhi

Arapça, İngilizce, Fransızca ve Almanca gibi dünyanın önde gelen dilleri yanında diğer birçok dile çevrilen *Mecelle-i Ahkâm-ı Adliyye*'ye çok değerli şerhler yazılmıştır. Bunlardan Ali Haydar Efendi (ö. 1935) tarafından Osmanlı Türkçesiyle yazılmış *Dürerü'l-hükkâm şerhu Mecelleti'l-ahkâm* ilim dünyasında şöhret bulmuştur. Eser aynı isimle Arapçaya Fehmî Hüseynî tarafından tercüme edilerek Beyrut'ta yayımlanmıştır (1991). Mesud Efendi'nin (ö. 1894), *Mir'ât-ı Mecelle,* Hacı Reşid Paşa'nın, *Rûhu'l-Mecelle* ve Selim Rüstem Bâz'ın, *Şerhu'l-Mecelle* adlı şerhleri önemlidir.

Mısır'da Adalet bakanı olduğu sırada Muhammed Kadri Paşa önce *el-Ahkâmü'ş-şer'iyye fi'l-ahvâli'ş-şahsiyye* adıyla kişiler, aile ve miras hukukunu düzenleyen bir kanun taslağı hazırlamış; bu taslak Mısır hükümeti tarafından yayımlanarak (1875) yarı resmî bir statüye sahip olmuştur. Aynı

399 M. Akif Aydın, "Mecelle-i Ahkâm-ı Adliyye", *DİA*, XXVIII, 234.

müellifin eşya ve borçlar hukukuyla ilgili *Mürşidü'l-hayrân ilâ ma'rifeti ahvâli'l-insân fi'l-mu'âmelâti'ş-şer'iyye alâ mezhebi'l-İmâm Ebî Hanîfe en-Nu'mân* isimli kitabı da hükümetin talimatıyla hazırlanmaya başlanmış ve kanun şeklinde düzenlenmiş olsa da resmiyet kazanmamıştır.[400]

25 Ekim 1917 tarihli Hukuk-ı Aile Kararnamesi ile İslam aile hukuku farklı mezheplerin görüşlerinden de yararlanılarak kanunlaştırılmıştır. Diğer din mensuplarının aile hukukuna dair bazı düzenlemelere de yer verilen bu kararname, Osmanlı'da birbuçuk yıl kadar; Suriye, Ürdün, Lübnan ve Filistin'de ise daha uzun süre yürürlükte kalmıştır.[401]

Günümüz dünyasında İslam ülkeleri sekülerleşmenin ve Batılılaşmanın etkisiyle İslam hukukunu sadece aile ve miras gibi özel hukukun belirli bölümleri hariç bütünüyle yürürlükte tutmaktan vazgeçmişlerdir. Ancak Suudi Arabistan (Hanbelîlik mezhebini esas alarak) ve İran'ın (Ca'ferîlik mezhebini esas alarak) yanı sıra bazı körfez ülkeleri İslam hukukunu benimsemişlerdir. Birçok İslam ülkesinin anayasası devletin resmî dininin İslam; yasamanın kaynağının da İslam dini olduğuna vurgu yapar. Bazı İslam ülkeleri anayasaları da devletin resmî dininin İslam olduğunu vurgulamakla birlikte, yasama ile ilgili İslam'a atıfta bulunmaz. Bir kısım İslam ülkelerinde ise resmî din vurgusu anayasada bulunmaz.

İslam ülkelerinde yürütülen yasama faaliyetlerinde, İslam hukukunun kamu hukukunu ilgilendiren ve evrensel özellik taşıyan ilkelerine bağlı düzenlemeler ile özel hukuk alanına giren hususlarda bir sorun gözükmemektedir. Ancak modern dünyanın telakkilerine uymayan hususlar, mesela had cezalarına yaklaşım, o ülkenin fıkhı ne kadar benimsediği noktasında bir ölçüt olarak alınabilir.

400 Mustafa Şentop, "Mürşidü'l-hayrân", *DİA*, XXXII, 59-60.
401 M. Akif Aydın, "Hukuk-ı Aile Kararnamesi", *DİA*, XVIII, 314.

# YEDİNCİ BÖLÜM

# FIKHÎ MEZHEPLER

Fıkıh tarihinin dönüm noktalarından birisi mezheplerin teşekkül devridir. Genel itibariyle mezhepler Emevîlerin sonu ile Abbasîlerin başlangıcında yapısal kimliğe kavuşmuşlardır. Bu dönemde Hz. Peygamber, sahabe ve tâbiûn devirlerinde oluşan birikimle fıkıh olgunluk çağına ulaşmış ve mezhepler ortaya çıkmıştır.

Mezhepler kendilerine özgü yöntemlerle Kur'an ve sünnette açık hükmü belirlenmemiş meselelerin dinî hükmünü keşfetmeyi amaç edinmiş sistemli yapılardır. İmam Şâfiî'nin (ö. 204/819) ifadesiyle: Her olay hakkında İslam'ın temel kaynaklarında ya ona ait açık bir hüküm ya da gerçek hükmün yolunu gösteren bir delalet vardır. Olay hakkında açık bir hüküm mevcutsa buna uymak gerekir. Eğer açık bir hüküm mevcut değilse olayın hükmü içtihat ile tespit edilir.[402] İşte mezhepler geliştirdikleri içtihat yöntemleriyle bu hükümlerin arayışı içindedirler.

Mezheplerden bir kısmı günümüzde yaşamakta, bir kısmı ise mensubu kalmayıp tarihe mal olmuş durumdadır. Bununla birlikte onların yöntemleri, düşünceleri İslam hukuk mirası içinde yerini almış olup günümüzün mukayeseli fıkıh çalışmalarına zenginlik katmaktadır. Şimdi mezhepleri gözden geçirebiliriz.

## MENSUBU BULUNAN BÜYÜK FIKIH MEZHEPLERİ

### Hanefî Mezhebi

Mezhebin imamı Ebû Hanîfe Nu'mân b. Sâbit b. Zûtâ b. Mâh, 80 (699) yılında Kûfe'de doğdu. Kumaş tüccarı iken tâbiûnun büyük âlimlerinden A'meş'in (ö. 148/765)

402 İmâm Şâfiî, *er-Risâle*, s. 477, nr. 1326.

kendisindeki kabiliyeti görüp yönlendirmesiyle ilme başladı. Re'y ekolünün sembol ismidir. Ebû Hanîfe'nin fıkhı, hocası Hammâd b. Ebî Süleymân (ö. 120/738) aracılığıyla İbrâhim en-Nehaî (ö. 96/714) ve Ebû 'Amr eş-Şa'bî'den (ö. 103/721), dolayısıyla Mesrûk b. el-Ecda' (ö. 63/682), Kâdî Şurayh (ö. 78/697), Esved b. Yezîd (ö. 75/694) ve Alkame b. Kays'tan (ö. 62/681) gelmekte; bunların ilmi de sahabenin fakihlerinden olan Hz. Ali, Hz. Ömer, Abdullah b. Mes'ûd ve Abdullah b. Abbâs'tan gelmektedir.

Ebû Hanîfe'nin Hocaları

Ebû Hanîfe kendi devrinin önde gelen âlimlerinden birçoğuyla görüşüp onlardan bilgi almış ve fikirlerini onlarla tartışma imkânı bulmuştur. Bunlar arasında Mâlik b. Enes, Süfyân b. Uyeyne, İmam Zeyd b. Ali, Muhammed el-Bâkır, Abdullah b. Hasan b. Hasan ve Ca'fer es-Sâdık vardır.

Ebû Hanîfe ömrünün elli iki yılını Emevîler ve on sekiz yılını da Abbâsîler döneminde geçirmiştir. Emevî idarecilerinin özellikle Ehl-i beyte karşı takındığı olumsuz tavra tepki göstermiş, açık bir muhalefet yapmış ve bu tutumu onun zulüm görmesine sebep olmuştur. Nitekim Hz. Ali evladına karşı yaptıkları haksızlıklar sebebiyle Emevî idarecilerine karşı 121 (739) yılında Emevi hükümdarı Hişâm b. Abdilmelik'e karşı ayaklanan Zeyd b. Ali'yi (ö. 122/740) hem maddi olarak hem de fetvalarıyla desteklemiştir. Bu sebeple II. Mervân'ın Kûfe kadılığı veya Beytülmâl eminliği teklifini reddetmiş, her türlü baskı ve işkenceye rağmen görevi kabul etmeyince hapse atılmıştır. Sağlığı bozulunca hapisten çıkarılmış ve Hilafet Abbâsîlere geçinceye kadar Mekke'de kalmıştır. Abbâsîlerin Hz. Ali evladının haklarını koruyacağı vaadine güvenerek tekrar Kûfe'ye dönmüş; ancak değişen çok fazla bir şey olmadığını görünce Abbâsî hilafetine de açıktan cephe almış ve bu tavrı da zulüm görmesine sebep olmuştur. Bağdat'ta hapiste iken veya çıktıktan kısa bir süre sonra 150 (767) yılında vefat etmiştir. Onun zehirlenerek öldürüldüğüyle ilgili de rivayetler vardır. Ebû Hanîfe'nin zeki, cömert, kanaatkâr, güvenilir, dürüst, âbid, zâhid, bilgili ve cesaretli bir kişiliğe sahip olduğu ifade edilir.[403]

İmâmeyn: İmam Ebû Yûsuf ve İmam Muhammed

Hanefî mezhebinin Ebû Hanîfe'den sonra gelen iki önemli ismi, aynı zamanda onun talebeleri olan Ebû Yûsuf (ö. 182/798) ve Muhammed b. Hasan eş-Şeybânî (ö. 189/804) *imâmeyn* olarak bilinir. Bu ikisinden başka Züfer b. Hüzeyl (ö. 158/774) ve Hasan b. Ziyâd (ö. 204/819) da Hanefî mezhebi kaynaklarında görüşleri nakledilen Ebû Hanîfe'nin iki önemli talebesidir.

Hanefî mezhebi re'y ekolünün temsilcisidir. Daha önce ifade edildiği üzere, re'y tabiri, naslardan bağımsız düşünme faaliyetini değil, nasları belirli bir metodoloji çerçevesinde anlama ve yorumlamayı, yani naslardan akli istidlale dayanarak bilgi üretme faaliyetini ifade etmektedir.

Kitap ve sünnet bütün İslam hukukçularına göre hükümlerin asli kaynağıdır. Ancak Hanefî mezhebi imamları *âhâd haber*lerin kabulü konusunda diğer mezheplere göre biraz daha ağır şartlar ileri sürmüşlerdir. Bu durum, esasında mezheplerin teşekkül ettiği dönemlerde Irak bölgesinin farklı kültürel yapısı nedeniyle uydurma hadislere karşı tedbir alma ihtiyacından doğmuştur. Bu titizlik Hanefîlerin sünneti kabul etmedikleri ya da gereken değeri vermedikleri şeklinde bir algıya sebep olmuştur.[404]

---

403 bk. Hüseyin b. Ali es-Saymerî, *Ahbâru Ebî Hanîfe ve ashâbih* (nşr. Ebü'l-Vefâ el-Efganî), Haydarâbâd, 1974; İbn Abdülberr, *el-İntikâ*, Kahire, 1350; Mekkî, *Menâkıbü Ebî Hanîfe*, Beyrut, 1981; Zehebî, *Menâkıbü'l-İmâmEbî Hanîfe ve sâhibeyh Ebî Yûsuf ve Muhammed b. Hasan*, Kahire, ts.; İbnü'l-Bezzâz el-Kerderî, *Menâkıbü'l-İmâmi'l-A'zam*, Beyrut, 1981; Süyûtî, *Tebyîzu's-sahîfe*, Haydarâbâd, 1334; Kevserî, *Te'nîbü'l-Hatîb*, Kahire, 1942; Ebû Zehre, *Ebû Hanîfe*, Kahire, ts.; Mustafa Uzunpoştalcı, "Ebû Hanîfe", *DİA*, X, 131-138.

404 M. Akif Aydın, *Türk Hukuk Tarihi*, s. 58.

Onun re'y ve kıyasa çokça başvurması, hadise karşı olumsuz bir tavır benimsediği şeklinde bir algı meydana getirse de[405] bizzat kendi dilinden tespit edilen içtihat yöntemi ve yöntemin uygulamaları bu algının gerçeği yansıtmadığını göstermektedir.[406] Ebû Hanîfe, hüküm istinbatında takip ettiği yöntemi şöyle ortaya koymaktadır:

Ebû Hanîfe'nin Fıkıh Yöntemi

"Allah'ın kitabında açık bir hüküm bulursam onu alırım. Bulamazsam Resulü'nün sünnetine müracaat ederim. Onda olanı alırım. Eğer bu iki kaynakta da aradığımı bulamazsam sahabeden dilediğimin kavlini tercih ederim. Onların görüşü varken bir başkasının görüşüne iltifat etmem. Ama söz İbrâhim en-Nehaî, Şa'bî, İbn Sîrîn, Hasan el-Basrî, Atâ b. Ebî Rabah, Sa'îd b. el-Müseyyeb gibi müçtehitlere gelince onlar nasıl içtihat yapmışlarsa ben de onlar gibi içtihat ederim."[407]

Görüldüğü üzere Ebû Hanîfe sünneti asli deliller arasında saymaktadır. Bunun dışında amel etmediği hadisler, kabul şartlarına uymayan rivayetlerle ilgilidir. Bu da sadece Ebû Hanîfe ve onun mezhebi ile ilgili bir durum değildir. Her mezhebin âhâd haberleri kabul şartları farklıdır. Esasen bu âhâd haberleri kabul noktasındaki yaklaşım, mezheplerin ayırıcı noktalarından da birisidir.

Hanefî Mezhebi'nin İstihsan Vurgusu

Mezhepleri birbirinden ayıran en temel faktörlerden birisi de ağırlık verdikleri Kur'an ve sünnet dışındaki delil, yöntem ve ilkelerdir. Bu çerçevede Hanefî mezhebi denildiğinde ilk akla gelen *istihsan*dır. İstihsan, daha önce müstakil olarak ele alınırken belirtildiği üzere özel şartlar taşıyan

405 Zeydan, *el-Medhal li-dirâseti'ş-şerî'ati'l-İslâmiyye,* s. 131.

406 bk. Zekeriya Güler, "Ebû Hanife'nin Hadis İlminde Zayıf Olduğu İddiasının Tahlili", İmam-ı Azam ve Düşünce Sistemi Sempozyumu, Bursa, 2003, II, 325-334.

407 Mizzî, *Tehzîbü'l-Kemâl,* XXIX, 443; Hacvî, *el-Fikrü's-sâmî fi târîhi'l-fıkhi'l-İslâmî,* I, 354.

meseleleri genel kuraldan istisna edip hukuk sisteminin bütününü dikkate alarak çözümlemek demektir. Hanefîlerin anlayışına göre varılan hüküm o özel şartlar açısından genel ilkeden daha güçlü bir delile dayanmaktadır. İstihsanın bu ıstılah anlamı ile *bir şeyi güzel bulmak anlamına* gelen sözlük manası arasındaki kargaşa bazı hatalı anlamalara sebebiyet vermiş ve diğer mezheplerin Hanefîleri tenkit etmesine yol açmıştır. Hanefîleri eleştiren diğer âlimler sözlük manasından hareketle istihsanla hüküm vermeyi şeri bir delile dayanmaksızın şahsi arzuya ve sübjektif düşüncelere göre hüküm vermek şeklinde anlamışlardır. Bu konuda en sert tepki de İmam Şâfiî'den gelmiştir.[408] Diğer mezhepler de bu konuda ona katılmışlardır. Aslında bu manada istihsan herkese göre batıldır. Kelime olarak istihsanın kullanılmış olması bu gibi âlimlerin zihninde keyfî, canının istediği gibi hüküm koyma manasını canlandırdığından ona cephe almışlardır. Oysa Hanefîler, istihsanı diğer mezheplerin gördüğü şekliyle (sözlük manasıyla) anlamamış ve kullanmamışlar, ama Hanefîlerin anladığı manada diğer mezhepler de kullanmışlardır. Nitekim bu noktada Ebü'l-Hüseyin el-Basrî (ö. 436/1044) Hanefîleri tenkit edenlerin onların bu kavramla neyi kastettiklerini anlamadan eleştirdiklerini söylemektedir.[409]

Hanefî mezhebinde başlangıçtan itibaren henüz meydana gelmemiş fakat meydana gelmesi mümkün veya muhtemel *farazi meseleler*in de fıkhî tartışmalara ve çözüm arayışlarına konu edilmesi bu mezhebin karakteristik özelliklerindendir.[410] Bu anlayış bazı mahzurlar taşısa da benzer olaylara getirilen çözümler arasında bütünlüğü sağlaması, mezhep içinde doktriner düşünceyi geliştirmesi, ilk

---

408 İmam Şâfiî'nin eleştirilerinde Hanefîler açıkça zikredilmiş değildir. Ancak istihsanı Hanefîler daha çok kullandıkları için tenkidin hedefinde onların bulunduğu düşüncesi yaygınlık kazanmıştır.

409 Ebü'l-Hüseyin el-Basrî, *el-Mu'temed fî usuli'l-fıkh* (nşr. Muhammed Hamidullah), Institut Français de Damas, Dımaşk, 1964, II, 295.

410 Hacvî, *el-Fikrü's-sâmî fi târîhi'l-fıkhi'l-İslâmî*, I, 349.

imamların re'y ve içtihatlarında gözettikleri ilkeleri kavramaya katkısı açısından faydalı olmuştur.[411] Bunun yanında hiç olmayacak farazi meseleler üzerinde kafa yormak özellikle öğretim hayatında fıkıh melekesini geliştirme ve reel olaylarla karşılaşıldığında onu çözmede kolaylık sağlaması açısından verimli bir yöntemdir.[412]

Herhangi bir mezhebin genel özelliklerini maddeler hâlinde sıralamak çok kolay olmasa da öne çıkan bazı hususiyetler zikredilebilir. Bu açıdan bazı çağdaş İslam hukukçuları, Hanefî mezhebinin temel özelliklerini şöylece belirlerler:

Hanefî Mezhebi'nin Temel Özellikleri

1) İbadet ve muamelatta kolaylaştırma ki bu İslam dininin temel özelliklerindendir.

2) Fakir ve zayıf tarafı gözetme, bu da Kur'an'ın müminlerden gözetmesini istediği bir husustur.

3) Hukuki işlemleri imkânlar ölçüsünde geçerli sayma.

4) Fertlerin hürriyetlerini ve kişiliğini gözetme.

5) Devlet otoritesinin devlet başkanınca (imam) temsili.[413]

Bunlara iki hususu daha ilave etmek gerekir. Birincisi hukuki işlemlerde şekil-maksat arasında denge, ikincisi de gayrimüslimlerle daha özgürlükçü ilişki.

Hanefî mezhebi ve özellikle de mezhebin imamı Ebû Hanîfe, hukuken yasaklanmış sonuçlara ulaştıran şekil bakımından hukuka uydurulmuş işlemleri geçerli saydıkları ve böylece hukuk hükümlerinin etkisiz kalmasına zemin hazırladıkları hatta bayağı hilelerle Allah'ın helallerini haram, haramlarını helal kıldıkları yönünde diğer mezheplerin oldukça ağır eleştirilerine muhatap olmuşlardır. Eleştiriye konu olan husus günümüz hukukunda "kanuna karşı hile"

411 Ali Bardakoğlu, "Hanefî Mezhebi", *DİA*, XVI, 18.
412 Halim Sabit Şibay, "Ebû Hanîfe", *İA*, IV, 22.
413 Muhammed Yusuf Mûsâ, *Ebû Hanîfe*, 90.

kavramına karşılık gelmektedir. Burada bir kavram kargaşasının olduğu açıktır.

Hanefî Mezhebi'ne Yöneltilen Eleştiriler

Hanefîler dışındaki fukaha *hiyel*in tanımında meşru vasıtaları kullanarak gayrimeşru neticelere ulaşmayı merkeze almışlar ve reddetmişler, Hanefîler ise *hiyel*i meşru vasıtaları kullanarak meşru neticelere ulaşmak şeklinde anlayarak caiz görmüşlerdir. Bu noktada şunu söylemek mümkündür: Hanefîlerin anladığı manada *hiyel*e cevaz vermeyen herhangi bir mezhep yoktur. Çünkü vasıta da sonuç da meşrudur. Diğer mezheplerin tenkit ettiği manada da *hiyel*e cevaz veren yoktur. Çünkü vasıta meşru da olsa sonuç gayrimeşrudur. Burada bir noktanın altını çizmek gerekirse bazı mezhepler, hukuki işlemlerde niyeti tespit etmenin güçlüğünü dikkate alarak meşru vasıtaları kullanmak suretiyle gayrimeşru neticelere ulaşma kastı taşıyanların işlemlerini caiz olmasa da hukuki olarak geçerli saymışlar ve sorumluluğu ahirete havale etmişlerdir. Bir işlemin hukuken geçerli olmasıyla caiz olmasını birbirinden ayırmışlardır.[414]

Hanefî mezhebi, tarihî süreç içinde birçok devletin hukukunu oluşturmuştur. Özellikle Ebû Hanîfe'nin talebelerinden Ebû Yûsuf'un Abbâsîler döneminde adalet hizmetlerinden sorumlu en üst makamda (*kâdı'l-kudât*) bulunması mezhebin yayılmasında etkili olmuştur. Bunun yanı sıra tarihte yaşamış en uzun ve en güçlü devletlerden birisi olan Osmanlı Devleti yedi yüz yıl boyunca Hanefî mezhebine sıkı biçimde bağlı kalmıştır. Hanefî mezhebi bugün özellikle Türkiye, Irak, Lübnan, Ürdün, Türkistan, Orta Asya Türk Cumhuriyetlerinin büyük çoğunluğu, Kafkasya bölgesi, Afganistan, Hint-Pakistan bölgesi ve Balkanlarda hâkim mezhep konumundadır.[415]

---

414 Saffet Köse, "Hiyel", *DİA*, XVIII, 171-178.

415 bk. Bedrân, *Târîhu'l-fikhi'l-İslâmî*, s. 128-129; Karaman, *İslam Hukuk Tarihi*, s. 248.

Hanefî mezhebi imamlarına ait görüşler, özellikle Ebû Hanîfe'nin öğrencilerinden Muhammed b. Hasan eş-Şeybânî'nin tedvin ettiği kitaplarla sağlıklı şekilde günümüze ulaşmıştır.

## Mâlikî Mezhebi

İmam Mâlik'in Tahsili

Mezhebin imamı Mâlik b. Enes, 93 (712) yılında Medine'de doğdu. Yemen'den Medine'ye göç eden bir aileye mensuptur. İmam Mâlik, Medine'de yetişmiş, hac dışında Medine'den hiç ayrılmamış; ömrü boyunca burada yaşamıştır. Rabî'atü'r-re'y, İbn Şihâb ez-Zührî, Abdurrahman b. Hürmüz el-A'rec ve Eyyûb es-Sahtiyânî'nin de aralarında bulunduğu birçok âlimden ders almıştır. Hocaları içinde özellikle ilk ikisinin kendisi üzerindeki etkisi büyüktür.

Güçlü zekâsı ve disiplini sayesinde ortaya çıkan başarısından dolayı hocalarının takdirini kazanan Mâlik b. Enes yirmi yaşlarında iken fetva vermeye başladı. İslam dünyasının birçok bölgesinden hadis almak ve ders okumak için akın akın öğrenciler Medine'ye geldi. Hac vesilesiyle Haremeyn'e gelen ulema ile görüşme fırsatı buldu. Ebû Hanîfe, Leys b. Sa'd, Evzâî, Ebû Yûsuf ve Muhammed b. Hasan eş-Şeybânî bunlar arasındadır. Ca'fer es-Sâdık'la da sık sık görüşmüş ve onun ilmini, zühd ve takvasını büyük bir takdirle karşıladığını ifade etmiştir.

Emevîler döneminin sonu ile Abbâsîler döneminin başında yaşayan İmam Mâlik, siyasetten uzak durmayı tercih etse de Emevî idarecilerinin cebr ve ikrah yoluyla aldıkları biatlerin, zor altında yaptırılan yemin, talak ve nezir gibi sözlü tasarruflardan biri olduğu için fıkhen geçersiz olduğu yönünde fetva vermiş, bu nedenle çeşitli eziyetlere maruz kalmıştır.[416]

416 Köse, "Hiyel", *DİA*, XVIII, s. 171.

Mescid-i Nebevî'de fetva ve ders ile meşgul olduğu bir sırada hac vesilesiyle Haremeyn'e gelen Halife Hârûn er-Reşîd, ondan iki oğlu Emîn ve Me'mûn'a gelip ders vermesi için ricada bulunduğunda "İlim birilerinin ayağına gitmez, ilme gelinir." diyerek bunu reddetmiştir. Bu sözünde ona hak veren Harun er-Reşîd, çocuklarının kendisini dinlemek üzere geleceklerini söyleyince, "Çocukların insanları gözetlemek/denetlemek için gezip dolaşmayacaklar ve ders bitene kadar oturup dinleyeceklerse gelsinler." diye uyarıda bulunmuş; halifenin çocukları bu şartla derse gelmişlerdir.[417]

Hayatı boyunca ilimle meşgul olmuş olan büyük hadis ve fıkıh âlimi İmam Mâlik 179 (795) yılında Medine'de vefat etti. En önemli eseri günümüze kadar ulaşan ve 1720 rivayetin yer aldığı muteber bir hadis kitabı olan *el-Muvatta*'dır. Bu eser birçok âlim tarafından şerh edilmiştir.

İmam Mâlik'in, önce Mescid-i Nebevî'de daha sonra hastalığı sebebiyle evinde verdiği dersleri daha çok kendisinin anlatımıyla geçmiş, Ebû Hanîfe'nin uyguladığı gibi talebeleriyle tartışma ve karşılıklı görüş alışverişi şeklinde bir uygulama olmamıştır. Bu sebeple vefatından sonra bazı ihtilaflar nakledilse de hayatında iken talebeleriyle kendisi arasında bir görüş ayrılığı kaydedilmemiştir. Öğrencileri onun görüş ve fetvalarını tedvin ederek günümüze ulaşmalarını temin etmişlerdir.[418] Bu konuda özellikle İbnü'l-Kâsım el-Utekî'nin (ö. 191/806) büyük hizmeti olmuştur. Mâlikî mezhebi'nin *el-Muvatta*'dan sonraki ikinci kaynağı olan *el-Müdevvene,* Sahnûn b. Abdisselâm'ın İbnü'l-Kâsım'dan aldığı İmam Mâlik'in görüşlerinden oluşmaktadır.

İmam Mâlik'in Öğrencileri

Mezhebin yayılmasını temin eden talebeleri arasında Abdullah b. Vehb, Abdurrahman b. Kasım, İbnü'l-Kâsım el-Utekî önemli bir yer tutar. Bunun dışında Ebû Muham-

417 Zeydan, *el-Medhal li-dirâseti'ş-şerî'ati'l-İslâmiyye* s. 136.
418 Zeydan, *el-Medhal li-dirâseti'ş-şerî'ati'l-İslâmiyye,* s. 136-137.

med İbn Abdi'l-Hakem, İbn Ziyâd el-Absî, İbn Gânim el-Kâdî, Esed b. Furât, Yahya b. Yahyâ el-Leysî mezhebin çeşitli bölgelere yayılmasında etkili olan ilk dönem Maliki âlimlerindendir. Ebû Hanîfe'nin talebesi Muhammed b. Hasan eş-Şeybânî ile İmam Şâfiî de İmam Mâlik'in talebeleri arasında sayılabilir.

Ebû Hanîfe farazi meseleler üzerinde ne kadar durmuşsa, İmam Mâlik de bir o kadar kaçınmıştır. Ebû Hanîfe'ye niçin farazi meseleler üzerinde duruyorsunuz diye sorulduğunda: "Bela gelmeden ona hazırlanıyoruz." cevabını verirken; İmam Mâlik de kendisine farazi bir mesele sorulduğunda: "Böyle bir olay vuku bulmuş mu?" diye mukabelede bulunmuş "Hayır" cevabını alınca da: "Bırakın vaki olsun, ondan sonra konuşuruz." diye cevap vermiştir.

İmam Mâlik ve Mâlikî mezhebi ile ilgili çalışmalarda Mâlikî mezhebini Hicaz ekolünün (Ehl-i eser/hadis) devamı sayma eğilimi güçlüdür. İmam Şâfiî'nin, "Mâlik ve Süfyân b. Uyeyne olmasaydı Hicaz'ın ilmi yok olurdu." dediği nakledilir.[419] Ancak onun Medinelilerin uygulama ve yaşantısına verdiği değer, *el-Muvatta* adlı eseri ile anılması, Medine'de yaşaması böyle bir fikrin ortaya çıkmasında etkili gözükse de mezhebi incelendiğinde onun Ehl-i reyden sayılması daha uygun görünmektedir.

İmam Mâlik'in Amel ve Maslahat Vurgusu

İmam Mâlik'in usulünde dört asli delilin yanı sıra *amel* ve *maslahat* da esaslı birer kaynağı teşkil eder. Amel denildiğinde ilk olarak Medinelilerin uygulaması akla gelir.[420] Kur'an ve sünnetin yanı sıra Medinelilerin uygulamalarına (amel-i Ehl-i Medine) özel bir önem vermesi ve onu, belirli ölçüde âhâd haberlere tercih etmesinde, Hz. Peygamber ve sahabenin burada yaşamış olmasıyla oluşan sünnete dayalı kültürel hayat ile Medine'nin dış etkilere

419 Sübkî, *el-Fetâvâ*, II, 174.
420 Hacvî, *el-Fikrü's-sâmî fî târîhi'l-fıkhi'l-İslâmi*, I, 371, 388-391.

karşı muhafazakâr yapısını koruması da etkili olmalıdır. Bununla birlikte amel sadece Medinelilerin uygulamalarıyla sınırlı olmayıp arka planında bir fıkhî hüküm için seçkin bir topluluk tarafından uygulanmış olmanın delil değeri taşıdığı fikri de yatmaktadır.

Maslahat düşüncesini müstakil bir delil kaynağı olarak kabul eden ilk mezhep Mâlikî mezhebidir. *Sedd-i zerâi, istihsan, murâ'âtü'l-hilâf* gibi maslahat kavramıyla doğrudan ilişkili ilke ve yöntemlerin Mâlikî usulü içinde müstakil olarak yer alması maslahatın yerini ve önemini göstermesi açısından önemlidir.[421]

Tarihî süreç içerisinde İmam Mâlik'in mezhebi Medine dışında Mağrib bölgesi ile Endülüs'te kökleşmiş ve bugün yine bu bölgelerde özellikle Fas, Tunus ve Libya'da hâkim durumda bulunmaktadır. Mâlikîliğin Endülüs ve Kuzey Afrika'da kökleşmesinin temel sebebi burada yaşayan Müslümanların Haremeyn'e yaptıkları seyahatler dolayısıyla Mâlikî mezhebiyle tanışmış olmalarına bağlanmaktadır.[422]

## Şâfiî Mezhebi

İmam Şâfiî'nin Tahsili

Mezhebin imamı Ebû Abdillah Muhammed b. İdrîs eş-Şâfiî, 150 (767) yılında Gazze'de dünyaya gelmiştir. Kureyş kabilesine mensup olup soyu Hz. Peygamber'in dedesi Abdümenâf'a kadar uzanır. Küçük yaşta babasını kaybetmiş ve annesinin himayesinde büyümüştür.

İmam Şâfiî, annesiyle birlikte Mekke'ye geldi. Yedi yaşında hafızlığını tamamladı. Mekke'nin meşhur âlimlerinden

421 bk. Ebû Zehre, *el-İmâm Mâlik*; Hacvî, *el-Fikrü's-sâmî fi târîhi'l-fıkhi'l-İslâmi*, I, 383-388; Ali Cuma, *el-Medhal ilâ dirâseti'l-mezâhibi'l-fıkhiyye*, Kahire, 2012, s. 181-245; Zeydan, *el-Medhal li-dirâseti'ş-şerî'ati'l-İslâmiyye*, s. 136-137; Ahmet Özel, "Malik b. Enes", XXVII, 507-513; E. Said Kaya, "Maliki Mezhebi", *DİA*, XXVII, 519-535.

422 Bedrân, *Târîhu'l-fıkhi'l-İslâmî*, s. 136-137; Karaman, *İslam Hukuk Tarihi*, s. 248.

çeşitli İslami ilimleri okudu. İsmail b. Kostantîn, Süfyan b. Uyeyne, Müslim b. Halid ez-Zencî, Saîd b. Sâlim el-Kaddâh, Dâvûd b. Abdirrahmân el-Attâr bunlar arasındadır. 13 yaşına geldiğinde Medine'ye geçti ve orada İmam Mâlik'in yanı sıra Medine'nin meşhur âlimlerinden ilim tahsil etti. Bizzat İmam Mâlik'ten *el-Muvatta*'ı okudu ve ezberledi. Vefatına kadar da ondan ayrılmadı (163-179). Onun vefatından sonra Yemen'e gitti. Burada resmî bir görev aldı. Ömer b. Ebî Seleme'den Evzâî'nin, Yahyâ b. Hassân'dan da Leys b. Sa'd'ın fıkhını öğrendi. Yemen'de bulunduğu sırada Abbâsî hilafeti aleyhine çalışmak ve hilafet karşıtlarıyla iş birliği yapmakla itham edilerek Rakka'ya getirilip Halife Harun er-Reşîd'in huzuruna çıkarıldı ve aynı davadan idam edilenlerin arasından, hocası İmam Muhammed b. Hasan eş-Şeybânî'nin tezkiyesiyle kurtuldu (184/800). Bir süre Rakka veya Bağdat'ta göz hapsinde tutuldu. Burada Ebû Hanîfe'nin talebelerinden İmam Muhammed b. Hasan eş-Şeybânî'den Hanefî fıkhını öğrendi. Harun er-Reşîd onun suçsuzluğuna kanaat getirdikten sonra kendisini 4.000 veya 10.000 dirhem ile ödüllendirdi. Bundan sonra Mekke'ye geçti. O zamana kadar teşekkül etmiş veya etmekte olan belli başlı mezheplerin hukuki görüşlerini kendisinde topladı. Şâfiî bu birikimiyle dokuz sene müddetle Mekke'de fıkıh okuttu ve fetva verdi. Peşinden Mekke ile Bağdat arasında birkaç kez gidip geldikten sonra 199 (814) veya (200) 815 yılında Mısır'a yerleşti. Hayatının en verimli dönemini yaşadığı Mısır'da 204 (819) yılında vefat etti.

İmam Şâfiî'nin Fıkıh Yöntemi

İmam Şâfiî'nin ortaya koyduğu fıkıh hadis ve re'y okullarının görüşlerinin sentezi[423] olduğu iddiası ihtiyatla karşılanmalıdır. Mekke ve Bağdat'ta ortaya koyduğu görüşlerinin önemli bir kısmından Mısır'a gelince vazgeçmiştir. Bu değişimde Şâfiî'nin hukuk bilgisi ve içtihat melekesinin Mısır'da kemal noktasına ulaşmasının rolü olduğu kadar,

423 Aybakan, "Şâfiî Mezhebi", *DİA*, XXXVIII, 223.

burada karşılaştığı farklı hukuki örf ve âdetlerin de etkisi olmalıdır. Bu sebeple belirli konularda eski (kadîm) ve yeni (cedîd) olmak üzere İmam Şâfiî'nin görüşüyle karşılaşmak mümkündür. Kadîm görüşleri *Kitâbü'l-Hücce* adlı eserinde bulunurken, cedîd görüşleri bugün birçok kez basılmış olan *Kitâbü'l-Ümm* adlı hacimli eserinde yer almaktadır.

İmam Şâfiî sünnetin, hükümlerin Kur'an'dan sonraki kaynağı olduğu konusunda diğer mezheplerle aynı görüşü paylaşmakla birlikte, sünneti kabul konusuna yönelik farklı bir yaklaşım geliştirerek raviye güveni esas almıştır. Bu sebeple sünnetin kabulünde ne Hanefîlerde olduğu gibi metin ve senet itibarıyla ilave birtakım özellikler taşıması şartını, ne de Mâlikîlerde olduğu gibi Medinelilerin uygulamasına aykırı olmama şartını aramıştır. İstihsan, maslahat ve amel-i Ehl-i Medine'yi sübjektif ve takdirî olduğu, sünneti terke yol açabileceği endişesiyle kabul etmemiştir.

İmam Şâfiî'nin Formellik Vurgusu

İmam Şâfiî, hukukta istikrara verdiği önem sebebiyle hukuki işlemlerde şekil şartlarına ağırlık vermiş, niyet ve kasda, gizli olmalarından dolayı bilinemeyeceği ve sübjektif birtakım değerlendirmeler sebebiyle adaletsizliklere yol açabileceğini dikkate alarak itibar etmemiştir. Bu sebeple o insan eylemlerinde dünyevi ve uhrevi olmak üzere iki sonuç öngörmüştür. Şekil şartlarını taşıyan işlemler, dünyevi hükümler açısından geçerli olup sonuçlarını doğurur. Eğer işlemi yapan bununla hukuken yasaklanmış bir neticeye ulaşma kasdı taşıyorsa bu caiz değildir. Ama buna göre hükmü ahiret yurdunda Allah Teâlâ verecektir. Mesela bir kimse peşin olarak 100 liraya sattığı bir malı peşinden 120 liraya veresiye geri satın alsa burada iki satım akdi vardır ve ikisi de geçerlidir. Eğer bu alım-satımı yapanlar faizi kamufle etme amacı taşıyorlarsa alışverişleri caiz değildir. Ama cezası ahirettedir. Bu yönüyle İmam Şâfiî'nin telakkisi diğer üç mezhepten ayrılmaktadır.

er-Risâle: İlk Fıkıh Usulü Kitabı

İmam Şâfiî'nin İslam hukuk tarihindeki önemi günümüze ulaşan ilk fıkıh usulünün de yazarı olmasıdır. O ilk defa *er-Risâle* adlı eseriyle İslam hukuk ilminin esaslarını yazıya dökmüştür. Bunu da Abdurrahman b. Mehdî'nin bir mektupla sorduğu soruya verdiği cevaba borçluyuz. Bu sebeple eserin adı, *er-Risâle*'dir.

Hukuki görüşleri, yazmış olduğu kitaplarının yanı sıra talebelerinin eserleriyle de yayılmıştır. Bunlar arasında bilhassa Za'ferânî, Kerâbîsî, Müzenî, Rebi' b. Süleyman el-Murâdî ve Buveytî dikkat çekmektedir. Günümüzde Şâfiî mezhebi Mısır, Filistin, Dağıstan, Endonezya, Malezya ve Türkiye'nin güney doğusunda hâkim konumdadır.[424]

## Hanbelî Mezhebi

Ahmed b. Hanbel'in Tahsili

Mezhebin İmamı Ebû Abdillah Ahmed b. Hanbel b. Hilâl eş-Şeybânî, 164 (780) yılında Bağdat'ta doğmuştur. Babası genç yaşta öldüğünden annesinin yanında yetişti. Kur'ân-ı Kerîm'i hıfzından sonra İslami ilimlere ait dersleri çeşitli hocalardan okudu. Bunlar arasında Hüşeym b. Beşîr, Süfyân b. Uyeyne, Yahyâ b. Saîd el-Kattân, Abdurrahman b. Mehdî, İmam Şâfiî, Abdürrezzâk b. Hemmâm ile Vekî' b. el-Cerrâh vardır. Kûfe, Basra, Mekke, Medine, Dımaşk, Halep ve Cezîre'ye seyahatlerde bulundu.

Mihne

Ahmed b. Hanbel, Abbâsî Halifesi Me'mûn'un, hilafetinin son yıllarında Mu'tezile mezhebi ileri gelenlerinin tesiriyle devrin tanınmış âlimlerini Kur'an'ın mahluk olduğu görüşünü kabul etmeye çağırmasıyla başlayan ve Müte-

424 M. Ebû Zehre, *el-İmâm Şâfi'î*, Kahire, ts.; Hacvî, *el-Fikrü's-sâmî fi târîhi'l-fıkhi'l-İslâmi*, I, 394; Cuma, *el-Medhal ilâ dirâseti'l-mezâhibi'l-fıkhiyye*, s. 21-22; Zeydan, *el-Medhal li-dirâseti'ş-şerî'ati'l-İslâmiyye*, s. 140-141; Bedrân, *Târîhu'l-fikhi'l-İslâmî*, s. 137-143; Aydın, *Türk Hukuk Tarihi*, s. 60; Dağcı, Şamil, *İmam Şafii: Hayatı ve Fıkıh Usulü İlmindeki Yeri*, Diyanet İşleri Başkanlığı, Ankara, 2004; Bilal Aybakan, "Şâfiî", *DİA*, XXXVIII, 223-233; a. mlf., "Şâfiî Mezhebi", *DİA*, XXXVIII, 233-247.

vekkil devrine kadar devam eden süreçte bu çağrıyı reddetti. Bu yüzden hapis dâhil, birçok eziyete maruz kaldı. Teklif edilen devlet görevlerini reddetti. Hayatı boyunca hadis ve fıkıh başta olmak üzere İslami ilimlerle meşgul oldu, birçok talebe yetiştirdi. 241(855) yılında Bağdat'ta vefat etti.

Her gün 300 rekât namaz kılıp Kur'an'ın yedide birini okuduğu, Hz. Peygamber'in üç tel saçını sürekli yanında taşıdığı, zühd ve takvasıyla şöhret bulduğu nakledilmektedir.

Birçok eseri günümüze ulaşmıştır. En meşhur kitabı 40.000'e yakın hadis ihtiva eden *el-Müsned*'idir. Kitapta İslam'a giriş tarihleri esas alınarak önce aşere-i mübeşşerenin sonra Ehl-i Beyt, Haşimoğulları, Mekke, Medine, Kûfe, Basra ve Suriyeli sahâbîlerin, sonra da kadın sahâbîlerin müsnedleri sıralanmıştır.

Ahmed b. Hanbel'in Fıkıh Yöntemi

Ahmed b. Hanbel'in fıkhı, re'y ve kıyastan çok âsâra dayanır. Farazi meselelerden büyük ölçüde kaçınmıştır. İbadetlerin taabbüdîlik özelliğinden dolayı içtihat alanı ve değişim açısından ibadet sahasını daha dar bir çerçevede ele almış, muamelat bahsini ise genişlik ve esneklik çerçevesinden değerlendirmiştir. Buna göre naslar tarafından yasaklanmamış muamele serbesttir (istishâb). Naslar tarafından yasaklanmamış her türlü akit ve akdî şartların serbest olduğunu ifade eden bu anlayış, onun fıkıh düşüncesinin baskın karakterlerinden birini oluşturur.

Hanbelî fıkhının karakteristik özelliklerinden bir diğeri de naslarla çelişmediği sürece faydalıyı elde etme ve zararlıyı kaldırma anlamına gelen *maslahat*ı hükümlerde belirleyici ilke olarak kabul etmesidir.

Ahmed b. Hanbel'in fıkhında öne çıkan bir diğer özellik de akitler ve hukuki işlemlerin tefsirinde niyet ve maksat unsuruna ağırlık vermesidir. Buna göre akitler ve hukuki işlemlerle hukuken yasaklanmış bir sonuca ulaşma amaçlanıyorsa bu niyet ve kasıt ortaya çıkarıldığında işlemin iptali yoluna gidilir.[425] Günümüzde Hanbelî mezhebinin hâkim olduğu en önemli ülke Suudi Arabistan'dır.

## Ca'ferî Mezhebi

Ca'fer es-Sâdık

Mezhebin imamı Ebû Abdillah Ca'fer b. Muhammed el-Bâkır b. Ali Zeyni'l-'Âbidîn, 80 (699) yılında Medine'de doğdu. es-Sâdık en meşhur lakabıdır. Sâbir, Fâzıl, Tâhir ve Âtir lakaplarıyla da zikredilmiştir. Babası İsnâaşeriyye'nin beşinci imamı Muhammed el-Bâkır, annesi ise Hz. Ebû Bekir'in torunu Kâsım b. Muhammed'in kızı Ümmü Ferve'dir. Soyu baba tarafından Hz. Ali'ye, anne tarafından Hz. Ebû Bekir'e dayanmaktadır. Dedesi Zeynelâbidîn'in ölümü sırasında on beş yaşında olan Ca'fer es-Sâdık, ilk bilgileri ondan ve babası Muhammed el-Bâkır'dan aldı. Babasının on dokuz yıl süren imametinden sonra kendisi de otuz dört yıl aynı vazifeyi devam ettirdi. Şiî âlimler, Hz. Ali'nin Hasan ve Hüseyin'i imam tayin ettiği gibi Muhammed el-Bâkır'ın da oğlu Ca'fer es-Sâdık'ı imam tayin ettiği görüşündedirler.

Ca'fer es-Sâdık uzun süren imamet döneminde çevresiyle iyi ilişkiler kurmuş, Şia dışındaki ilim muhitlerinde de hürmetle anılmış büyük bir İslam âlimidir. Özellikle Emevîler ve Abbâsîler döneminde siyasetten özellikle kaçınarak kendisini ilme vermiş ve bu sayede idarecilerin baskı ve zulmünden korunabilmiştir.

İslami ilimlerin değişik alanlarında büyük bir bilgi birikimine sahip olan Ca'fer es-Sâdık bilimsel faaliyetlerle

---

425 Ebû Zehre, *el-İmâm Ahmed b. Hanbel*; Zeydan, *el-Medhal li-dirâseti'ş-şerî'ati'l-İslâmiyye*, s. 142-144; Cuma, *el-Medhal ilâ dirâseti'l-mezâhibi'l-fıkhiyye*, s. 245-309; Bedrân, *Târîhu'l-fıkhi'l-İslâmî*, s. 144-149; Yaşar Kandemir- Hayreddin Karaman-Yusuf Şevki Yavuz, "Ahmed b. Hanbel", *DİA*, II, 75-87.

geçen verimli bir hayattan sonra 148 (765) yılında Medine'de vefat etmiştir. Şiî kaynaklar onun, Abbâsî halifesi Mansûr tarafından zehirlenerek öldürüldüğüne yer verirler.

Hadis ilminde sika kabul edilen Ca'fer es-Sâdık'ın kendilerinden hadis rivayet ettiği kimselerin başında babası ve anne tarafından dedesi olan Kâsım b. Muhammed b. Ebî Bekir gelmektedir. Bunlardan başka Ubeydullah b. Ebî Râfi', Urve b. Zübeyr, İkrime el-Berberî, Atâ b. Ebî Rabah, Nâfi' ve Zührî'den de hadis rivayetinde bulunmuştur. İmam Mâlik, İmam Ebû Hanîfe, Süfyân es-Sevrî, Süfyân b. Uyeyne, İbn Cüreyc, Ebû Âsım en-Nebîl, Yahyâ b. Saîd el-Ensârî, Yahyâ el-Kattân, oğulları İsmail, Muhammed, Mûsâ el-Kâzım ve Şia kaynaklarında sayıları dört bine ulaştığı belirtilen kimseler kendisinden hadis dinlemiş ve rivayette bulunmuştur.[426]

Mezhebin Kaynakları

Ca'fer es-Sâdık'ın mezhebinde hüküm kaynağı dörttür. Kitap, sünnet, icma ve akıl. Hükümlerin birinci kaynağı Allah'ın kitabıdır. Kur'ân-ı Kerîm doğrudan vahiy mahsulü olması ve tevatüren nakledilmesi sebebiyle birinci dereceden kaynaktır. Kur'ân-ı Kerîm'de herhangi bir tahrif veya eksiklik yoktur. O doğrudan Allah'ın koruması altında bulunduğundan (Hicr suresi, 15:9) herhangi bir eksiklik ya da tahrife uğramamıştır, gelecekte de uğramayacaktır. O Allah'tan geldiği şekliyle dünya hayatı sona erinceye kadar orijinal bir şekilde varlığını muhafaza edecektir. Şeyh Sadûk (ö. 381/991), Şerîf el-Murtezâ (ö. 436/1044), Ebû Ca'fer et-Tûsî (ö. 460/1067), Tabersî (ö. 548/1153), Muhammed Bahâüddîn el-Âmilî (ö. 1030/1620), Hür el-Âmilî (ö. 1104/1692), Feyz el-Kâşânî (ö. 1090/1679), Kâşifü'l-Gıtâ' ve Mehdî et-Tabatabâî gibi mezhebin önde gelen âlimleri, İmam Ca'fer es-Sâdık'a dayandırarak Kur'ân-ı Kerîm'de hiçbir tahrif ve eksikliğin bulunmadığını ifade etmişlerdir. Ca'ferî mezhebinde kabul

426 Mustafa Öz, "Ca'fer es-Sâdık", *DİA*, VII, 1-3.

gören görüş budur.[427] Buna göre Küleynî'nin *el-Kâfî*'sinde yer alan Cebrâil'in 17.000 ayet getirdiği şeklindeki rivayet,[428] müellifin gerçekte bu inançta olduğundan değil, böyle bir rivayetin bulunduğunu haber vermek amacı taşıdığı yönünde izah edilmiştir. Bu rivayetin "*Nevâdir*" başlığı altında gelmiş olması, onun makbul olmadığını gösteren bir karine olarak düşünülmüştür.

Hükümlerin ikinci kaynağı da Kur'an ile çelişmeyen sahih sünnettir. Allah Teâlâ insanların ihtiyaç duyacağı her şeyi Kur'ân-ı Kerîm'le indirmiş (En'âm suresi, 6:38) ve Hz. Peygamber de onu açıklamıştır. Bu konuda Ca'fer es-Sâdık usulünü şöyle ifade etmiştir:

"Her şey Allah'ın kitâbına ve Resulü'nün sünnetine arzolunmalıdır. Allah'ın kitabına muhalif her türlü söz değersizdir."[429]

Onun bu düşüncesini belirleyen Hz. Peygamber'in şu hadisidir: *"Ey İnsanlar! Benden size ulaşan sözler, eğer Allah'ın kitabına uygunsa onları ben söylemişimdir. Eğer aksi söz konusu ise o sözler bana ait değildir."*[430]

Mezhebin anlayışına göre sünnet Hz. Peygamber ile masum imamların söz, fiil ve takrirlerinden ibarettir. Hadisin mütevatir olması hâlinde kabul edilmesi konusunda herhangi bir tereddüt yoktur. Âhâd haberlerin kabul şartı ise onların Ehl-i beyt imamlarından gelmiş olmasıdır. Bunlar da Hz. Ali, Hz. Fâtıma, Hz. Hasan ve Hz. Hüseyin ile diğer imamlardır. Hz. Hasan'ın soyundan gelenlerin rivayeti ise makbul değildir. Ancak bazı Ca'ferî âlimler, Ehl-i beyt imamları dışında bir

427 Muhsin el-Emîn, *el-A'yânü'ş-şî'a* (nşr. Hasan el-Emîn), Beyrut, 1983, I, 111.
428 Küleynî, *el-Kâfî*, "Bâbü'n-Nevâdir", nr. 28.
429 Küleynî, *el-Kâfî*, "Bâbü'l-ahzi bi's-sünne", 3-4; Âmilî, *Vesâilü'ş-Şî'a*, nr. 33347.
430 Küleynî, *el-Kâfî*, "Bâbü'l-ahzi bi's-sünne", 5; Âmilî, *Vesâilü'ş-Şî'a*, nr. 33348.

raviden gelen rivayeti, şayet imamlardan biri güvenilir sayarsa ona itibar edilmesi gerektiğini söylerler.

Hükümlerin üçüncü kaynağı olan icma ise masum imamın muvafakat ettiği müçtehitlerin görüş birliğidir. Dördüncü delil şeri hükme ulaştıran akla dayalı *kazıyye-i muhkeme*dir. İki şerden en hafifinin (ehven) tercih edilmesi, iki mühimden en mühim olanın (ehemm) üstün tutulması gibi.

İzhar

Akıl yeni bir hüküm koymaz, sadece Allah'ın hükmünü açığa çıkarır (izhar). Çünkü İslam dininde akıl ve nakil çatışması söz konusu değildir. Dinin hükmettiğine akıl da hükmeder. Kuşkusuz bunun aksi de doğrudur. Dinin hükmettiği her bir şeye bu konudaki özel hükmü belirlemeye Şâri'in çağırdığı şekilde akıl muttali olursa onunla örtüşür. Mesela içkinin haram kılınmasındaki illet bizzat Şâri'in tercihidir ve onun ayrılmaz parçasıdır. Biz akıllarımızla bunu tespit edebildiğimizde illet birliği bulunan diğer konulara da uygulayabiliriz. Bu durumda Şâri'in lisanıyla hükmetmiş oluruz. Akıl da Şâri'in ifade ettiği şeye tabi olmuş olur. Bunun dışında kıyas, istihsan, sahâbî kavli, ıstıslah gibi dört mezhebin kullandığı diğer delil ve yöntemler ya muteber değildir ya da muteber sayılan delillerden birinin çerçevesine girmektedir.

Ca'ferî usulcüler herhangi bir meselede delillerin çelişmesi ya da açık bir delilin bulunmaması hâlinde istishâb, berâet-i asliye, ihtiyat ve tahyir gibi ilkeleri dikkate almaktadırlar. İstishâb, daha önce varlığı bilinen bir şeyin aksine delil olmadıkça varlığına hükmedilmesi; berâet, şeri delilin bilinmemesi veya bulunmaması hâlinde hükmün de bulunmadığını kabul etmek ve buna göre davranmak; ihtiyât, delilin bulunmaması hâlinde muhtemel bütün şıkları yerine getirmek demektir. Ebû Ca'fer et-Tûsî'nin mukayeseli fıkha dair yazdığı *Kitâbü'l-Hilâf* adlı eseri delillerin ve söz konusu ilkelerin kullanımı açısından en güzel örneklerden birisidir.

Ca'ferî mezhebine göre Hz. Peygamber gibi, imamların içtihat etmeleri caiz değildir, çünkü içtihatta isabet ve hata söz konusudur, hâlbuki imamlar hatadan korunmuşlardır (masum).

Usûlîler ve Ahbârîler

İçtihat açısından Ca'ferîler'in iki kolu arasında anlayış farkı bulunmaktadır. *Usûlîler* içtihadı caiz görüp uygularlarken; *Ahbârîler*, içtihat ve taklidi reddederek, dinî bilgi ve hükümlerin meşhur kitaplarda tedvin edilmiş bulunan hadislerde mevcut olduğunu, bilginin bu kaynaklardan alınması gerektiğini savunmuşlardır.

Usûlîlere göre içtihat edemeyenler, bir müçtehidi taklit ederler. Ancak mukallitler şu şartları gözetmelidirler: Fetvasına uyulacak müçtehit hayatta, takva sahibi ve mezhepten olmalıdır. Ayrıca içtihat itikat ve ibadet alanları dışında olmalıdır.

Ca'feriyye mezhebinde *merciiyet*in önemli bir yeri vardır. Mercî; dinî, hukuki ve siyasi yetkiye sahip olan fakih anlamına gelir. Büyük gaybet (gaybet-i kübrâ) döneminden sonra fakihlere ait yetkinin sınırı problemi ortaya çıkmış, ileri sürülen çözümler üç ayrı merhalede farklı gelişmeler göstermiştir:[431]

1) 18. yüzyıla kadar genel kabul gören çözüm, "umumi ve siyasi ıslahat için mehdiyi beklemek; fetva, kaza, zekât, humus, kısıtlıların şahıs ve malları üzerinde velayet vb. konularda fakihlere başvurmak, onları merci olarak kabul etmek" şeklinde olmuştur.

2) 18. yüzyıldan 20. yüzyılın ikinci yarısına kadar Nerrâkî, Hasan eş-Şîrâzî, Hâirî ve Nâînî gibi müçtehitler, fakihin yetki ve sorumluluğunun siyasi ıslahat sahasını da içine aldığı görüşünü savunmuş, bu konuda önemli adımlar atmışlardır.

431 Karaman, "Ca'feriyye", *DİA*, VII, 8-9.

Velâyet-i Fakih Teorisi

3) Son merhale Âyetullah Humeynî ile başlamıştır. Humeynî'nin geliştirdiği velâyet-i fakih teorisine göre ümmetin en âlim ve faziletli fakihi, beklenen mehdinin naibi ve temsilcisidir. Buna göre siyasi ıslahat ve devlet yönetimi de (amme velayeti) dâhil olmak üzere imamın bütün yetkileri en âlim ve faziletli fakihte mevcut demektir. Bu fakih "genel merci" olup amme velayeti bakımından diğer fakihler ona tabi olacaklar; hem onu murakabe edecek hem de fetva, kaza, humus, zekât vb. konularda "sınırlı ve özel merciler" olarak faaliyet göstereceklerdir. Bu teori İslam inkılabından sonra İran'da geniş ölçüde uygulanmıştır.

Ca'ferî mezhebindeki fıkhî hükümlerin büyük çoğunluğu dört mezhepten herhangi birine uygun düşmektedir. Binlerce fıkıh meselesi göz önüne alındığında 200 kadar meselede fark bulunması fıkıh açısından önemli bir farklılığın mevcut olmadığını gösterir. Bazı farklı hükümler şunlardır:

1) Mut'a nikâhı (süreli evlilik) caizdir. Bu mezhep dışında mut'a caiz görülmemiştir.

2) Abdestte çıplak ayağa meshedilir.

3) Boşamada iki adil şahit şarttır (Talâk suresi 65:2).

4) Ehl-i Kitap kadınlarıyla evlenmek caiz değildir (Mümtehine suresi, 60:10).

5) Hastanın boşaması muteber değildir.

6) Bid'î boşama geçersizdir.

7) Bir mecliste gerçekleşen birden fazla boşama bir boşamadır.

8) Mirasta öz amca çocuğu, babadan hısım olan amcaya tercih edilir.[432]

432 Karaman, *İslam Hukuk Tarihi*, s. 243.

### Mezhebin Tarihçesi

Rivayete Dayalı Fıkıh Düşüncesi

***Gaybet Öncesi İmamlar Dönemi:*** Asr-ı saadetten itibaren 260 (873) yılına kadar süren dönemi kapsar. Bu dönem on iki imamın yaşadığı devirdir ve en temel özelliği rivayete dayalı fıkhın hâkim olmasıdır. On iki imam şunlardır:

1) Hz. Ali (ö. 40/661)

2) Hz. Hasan (ö. 50/670)

3) Hz. Hüseyin (ö. 61/680)

4) Ali Zeynelâbidîn (ö. 95/713)

5) Muhammed el-Bâkır (ö. 114/733)

6) Ca'fer es-Sâdık (ö. 148/765)

7) Mûsâ el-Kâzım (ö. 183/799)

8) Ali er-Rızâ (ö. 203/818)

9) Muhammed et-Takî (ö. 220/835)

10) Ali en-Nakî (ö. 254/868)

11) Hasan el-Askerî (ö. 260/873)

12) Muhammed el-Mehdî (Babasının vefatından sonra kaybolmuştur).

***İlk Gaybet (Gaybet-i suğrâ) Dönemi:*** 260-329 (873-941) arasında geçen devredir. Dördüncü asrın ortalarına doğru rivayete dayalı fıkıh anlayışı hâkim olsa da zamanla bazı rivayetlerdeki çelişkiler üzerine uzlaştırma yönünde bazı kurallar ortaya konmuştur. Bu dönemin ünlü âlimlerinden Küleynî (ö. 329/940) ve Şeyh Sadûk (ö. 381/991) ile *Kadîmeyn* diye bilinen İbn Ebî Akîl el-Hazzâ' ile İbnü'l-Cüneyd el-İskâfî (ö. 381/991) akli istidlal ve içtihada dayalı fıkha zemin hazırlamışlardır. Özellikle son iki âlim fıkhın hadisten ayrılması ve akli istidlal ve yorum metodunun kullanılması yönündeki çabalarıyla Ca'ferî fıkhının tedvininde önemli rol oynamışlardır. Hatta ilk Şiî usul kitabını İbnü'l-Cüneyd'in yazdığı da rivayet edilmektedir. Bu sebeple bu dönem fıkıh usûlünün hazırlık safhası olarak kabul edilmektedir.

Ca'ferî Fıkhının Tedvini

***Kelâmcılar Dönemi:*** Şeyh Müfîd (ö. 413/1022), Şerîf el-Murtezâ (ö. 436/1044), talebesi Ebü's-Salâh el-Halebî'nin damgasını vurduğu dönemdir. Bu âlimler yazdıkları eserlerle *Ahbârî*lere karşı mücadele etmişler, onların zihniyetini tenkide tabi tutarak bazı rivayetleri reddetmişler, geliştirdikleri usul çerçevesinde içtihada ağırlık vermişlerdir.

Ebû Ca'fer et-Tûsî ve Ahbarî-Usûlî Uzlaşması

***Şeyhu't-Tâife Dönemi:*** Şeyhu't-Tâife Ebû Ca'fer et-Tûsî (ö. 460/1067) bu dönemin öne çıkan âlimidir. Tûsî, Ahbârîlik zihniyeti ile Usûlîlerin anlayışını uzlaştırarak yeni bir fıkıh çığırı açmıştır. Bu çerçevede Usûlîler'in içtihat metodu ile rivayete dayalı fıkıh anlayışını temsil eden ekolün haber-i vahidle amel prensiplerini almış, bu noktada âhâd haberlerin sıhhatini tesbitte bazı kriterler geliştirerek iki yaklaşım arasında eklektik bir yöntem benimsemiştir. Yazmış olduğu *el-'Udde fî usûli'l-fıkh* adlı meşhur kibabında fıkıh usulünün bütün konularını ele almış, farklı görüşlerle yer yer mukayeseler yapmış ve kendi tercihlerini ön plana çıkararak bunları savunmuştur. Burada bir hususun altını çizmek gerekirse Tûsî, Ca'ferî fıkhını sistemleştirmek ve usûl-i fıkha hâkim kılmak isterken Sünni gelenekten büyük ölçüde yararlanmıştır.

Ca 'ferî Fıkhını Sünnî Fıkıhtan Arındırma Çabası

***Şehîd-i Evvel Dönemi:*** Şehîd-i Evvel'i (786/1384) Ca'ferî fıkhında ön plana çıkaran ve bir devre ismini veren çabası, Ca'ferî fıkhını Sünni fıkıhtan yapılan iktibaslardan temizleyerek tedvin etmiş olmasıdır. Bir başka ifadeyle Ca'ferî fıkhını kendi saf ortamında oluşturma çalışmasıdır. Özellikle bunu *el-Kavâ'id ve'l-fevâid* adlı eserinde uygulayarak bir çığır açmıştır. Aralarında Şehîd-i Sânî'nin de bulunduğu takipçileri onun usulüne bağlı kaldılar ve eserlerini şerhetmek ve okutmak suretiyle bu süreci yüz elli yıl kadar devam ettirdiler.

***Safevîler Dönemi:*** Şiî telakki Safeviler döneminde devletin resmî mezhebi hâline gelmiştir. Bu dönemde Ali b. Hüseyin el-Kerekî (ö. 940/1534), Ahmed b. Muhammed el-Erdebîlî (ö. 993/1585) ve Muhammed Emîn el-Esterâbâdî (ö. 1036/1626) ekolleri ön plana çıkmıştır. İlk iki âlimin temsil ettiği ekol Usûlî karakter taşırken sonuncusu Ahbârîliği ön plana çıkarmıştır.

***Bihbehânî Dönemi:*** Muhammed Bâkır el-Bihbehânî'nin (ö. 1206/1791) Ahbârîlik'e karşı fıkıh usûlüne yeniden canlılık kazandırdığı dönemdir.

Fıkhın Lafzi ve Amelî Olarak Tedvini

***Şeyh Ensârî Dönemi:*** Şeyh Murtaza el-Ensârî (ö. 1281/1864) Şiî usulünde yeni bir metot ortaya koymuş, kendi dönemine kadar fıkıh usulü konuları Kur'an, hadis, icma ve akıl şeklinde kategorize edilirken kendisinden sonra bu ilim lafzi ve amelî olmak üzere iki ana kola ayrılmış ve bu ayrım sonraki ulema tarafından da benimsenmiştir. Günümüze kadar ilmî çevrelerde onun ekolü benimsenmiş; fıkıh ve usûl alanında yazdığı eserler örnek alınarak yeni kitaplar telif edilmiş, fıkıh öğretimi yapılmış ve fetvalar verilmiştir.[433]

Bugün Ca'ferîlik İran'ın resmî mezhebidir. Azerbaycan nüfusunun büyük bir kısmı Ca'ferîdir. Afganistan, Lübnan, Irak, Suriye ve körfez ülkelerinde bu mezhebe mensup birçok Müslüman bulunmaktadır. Türkiye'nin Kars-Iğdır yörelerinde de Ca'ferîlik hâkim mezheptir.

---

433 Muhsin el-Emîn, *el-A'yânü'ş-şî'a*, I, 21-208; Bedrân, *Târîhu'l-fikhi'l-İslâmî*, s. 156-162; Zeydan, *el-Medhal li-dirâseti'ş-şerî'ati'l-İslâmiyye*, s. 146-148; Karaman, "Ca'feriyye", *DİA*, VII, 4-6.

## Zeydiyye Mezhebi

Mezhebin imamı olan Zeyd b. Ali Medine'de doğdu. Hz. Hüseyin'in torunudur. Hangi yılda dünyaya geldiğine dair rivayetler 75 (694) ile 80 (699) yılları arasında değişmektedir.

Zeyd b. Ali'nin annesi Muhtar es-Sekafî'nin babasına hediye ettiği Sindli cariye Ceydâ (Haydâ)'dır. Kaynaklarda onun güzel ahlakına dair övücü sözler bulunmaktadır. Babası, Şia'nın dördüncü imamı ve Hz. Hüseyin'in hayatta kalan tek erkek oğlu, tâbiînin ikinci tabakasında yer alan ilmi, zühdü, cömertliği ile şöhret bulmuş, Hâşimoğullarının en faziletlilerinden kabul edilen Ali Zeynelâbidîn'dir.

Zeyd b. Ali'nin Tahsili

Zeyd, babası Ali Zeynelâbidîn'in hayatta olduğu süre içinde onunla kaldı, öğrenim çağına geldiğinde ondan fıkıh ve hadis gibi dinî ilimleri okudu, Kur'ân-ı Kerîm'i hıfzetti. Babasının vefatından sonra (94/712-13) büyük kardeşi Muhammed el-Bâkır'dan dersler aldı. Bu derslere Ca'fer es-Sâdık da katılmıştır. Ebân b. Osman b. Affân, Urve b. Zübeyr ve Ubeydullah b. Ebû Râfi' gibi muhaddislerden hadis rivayet etti. Medine'de bulunduğu sırada orada yaşayan birçok âlimden ders okudu. Sahabe neslinin hayatta kalanlarından bazılarıyla görüşme fırsatı buldu. En son vefat eden sahâbî kabul edilen Ebu't-Tufeyl (ö. 100/719) bunlar arasındadır.

Zeyd b. Ali, Mekke, Basra, Şam ve Kûfe'ye seyahatlerde bulundu. Buralarda birçok âlimle görüştü ve onlarla ilmî müzakereler yaptı. Câbir b. Abdillah el-Ensârî ile Muhammed b. Üsâme b. Zeyd ders aldığı hocaları arasındadır. Basra'ya seyahati sırasında Mu'tezile'nin imamı Vâsıl b. Atâ ile tanıştı ve onun düşüncelerini bizzat kendisinden öğrendi. Kaynaklar Zeyd b. Ali'nin, onun birtakım fikirlerini benimsemekle birlikte bazı görüşlerine muhalefet ettiğini belirtirler.

Zeyd, babası ve kardeşinin aksine Medine'de kalmak yerine çeşitli şehirlere gidip halk ile temas kurarak hareketli bir hayat yaşadı.

Sıffîn Savaşı'nın olumsuz hatıraları ile dedesi Hz. Hüseyin'in Kerbelâ'da şehit edilmesi, bunun yanı sıra Emevî idaresinin Ali evladına karşı takındığı incitici, onur kırıcı muamele ve haksız politikaların[434] onu etkilediği anlaşılmaktadır. Bunun yanında halk arasında Emevî idaresine karşı oluşan hoşnutsuzluk, zalim yöneticilere başkaldırının temelini oluşturan ve siyasal bir içerik de yüklediği iyiliği hâkim kılma ve kötülüğü engelleme (emir bi'l-ma'rûf nehiy ani'l-münker) ilkesini uygulamadaki kararlılığı Emevî idaresine karşı direniş düşüncesini güçlendirdi. Etkili hitabeti sayesinde halk ile kurduğu diyalog, özellikle Kûfelilerin teşviki, onu isyana cesaretlendirdi. Harekete geçmeye karar verdiğinde Kur'an ve sünnetin esas alınması, adaletli olmayan iktidar sahiplerine karşı cihat edilmesi, zayıfların korunması, haksızlığa uğrayanlara haklarının verilmesi, zulmün kaldırılması, peygamber ailesinin haksızlık eden ve karşı çıkan herkese karşı korunması, Ehl-i Beyt'e yardım etme, devlet gelirlerinin ve ganimetlerin hak sahipleri arasında adil biçimde dağıtılması, zalimlerin hatalarının düzeltilmesi ve yıllardır askerî seferlerde bulunanların geri döndürülmesi üzerine halktan biat aldı. Burada kendisine on beş bin Kûfelinin biat ettiği, Medâyin, Basra, Vâsıt, Mevsıl, Horasan, Rey, Cürcân ve Arap Yarımadası'ndan biat edenlerle birlikte bu sayının kırk bini bulduğu nakledilmektedir. Hanefî mezhebinin imamı Ebû Hanîfe'nin de kendisine mali destek sağladığı kaynaklarda zikredilmektedir.[435]

Râfizîliğin Doğuşu

Zeyd b. Ali kendisine biat edenlere 1 Safer 122 (6 Ocak 740) Çarşamba günü harekete geçmek üzere hazır olmaları talimatını verdi. Bu arada kendisine biat etmiş bir

434 İbnü'l-Esîr, *el-Kâmil,* V, 232-233.
435 bk. Ca'fer es-Subhânî, *Buhûs fi'l-milel ve'n-nihal,* Kum, 1415, VII, 111.

grubun işin ciddiyetini anlayınca[436] Hz. Ebû Bekir ve Hz. Ömer hakkında Zeyd b. Ali'nin düşüncesini sorması, onun da atalarından onlar hakkında hayırdan başka bir şey işitmediğini, kendisinin de aynı kanaatte olduğunu söylemesi üzerine onlar bu cevaptan hoşlanmayarak biatlarını bozmuş ve onun safından ayrılmışlardır. Zeyd ise onlara *"râfez-tümûnî"*, yani "Beni terk edip gittiniz." ifadesini kullandığı için o andan itibaren söz konusu gruba *Râfizîler*, Zeyd'in yanında yer alanlara ise *Zeydîler* denilmiştir.[437]

Kûfelilerin ihaneti sebebiyle etrafında çok az kişi kalan Zeyd b. Ali'nin birliği, hükümdara bağlı birliklerin sayısının fazla oluşu karşısında direnememiştir. Zeyd b. Ali şiddetli çatışmanın ardından başına isabet eden bir ok sonucu ağır şekilde yaralanarak 2 Safer 122 (7 Ocak 740) Perşembe günü hayatını kaybetti.

Cesedi gizlice defnedilmesine rağmen bir şahsın haber vermesiyle yeri tespit edilmiş, başı koparılarak Şam'a götürülmüş ve Şam kapısına asılmıştır. Peşinden Medine'ye gönderilerek bir gün bir gece Hz. Peygamber'in kabri yanında asılı kalmıştır. Sonrasında sergilenmek üzere Mısır'a gönderilmiş, bir grup Mısırlı onu kaçırarak defnetmişlerdir. Babasının ölümüyle birlikte Horasan'a kaçan oğlu Yahyâ, Velîd b. Yezîd döneminde Cûzcân'da öldürümüştür (125/743).

Zeyd b. Ali'nin ölümünden sonra taraftarları çeşitli fırkalara bölünmüştür. Cârûdiyye, Süleymâniyye (Cerîriyye) ve Bütriyye (Sâlihiyye) bu fırkaların başında gelmektedir.

Medineli tâbiînin üçüncü tabakasında yer alan, etkili hitabetiyle Haşimoğullarının hatiplerinden sayılan Zeyd b. Ali tefsir, hadis, fıkıh, kelam ve kıraat gibi ilimlerde güçlü bir âlimdir. Kur'ân-ı Kerîm'i çok okumasından dolayı

---

436 Nüveyrî, *Nihâyetü'l-ereb*, XXIV, 401.
437 İbn Asâkir, Târihu Dımaşk, XIX, 468.

"Kur'an dostu", çok namaz kılmasından dolayı da "Mescidin sütunu (üstuvânetü'l-mescid)" olarak tanınmaktadır. Kaynaklarda onun zâhid ve müttakî kişiliğine vurgu vardır. Mühründe "Sabırlı ol, ecre nail ol; kulluk duyarlılığına sahip ol, kurtuluşa er!" ifadesinin yazılı olduğu nakledilmektedir.[438] Ebû Hanîfe'nin onun hakkında: "Yaşadığı dönemde ondan daha güçlü bir fakih, cevap bakımından daha süratli, sözü daha açık birisini görmedim." dediği nakledilir.

Zeyd b. Ali, gerek siyasi-itikadi düşünceleri gerekse fıkhî görüşleri açısından Sünni çizgiye oldukça yakın bir âlimdir. Özellikle Şia'nın hassas olduğu ve Şiî-Sünni ayrışmasının ana noktalarını oluşturan hususlarda İmâmiyye ve İsmâîliyye Şia'sına muhaliftir. Mesela o, imamet konusunda Hz. Peygamber'in isim belirterek yerine bir imam tayin etmediği görüşündedir. Ona göre imam özellikleriyle tanınabilir. Bu özellikler, Ali-Fâtıma soyundan gelmek, âlim, fazilet ve takva sahibi olmak, kahraman (cesur), cömert olmak, imametini ilan ederek ortaya çıkmak şeklindedir. İmâmet, Şia'nın iddia ettiği gibi sadece Hz. Hüseyin'in değil aynı zamanda Hz. Hasan'ın soyundan gelenlerin de hakkıdır. Belirtilen vasıfları taşıması ve Hz. Peygamber'den sonra insanların en faziletlisi olması itibarıyla Hz. Ali halife olmalıdır. Fazilet bakımından daha üstünü (efdal) varken ondan daha aşağı seviyede bulunan (mefdûl) kişinin de halife olması (imamet) caizdir. Buna göre Hz. Peygamber'den sonra Hz. Ali varken bu göreve gelen Hz. Ebû Bekir ve Hz. Ömer'in hilafetleri sahihtir.

İmâmiyye Şia'sı ise bunu kabul etmemektedir. Hatta Zeyd'in maslahat açısından Hz. Ebû Bekir'in hilafetinin Hz. Ali'ye göre daha isabetli olduğu görüşünü savunduğu nakledilir. Çünkü Hz. Peygamber'in sağlığında cereyan eden

438 Ebü'l-Ferec el-Isfahânî, *Makatilü't-Tâlibiyyîn*, s. 129.

savaşlar yeni bitmiş, yeni Müslümanlar arasında Hz. Ali'nin savaşçı kimliği sebebiyle intikam duygularını harekete geçirecek kinleri sönmemiş, öfkesi dinmemiş olan insanlar bulunabilir ve bunlar Hz. Ebû Bekir'in liderliği altında toplandıkları gibi onun etrafında yer almayabilirlerdi. Bu sebeple fitneyi söndürmek ve insanların kalbini kazanma açısından mülayim yapısıyla tanınan, insanlar tarafından sevilen, yaşı kemale ermiş bulunan, İslam'a girişte öncelik sırasına sahip, Hz. Peygamber'e yakın olan Hz. Ebû Bekir'in halife olması maslahata daha uygun düşmüştür.[439]

İmamet Anlayışı

İmâmet şartlarını taşıyan ve bu göreve talip olan kişinin insanları kendisine tabi olmaya çağırmasını imametin şartlarından sayan Zeyd b. Ali, imamların masum olduğu ve Allah'tan peygamberlerine, onlardan da haleflerine intikal eden özel bilgi ve ilahî nur anlamına gelen *ledünnî* bilgiye sahip oldukları fikrini reddeder. Ona göre ilim kazanılan bir özelliğe sahiptir, insan bu yolla ilerleyerek içtihat derecesini elde eder ve imamete layık hâle gelir.

O, gaib imam ve takıyye inancını reddederek İsnâaşeriyye Şiası'ndan ayrılır. Şia'nın kabul ettiği "Allah'ın belirli bir şekilde vuku bulacağını haber verdiği bir olayın daha sonra başka bir şekilde gerçekleşmesi" anlamına gelen *bedâ* fikrini de kabul etmez.

İtikadi Görüşleri

Tevhit görüşüyle ilgili olarak Allah'ın sıfatlarını zatıyla aynı gören Mu'tezile'nin imamı Vâsıl b. Atâ ile paralel düşündüğü[440] iddia edilmekle birlikte, onun fikrinin, sıfatları Allah'ın zatıyla aynı kılmayan Sünni düşünceye daha uygun düştüğü, bu sebeple zikri geçen iddiaya ihtiyatla yaklaşılması gerektiği de dile getirilmektedir.[441]

439 Şehristânî, *el-Milel ve'n-nihal*, I, 155; krş. Sâlih Ahmed el-Hatîb, *el-İmâm Zeyd b. Alî el-müfterâ aleyh*, Beyrut, 1984, s. 219-230.

440 Ebû Zehre, *el-İmâm Zeyd*, VII, s. 215.

441 bk. İsa Doğan, *İslâm'ın Âlim Modeli Olarak İmam Zeyd b. Ali*, s. 157-170.

O, büyük günah işleyenlerin ebediyyen cehennemde kalmayacağı, Allah'ın kişiyi günahı ölçüsünde cezalandırdıktan sonra onun azaptan kurtulacağı görüşüyle Mu'tezile, Havâric ve Mürcie'den ayrılır.

Zeyd b. Ali, kaza ve kadere iman konusunda da orta bir yol tutarak insanın itaat ve isyanında hür ve tercih sahibi olduğunu, masiyetin Allah'ın zorlaması sonucu değil, insanın tercihi neticesinde meydana geldiği görüşünü dile getirir. Tercih (ihtiyar) olmaksızın teklif olmayacağı fikrinden hareketle Cebriye'nin görüşünün teklifi düşürme sonucu doğuracağını; Kaderiyye'nin savunduğu düşüncenin de Allah'ın ezelî ilmi ile ezelî takdirini yok saymak anlamına (nefy) geleceğini belirtir.

Zeyd b. Ali'nin hüküm istinbatında takip ettiği yöntem ve fıkhî görüşleri Sünni mezheplerin düşüncesine oldukça yakındır. Ezanda *hayye 'ale'l-felâh*'tan sonra *hayye 'alâ hayri'l-amel* (Haydi, en hayırlı amele gelin!) ifadesinin varlığı, abdestte ayakların yıkanması gerektiği, mestler üzerine meshetmenin caiz olmadığı, sabah ve vitir namazlarında rükûdan önce kunut yapmak gerektiği; erkeğin, içinde bir başka erkeğin bulunmadığı cemaate imam olamayacağı, imamın namazı bozulduğunda cemaatin de namazının bozulacağı, mut'a nikâhının caiz olmadığı, Müslüman bir kadınla evli olanın onun üzerine Yahudi veya Hristiyan bir kadınla evlenemeyeceği Zeyd b. Ali'nin görüşlerinden bazılarıdır.

Zeyd b. Ali'nin Ca'ferîler'e Muhalefet Ettiği Hususlar

Ca'ferîler, Ehl-i kitabın kestiklerini ilke olarak helal saymazken, Zeyd Allah'ın adını anmaları şartıyla bunların helal olacağını savunur. İmamiyye Şiası Müslüman erkeklerin Ehl-i kitap kadınlarıyla evlenmesini caiz görmezken Zeyd b. Ali bunu mübah sayar. Ca'ferî fıkhında namazda eller bağlanmazken Zeyd b. Ali'ye göre ellerin göbek altında bağlanması meşrudur. Ca'feri fıkhında bir mecliste üç boşama bir sayılırken, Zeyd b. Ali dört Sünni mezhebe paralel olarak bunları üç sayar.

Fıkıh alanında ilk tedvin eser, Zeyd b. Ali'nin *el-Mecmû*'dur. Eser, Zeyd b. Ali'den gelen rivayetleri ihtiva etmesinden dolayı *el-Müsned* şeklinde de isimlendirilir ve mezhebin en muteber kaynağı kabul edilir. Ravisi, Ebû Hâlid Amr b. Hâlid el-Vâsıtî'dir. Kitap, klasik sistematiğe uygun olarak *ibâdât, muâmelât* ve *ukûbât*'tan oluşan üçlü tasnifin konularını *taharet*le başlayıp *miras* bahsiyle bitiren telif geleneğine uygun olarak ele alan bir fıkıh kitabı (*el-Mecmû'u'l-fıkhî*) ve aynı zamanda 218 hadis ile 320'si Hz. Ali'ye, 2'si de Hz. Hüseyin'e ait olmak üzere toplam 322 haberi ihtiva eden (*el-Mecmû'u'l-hadîsî*) bir koleksiyondur. Fıkıh ve hadis kısımlarıyla birlikte kitaba *el-Mecmûu'l-kebîr* denilmektedir. Muhtelif baskıları yapılan esere çeşitli şerhler yazılmıştır.[442] Zeydiyye mezhebi bugün Yemen'in hâkim mezhebidir.

---

442 bk. Taberî, *Tarih,* Kahire, 1939, V, 495-506; Ebü'l-Ferec el-Isfahânî, *Makatilü't-Tâlibiyyîn* (nşr. Seyyid Ahmed Sakr), Beyrut, 1987, s. 124-144, Şehristânî, *el-Milel ve'n-nihal* (İbn Hazm, *el-Fasl fi'l-milel* kenarında), Kahire, 1317-1321, I, 154-157; İbn Asâkir, Târihu Dımaşķ (Amrî), XIX, 450-480; Nüveyrî, *Nihâyetü'l-ereb,* XXIV, 401-408; İbnü'l-Esîr, *el-Kâmil,* V, 229-236; Muhammed Ebû Zehre, *el-İmâm Zeyd: Hayatuhu ve Asruhu,* Dârü'l-Fikri'l-Arabi, Kahire ts.; Ca'fer es-Sübhânî, *Buhûs fi'l-milel ve'n-nihal,* VII, 7-528; Muhsin el-Emîn, *el-A'yânü'ş-şî'a,* VII, 107-125; Zeydan, *el-Medhal li-dirâseti'ş-şerî'ati'l-İslâmiyye,* s. 144-146; Eren Gündüz, *Zeyd bin Ali: Hayatı, Eserleri ve İslam Hukuk Düşüncesindeki Yeri,* Düşünce Kitabevi, Bursa, 2008; İsa Doğan, *İslâm'ın Âlim Modeli Olarak İmam Zeyd b. Ali: Hayatı, Mücadelesi, Bilge Kişiliği, Görüşleri ve Çağımızdaki Önemi,* Türkiye Diyanet Vakfı, Ankara, 2009. Saffet Köse, "Fıkıh Literatürünün Tartışmalı İki Eseri: *el-Mecmû'u'l-kebîr ve el-Mehâric fi'l-hiyel*", *İHAD,* sy. 3, Konya 2004, s. 289-301; a.mlf., "Zeyd b. Ali", *DİA,* XLIV, 313-316; Mustafa Öz, *Başlangıçtan Günümüze Şîîlik ve Kolları,* İstanbul, 2011, s. 83-133.

## İbâziyye Mezhebi

Mezhebin imamı Abdullah b. İbâz'dır. Hayatı hakkında bilgilerimiz oldukça sınırlıdır. Emevî halifesi Abdülmelik b. Mervân zamanında vefat etmiştir.

İbâziyye, hicri birinci asrın ilk yarısına kadar uzanan ilk fırkalardan biridir.[443] Hâricî fırkaların mutedil olanlarından sayılır.[444] Mezhebin fıkhî kaide ve usullerinin Câbir b. Zeyd (ö. 93/711) tarafından tespit edildiği kabul edilir.[445] Bu sebeple bazı İbâzî kaynaklar onu, "umdetü'l-İbâziyye", "aslü'l-mezheb" sıfatlarıyla anarlar. Bununla birlikte kendisine bu soru sorulduğunda onun İbâziyye ile bir ilgisinin bulunmadığını söylemiştir.[446] Ancak İbâzîler mezheplerinin müessisi olarak Câbir b. Zeyd'i görmüşlerdir. Mesela mezhebin ikinci imamı konumunda bulunan Ebû Ubeyde Müslim şunu söyler: "Hadis bilen bir kimsenin fıkıhta bir imamı yoksa, o doğru yola ulaşamaz. Allah bize Câbir b. Zeyd'i imam olarak bahşetmemiş olsaydı, biz de sapmış olacaktık."[447]

İbâzîler ile ilgili araştırmalar Câbir b. Zeyd'in fıkhî hükümlerdeki kaynaklarını dört olarak belirlerler: Bunlar, Kur'an, sünnet, sahabe kavli (âsâr), ve re'y'dir.[448]

En eski İbâzî kaynaklarından birisi olan Ebû Gânim'in (ö. 200/815) *el-Müdevvene*'si günümüze ulaşmış ve basılmıştır.[449]

İbâzî fıkhının nihai şeklini Câbir Zeyd'in öğrencileri Ebû Ubeyde Müslim Ebî Kerîme ve Rebî' b. Habîb ile aldığı nakledilmektedir.[450]

---

443 A. H. Nâmî, *Dirâsât ani'l-İbâziyye*, Beyrut, 2001, s. 33.
444 E. R. Fığlalı, "İbâziyye", *DİA*, XIX, 256.
445 B. S. A'veşet, *Dirâsât İslâmiyye fi'l-usûli'l-İbâziyye*, Kahire, 1988, s.16.
446 İ. Lütfi Çakan, "Câbir b. Zeyd", *DİA*, VI, 537-538.
447 Nâmî, *Dirâsât ani'l-İbâziyye*, s.121.
448 Nâmî, *Dirâsât ani'l-İbâziyye*, s. 121-123.
449 Saffet Köse, "Ebû Gânim", *DİA*, X, 126-127.
450 Nâmî, *Dirâsât ani'l-İbâziyye*, s. 120; A'veşet, *Dirâsât İslâmiyye fi'l-usûli'l-İbâziyye*, s. 16-17.

İbâzîlerin görüşlerinden bazılarını özetle şu şekilde zikredebiliriz:

1) Mestler üzerine meshetmek caiz değildir.

2) Namazlarda kunut yoktur.

3) Seferde namazın kısaltılması farzdır.

4) Bir beldede seferî olarak bulunan kişinin zaman olarak namazını kısaltmasının bir sınırı yoktur. Kişi, oraya yerleşmeye niyet etmediği müddetçe namazlarını kısaltır.

5) Sahurda oruca niyetlenip uyuduktan sonra uykuda iken cünüp olanın orucu bozulur.

6) Büyük günahlar orucu bozar. Yemini bozmak, koğuculuk yapmak gibi.

7) Ramazan ayında kazaya bırakılan oruçlar aynen ramazan ayında imiş gibi peş peşe tutulmalıdır.

8) Zekât bakımından inek ve devenin nisabı aynıdır. Bu da beştir. 5 inekte 1 koyun, 10 inekte 2 koyun, 15 inekte 3 koyun, 20 inekte 4 koyun ve 25 inekte bir yaşında bir buzağı gerekir.

9) Zina eden kadın ve erkek ebediyyen birbirleriyle evlenemezler.[451]

Farklı kolları olan İbâziyye, günümüzde özellikle Uman'da yaygındır.[452]

---

451 Nâmî, *Dirâsât ani'l-İbâziyye*, s. 147-159.

452 bk. S. Tâime, *el-İbâziye Akîdeten ve Mezheben*, Beyrut, 1986; E. R. Fığlalı, *İbâdiyye'nin Doğuşu ve Görüşleri*, Ankara, 1983; a. mlf., "İbâziyye", *DİA*, XIX, 256-261.

# MENSUBU KALMAMIŞ FIKIH MEZHEPLERİ

Tarihî süreç içerisinde yetişmiş, kendisine özgü sistemi olan ve bu çerçevede fıkhî görüşler üreten mutlak müçtehitler vardır. Her ne kadar yaşadıkları dönemde ya da ölümlerinden sonra kendilerine tabi olanlar olsa da onlar bir müddet sonra tarihe malolmuşlardır. Şimdi söz konusu müçtehitlerin bazı önemli simalarına yer vereceğiz.

## Hasan el-Basrî (ö. 110/728)

Ebû Saîd el-Hasen b. Yesâr el-Basrî, 21 (642) yılında Medine'de doğdu. Annesi Hayre, Resûl-i Ekrem'in eşi Ümmü Seleme'nin azatlısı ve hizmetkârıdır. Bundan dolayı Hasan'la daha çok Ümmü Seleme ilgilenmiş, bilgili ve hâkim bir kişi olarak yetişmesinde bu ortamın büyük rolü olmuştur

Hasan el-Basrî on iki yaşında Kur'an'ı ezberledi. 120 kadar sahâbî ile görüştü. Daha sonra Vâdilkurâ'ya giderek burada kendini ilme verdi. İstifade ettiği sahâbîler arasında Enes b. Mâlik ilk sırada yer alır. Hz. Ali'nin halife olmasının ardından ailesiyle birlikte Basra'ya gitti ve ömrünü burada geçirdi.

Hasan el-Basrî, Basra Valisi Süleyman b. Harb'in kendisine verdiği kadılık görevini bir süre ücret almadan yaptıktan sonra, bu görevden ayrılarak ilim ve vaazla meşgul olmaya başladı, çok sayıda âlim yetiştirdi. Katıldığı iki sefer dışında hayatını Basra'da vaaz ve ibadetle geçirdi. 110 (728) yılında burada vefat etti.

Zâhid kişiliği, etkili hitabeti, sürekli Kur'an tilaveti, ilmî birikimi, ahlaka yaptığı vurgu, siyasi çekişmelerden uzak duruşu, zalim ve zorba idarecilerden sözünü esirgemeyen cesareti ile dikkat çeken Hasan el-Basrî'nin ahlak ile fıkhı birleştiren bir yapıyı esas aldığı görülmektedir. Görüşleri özellikle tefsir ve fıkıh kitaplarında yer almaktadır.[453]

## İbn Şübrüme (ö. 144/761)

Ebû Şübrüme Abdullah b. Şübrüme b. et-Tufeyl ed-Dabbî, 72 (691) yılında doğdu. İbrahim en-Nehaî, Hammâd b. Ebî Süleyman ve Âmir b. Şerâhil eş-Şa'bî gibi Kûfe'nin önde gelen âlimlerinden fıkıh tahsil eden İbn Şübrüme, Ca'fer es-Sâdık'ın meclisinde beraber bulunduğu Ebû Hanîfe'den, ayrıca Rebîatürre'y'den faydalandı. Enes b. Mâlik, Şa'bî, İbrahim en-Nehâî, İbn Sîrîn, Atâ b. Ebî Rabâh ve İbnü'l-Münkedir gibi birçok âlimden hadis rivayet etti. Kendisinden de oğlu Abdülmelik, Süfyân es-Sevrî, Şu'be b. Haccâc, İbnü'l-Mübârek, Ma'mer b. Râşid, Süfyân b. Uyeyne gibi âlimler hadis nakletmişlerdir.

Emevîler ve Abbasîler döneminde önemli devlet görevlerinde bulundu. Kadılık görevini isteyerek kabul etti, bu görevi kabul etmemekte direnen Ebû Hanîfe'yi de eleştirdi. Yöneticilerin kendisine büyük saygı ve güven duyduğu nakledilmektedir.

Hammâd b. Zeyd ve Süfyân es-Sevrî gibi âlimler, İbn Şübrüme'nin müçtehit derecesindeki fıkıh bilgisinden övgüyle bahsederler. Kadılık yaptığı sıralarda hakkın ortaya çıkması için gösterdiği titizlikle şöhret bulmuş, bazı adli tedbirlere öncülük etmiştir. Ehl-i re'y ekolüne mensuptur. Bazı görüşleri şöyledir:

1) Karısının nafakasını karşılayamayacak kadar fakir olan bir kimsenin evliliğine hâkim kararıyla son verilemez.

453 Hacvî, *el-Fikrü's-sâmî fi târîhi'l-fıkhi'l-İslâmi,* I, 299; Karaman, *İslam Hukuk Tarihi,* s. 227; Süleyman Uludağ–Tahsin Görgün, "Hasan-ı Basrî", *DİA,* XVI, 291-301.

2) İslam ülkesine izinle giren bir gayrimüslimi (müste'men) öldüren Müslüman'a kısas uygulanır.

3) Ergenlik yaşına girmemiş küçük kız çocuğunu velisi evlendiremez.

4) Aile vakıfları meşrudur.

5) Alışverişlerde şart serbestisi esastır.

6) Âdet hâline getirilmediği sürece bir ihtiyaçtan dolayı namazların cemedilmesi caizdir.[454]

## İbn Ebî Leylâ (ö. 148/765)

Ebû Abdirrahmân Muhammed b. Abdirrahmân b. Ebî Leylâ el-Ensârî el-Kûfî, 74 (693) yılında doğdu. Küçük yaşta babası Abdurrahman'ı kaybetti. Şa'bî, Atıyye el-Avfî, Atâ b. Ebî Rabâh, Amr b. Mürre, Dâvûd b. Ali, ağabeyi Îsâ ve A'meş gibi ilim adamlarından fıkıh, hadis ve kıraat tahsil etti. Velîd b. Yezîd'in hilafeti döneminde Irakeyn ve Horasan bölgeleri valisi Yûsuf b. Ömer es-Sekafî tarafından Kûfe kadılığına tayin edildi ve Abbasîler devrinde de bu görevini sürdürdü. Kaynaklarda, vefat tarihi olan 148 Ramazan (765 Kasım) ayına kadar otuz üç yıl müddetle kadılık yaptığı belirtilmektedir. Öğretimle de meşgul olan İbn Ebî Leylâ birçok âlime hocalık yapmıştır.

Dirayetli bir müçtehit olan İbn Ebî Leylâ davalara Kûfe Mescidi'nde bakar ve hadleri de orada tatbik ettirirdi. Ebû Hanîfe, İbn Ebî Leylâ'nın Kûfe kadısı olarak verdiği hükümleri öğrencileriyle birlikte ders halkasında tartışır, gerektiğinde tenkit ederdi. Bundan rahatsız olan İbn Ebî Leylâ'nın halifeye şikâyette bulunduğu, halife tarafından Ebû Hanîfe'nin bir süre fetva vermesinin yasaklandığı rivayet edilir.

---

454 Zehebî, *Siyeru a'lâmi'n-nübelâ*, V, 232; VI, 347-349; İbnü'l-Bezzaz el-Kerderî, II, 105, 497, 499; Şükrü Özen, "İbn Şübrüme", *DİA*, XX, 379-381.

İbn Ebî Leylâ'nın Ebû Hanîfe ile çeşitli topluluklar önünde münazaraları da olmuştur. İbn Ebî Leylâ'dan dokuz yıl ders aldıktan sonra onunla sık sık ihtilafa düştüğü için derslerini terk ederek Ebû Hanîfe'nin meclisine katılan Ebû Yûsuf, iki hocası arasındaki görüş ayrılıklarına dair *İhtilâfü Ebî Hanîfe ve İbn Ebî Leylâ* adlı bir eser kaleme almış ve eser günümüze ulaşarak yayımlanmıştır.

İbn Ebî Leylâ ile Sevvâr b. Abdillah el-Anberî'nin, bir dava ile ilgili olarak kadıların birbirlerine gönderdikleri mektupların doğruluğundan emin olmak için mühür ve imza ile yetinmeyip şahit ve belge isteyen ilk kadılar olduğu kaydedilmektedir.

İbn Ebî Leylâ yabancılarla ilgili davalarda tercüman kullanmış, şahitlerin tezkiyesi üzerinde özenle durmuştur. Onun Râfizîlerin ve kibirli insanların şahitliğini kabul etmediği nakledilmektedir.

İçtihatlarında edille-i erbaanın yanı sıra ileri dönemde istihsan, istishâb, sahabe kavli, örf, maslahat gibi terimlerle ifade edilip belirli bir içerik kazanacak olan fıkhî istidlal metot ve delillerine de sıkça başvuran İbn Ebî Leylâ, bu özelliğiyle döneminde Ehl-i re'yin önde gelen simalarından biri sayılmıştır. Ancak İbn Ebî Leylâ'nın kadılık görevi sebebiyle daha çok dava konusu olmuş günlük olaylarla ilgilenmesi, Ebû Hanîfe gibi mevcut ve muhtemel fıkhî problemleri tartışıp bunlar etrafında bir hukuk doktrini oluşturmasına imkân vermemiştir. Bununla birlikte 2. (8.) yüzyılda belirginleşen ve ileri dönemde Hanefî mezhebinin oluşumuna zemin hazırlayan Irak fıkhı içinde İbn Ebî Leylâ'nın içtihatları da yer alır.[455]

---

455 Ebû Yûsuf, *İhtilâfü Ebî Hanîfe ve İbn Ebî Leylâ*, Kahire, 1357; Serahsî, *el-Mebsût*, XXX, 128-167; Zehebî, *Siyeru a'lâmi'n-nübelâ*, VI, 310-316; J. Schacht, *An Intıoduction to Islamic Law*, Oxford, 1971, s. 290-294; Saffet Köse, "İbn Ebû Leylâ, Muhammed b. Abdurrahman", *DİA*, XIX, 436-437.

## Evzâî (ö. 157/774)

Ebû Amr Abdurrahman b. Muhammed el-Evzâî, 88 (707) yılında Şam'da veya Ba'lebek'te doğdu. Küçük yaşta babasını kaybetti ve annesinin yanında büyüdü. Şam'da yaşadı. Ömrünün sonlarına doğru bir görev dolayısıyla gittiği Beyrut'ta 157 (774) yılında vefat etti.

Evzâî, tâbiînin önde gelen büyük âlimlerinden ders aldı ve kendisini çok iyi yetiştirdi. On üç yaşında iken fetva verebilecek konuma geldi. Birçok defa hacca gitti ve burada karşılaştığı devrin önde gelen âlimleriyle ilmî tartışmalarda bulundu. Özellikle hadis ilmi konusunda çok güçlü bir birikime sahip oldu. Bunun da etkisiyle karşılaştığı meselelerde, varsa hadisle yetinmesi, *re'y* ve *kıyas*a fazla önem vermemesi, hatta *mürsel* hadis ve sahâbî kavlini bu ikisine tercih etmesi, görüşlerinin Hicâz ekolüne yakın oluşu onun *Ehl-i Hadîs* mektebine mensup olduğu düşüncesini güçlendirmiştir. Bununla birlikte o nassın bulunmadığı yerde re'ye başvurmaktan da kaçınmamıştır.

Hadise olan bağlılığı sebebiyle bid'atlere karşı kesin tavır takınmıştır. "Bid'atler ortaya çıktığında ilim ehli onlarla mücadele etmez ise onlar bir müddet sonra sünnet hâlini alır." sözü ona aittir. Zühd ve takvası, özellikle idarecilere karşı sözünü esirgememesi onun meziyetleri arasında sayılmaktadır.

Onun mezhebi, Şam ve Endülüs'te bir müddet yaşamış ve hicri ikinci asrın sonlarına doğru Şam'da Şâfiî ve Endülüs'te Mâlikî mezhebinin yayılmaya başlamasıyla bir müddet sonra tabileri kalmamıştır. Bunun sebebi olarak diğer imamların öğrencilerinin aksine Evzâî'nin talebelerinin mezhebin görüşlerinin yazılmasına ve yayılmasına ilgisiz kaldıkları belirtilmektedir. Görüşleri mukayeseli fıkıh eserleri, tefsirler ve hadis şerhlerinde yer almaktadır.[456]

456 Zehebî, *Siyeru a'lâmi'n-nübelâ*, VII, 107-134: Bedrân, *Târîhu'l-fikhi'l-İslâmî*, s. 169-171; Zeydan, *el-Medhal li-dirâseti'ş-şerî'ati'l-İslâmiyye*, s.

## Süfyân es-Sevrî (ö. 161/778)

Ebû Abdillah Süfyân b. Saîd b. Mesrûk es-Sevrî, 97 (715) yılında doğdu. Annesi ve babası hadisle meşgul olmuş ilim ve takva sahibi şahsiyetlerdir. Küçük yaşta babasının yanında hadis öğrenimine başladı, güçlü hafızası sayesinde birçok hadis ezberleyip rivayet etti. Kûfe ilim geleneğine mensup âlimlerden ders aldı. Mekke, Medine, Basra, Şam ve Yemen gibi ilim merkezlerinin birikimlerinden yararlandı. Bağdat, Vâsıt, Cürcân, Rey, Askalan, Kudüs, Buhara ve Merv'de bulundu. Bu seyahatlerinde çok sayıda meşhur âlimden ders alma fırsatı yakaladı.

Dönemin bütün ilim merkezlerini dolaşıp önde gelen âlimlere öğrencilik yaparak zengin bir birikim sağlayan Süfyân es-Sevrî genç yaşta ilim okutmaya başladı. Doğu ve Batı'dan binlerce öğrenci onun ders halkasında yer aldı. Abbasî Halifesi Mansur'un kadılık teklifini reddetti ve idarecilerin haksız uygulamalarını eleştirmekten de çekinmedi.

Döneminde fıkıh otoritesi kabul edilen Sevrî'nin verdiği fetvalar ve serdettiği görüşler zamanla bütün İslam dünyasına yayıldı. Adıyla anılan mezhebi 5. (11.) yüzyıla kadar Bağdat ve çevresiyle Şam'da, 7. (13.) yüzyıl sonlarına kadar da Dinever, Kazvin, Cürcân, İsfahan ve Horasan bölgesinde varlığını sürdürmüş, özellikle Dinever çevresinde etkili olmuştur. Mezhebinin yaşamasında öğrencilerinin büyük payı vardır.[457]

---

149; Karaman, *İslam Hukuk Tarihi*, s. 227-228; Salim Öğüt, "Evzâî", *DİA*, XI, 546-548.

457 Zehebî, *Siyeru a'lâmi'n-nübelâ*, VII, 229-279; M. R. Kal'acî, *Mevsû'atü fıkhi Süfyân es-Sevrî*, Beyrut 1990; Bedrân, *Târîhu'l-fıkhi'l-İslâmî*, s. 171; Zeydan, *el-Medhal li-dirâseti'ş-şerî'ati'l-İslâmiyye*, s. 149; R. Özdirek-A. H. Çavuşoğlu, "Süfyân es-Sevrî", *DİA*, XXXVIII, 23-28.

## Leys b. Sa'd (ö. 175/791)

94 (713) yılında Mısır'ın Kalyûbiye şehrinin bir köyünde dünyaya geldi. Ailesi İsfahan'dan Mısır'a gelmiştir. Dönemin ilim merkezleri olan Mısır, Hicâz, Şam, Kudüs ve Bağdat'ta bulunarak birçok âlimden ders okudu, çok sayıda öğrenci yetiştirdi. Verimli bir ilim hayatından sonra 175 (791) yılında Mısır'da vefat etti.

Yaşadığı dönemin idarecileri ve âlimleri, özellikle de meşhur fakihler nezdinde büyük bir itibara sahip olan Leys b. Sa'd bazı resmî görevler de yürütmüştür. Kaynaklar Leys b. Sa'd'ın züht ve verâ sahibi bir âlim olduğuna ve cömertliğine vurgu yaparlar. Onun yüksek gelire sahip olmasına rağmen, üzerinden bir yıl geçmeden (havalânü'l-havl) mal varlığını sadaka olarak dağıtması sebebiyle zekât mükellefi olmadığı, hatta bazen borçlu duruma bile düştüğü kaydedilmektedir. Leys b. Sa'd'ın fıkhî görüşleri mukayeseli fıkıh eserlerinde, tefsir ve hadis çalışmalarında kaydedilmiştir.[458]

## İshâk b. Râhûye (ö. 238/853)

Ebû Ya'kûb İshâk b. İbrâhîm b. Mahled et-Temîmî el-Hanzalî el-Mervezî, 161 (778) yılında Merv'de doğdu. İlköğrenimini burada tamamladı ve yirmi üç yaşında iken tahsil amacıyla Irak, Şam, Hicaz ve Yemen gibi ilim merkezlerine seyahate çıktı. Bu şehirlerde meşhur fakihler ve muhaddislerden dersler aldı. Abdullah b. Mübarek, Vekî' b. Cerrah, Abdurrahman b. Mehdî, Süfyân b. Uyeyne, İmam Şâfiî gibi âlimler hocaları arasındadır. Kendisinden Ahmed b. Hanbel, Buhârî, Müslim, Ebû Dâvûd, Tirmizî, Nesâî ve

---

458 Bedrân, *Târîhu'l-fıkhi'l-İslâmî*, s. 172-174; Zeydan, *el-Medhal li-dirâseti'ş-şerî'ati'l-İslâmiyye*, s. 149; Karaman, *İslam Hukuk Tarihi*, s. 228-229; Şükrü Özen, "Leys b. Sa'd", *DİA*, XXVII, 164-167.

Dârimî gibi birçok meşhur muhaddis rivayette bulundular. Tahsilini tamamladıktan sonra Nişabur'a yerleşti ve ömrünün sonuna kadar öğretimle meşgul oldu. 238 (853) yılında vefat etti.

Tefsir, akaid gibi dinî ilimlerde söz sahibi olmakla birlikte hadis ve fıkha olan vukufiyeti oldukça güçlüdür. Başlangıçta Ehl-i re'yden iken İmam Şâfiî ile yaptığı ilmî tartışmalardan sonra onun usulünü benimsemiştir. Görüşleri farklı mezheplerle örtüşse de o herhangi bir mezhebe bağlı bulunmayan mutlak müçtehit payesini elde etmiş bir âlimdir. Eserlerinden bir kısmı günümüze ulaşmıştır. Görüşleri İslami kaynaklarda oldukça itibar görmüş ve nakledilmiştir.[459]

## Ebû Sevr (ö. 240/854)

Ebû Abdillah İbrâhim b. Hâlid b. Ebi'l-Yemân el-Kelbî el-Bağdâdî 170 (786)'da Bağdat'ta doğdu. Orada yetişip tahsil gördü. Mutlak müçtehit payesine ulaştı, hadiste de hafızlık derecesini elde etti. İçinde Kütüb-i Sitte müelliflerinin de bulunduğu birçok meşhur muhaddis kendisinden hadis rivayet etti.

Ebû Hanîfe'nin talebesi İmam Muhammed'in yanı sıra İmam Şâfiî de hocaları arasındadır. "Ehl-i re'y" ve "Ehl-i hadis" ekollerinin fıkhını cemetmiş olmakla birlikte daha çok Şâfiî'nin etkisinde kalmıştır. Ebû Sevr, re'yi tamamen terk etmemekle birlikte hadis ekolüne mensup müçtehitlerden sayılır. Birçok fakih talebe yetiştirmiş olan Ebû Sevr 240 (854) yılında vefat etti.

Ebû Sevr'in mezhebi fazla taraftar bulamamış ve uzun zaman yaşayamamıştır. Bununla birlikte 4. (10.) yüzyılın

---

459 Zehebî, *Siyeru a'lâmi'n-nübelâ*, XI, 358-383; Hacvî, *el-Fikrü's-sâmî fi târîhi'l-fıkhi'l-İslâmi*, II, 16; Karaman, *İslam Hukuk Tarihi*, s. 236; A. Aydınlı, "İbn Râhûye", *DİA*, XX, 241.

sonlarına kadar Azerbaycan ve Ermeniye bölgesinde çok sayıda müntesibinin bulunduğu nakledilir. Fıkhî görüşleri mukayeseli fıkıh kitapları, tefsirler ve hadis şerhlerinde dağınık olarak yer almaktadır.[460]

## Zâhirîlik

Mezhebin imamı Ebû Süleyman Dâvûd b. Alî b. Halef el-İsfahânî, 200 (815) yılında Kûfe'de doğdu. Basra, Bağdat ve İsfahan'da devrin ileri gelen âlimlerinden dersler aldı. Hocalarından Ebû Sevr'in etkisiyle Şâfiî mezhebini seçti. İmam Şâfiî'nin hayatı ve faziletleri hakkında kitap yazan ilk müellif odur.

Ona tesir eden ikinci kişi ise hocası İbn Râhûye'dir. Onun etkisiyle müstakil içtihada yöneldi ve Şafiî'nin sünnet karşısında re'y ve istihsana hücumlarından dolayı Kitap ve sünnetin zahirine dayanan ve kıyas ile re'yi reddeden, bu sebeple de Zâhiriyye diye anılan mezhebini oluşturdu. Dolayısıyla delilleri Kitap, sünnet ve icmadır. Teorik olarak kıyası reddetse de *delil* adı altında onu kullanmak zorunda kalmıştır.

Zühd ve takvaya dayalı yaşantısı, uç görüşleri ve cedelci tavrı ile dikkati çeken Dâvûd b. Ali, 270 (883) yılında Bağdat'ta vefat etti.

Sağlığında mezhebi Bağdat ve civarında yayılmış, ölümünden sonra oğlu Muhammed'in de çabalarıyla varlığını sürdürmüş; Irak, Maveraünnehir, Kuzey Afrika ve Endülüs'te belirli ölçüde taraftar bulmuştur. Endülüslü İbn Hazm (ö. 456/1064) gibi büyük bir hukukçunun bu mezhebe mensup oluşu İslam hukuk doktrininde Zâhiriliği oldukça belirgin bir yapıya kavuşturmuş ve eserleriyle bu mezhebe büyük hizmette bulunmuştur. Ancak Zâhirî mezhebi,

---

460 Hacvî, *el-Fikrü's-sâmî fi târîhi'l-fıkhi'l-İslâmi,* II, 17-18; Karaman, *İslam Hukuk Tarihi,* s. 236-237; M. Koçak, "Ebû Sevr", *DİA*, X, 229-230.

sonraki asırlarda hukuki ihtiyaçlara cevap veremediği için taraftarlarını kaybetmiştir.[461]

## Taberî (ö. 310/923)

Ebû Ca'fer Muhammed b. Cerîr et-Taberî, 224 (839) yılında Taberistan'ın merkezi Âmül'de doğdu. İlköğrenimini Âmül'de yaptı, Kur'ân-ı Kerîm'i burada hıfzetti ve hadis okudu. Bir müddet sonra ilim tahsili için Rey şehrine gitti. Burada beş yıl kaldı. Hayatının elli yılını Bağdat'ta geçirmekle birlikte Basra, Vâsıt, Kûfe, Mısır, Şam ve Beyrut gibi ilim merkezlerini dolaştı. Devrin ünlü âlimlerinden tefsir, hadis, siyer, edebiyat, kıraat, şiir, ve tarih ilimlerinin yanı sıra Ebû Mukatil'den Hanefî ve Müzenî fıkhını; Rebî' b. Süleyman, Ebû Abdillah İbn Abdilhakem'den de Şâfiî fıkhını öğrendi.

Hiçbir resmî görevi ve idari erkânın verdiği hediyeyi kabul etmedi. Daha küçükken babasının kendisi hakkında gördüğü rüyanın "âlim olacak ve dini savunacak çocuk" şeklinde yorumlanmasıyla, babası onun yetişmesi için büyük çaba sarf etti ve ona ciddi gelir getirecek bir arazi bıraktı. Taberî, bununla geçimini sağladı. Bu sebeple ömrünün sonuna kadar ilimle meşgul oldu. Bağdat'ta Hanbelîler ve Zâhirîlerin olumsuz tavırlarından büyük sıkıntılar çekse de ilimden kopmadı, değerli eserler yazdı ve öğrenciler yetiştirdi. 310 (923) yılında vefat eden Taberî'nin kıraat, tefsir, meânî, hadis, fıkıh ve tarih ile ilgili kıymetli eserlerinin birçoğu günümüze ulaşmıştır.

Bağdat'ta on yıl kadar Şâfiî mezhebine göre fetva veren Taberî daha sonra diğer mezheplerin görüş ve delille-

461 Zehebî, *Siyeru a'lâmi'n-nübelâ* (nşr. Şuayb el-Arnaût v.dğr.), Beyrut, 1985, XIII, 97-108; Bedrân, *Târîhu'l-fikhi'l-İslâmî*, s. 166-169; Zeydan, *el-Medhal li-dirâseti'ş-şerî'ati'l-İslâmiyye*, s. 149-150; Karaman, *İslam Hukuk Tarihi*, s. 229-236; N. Itr, "Dâvûd ez-Zâhirî", *DİA*, IX, 49-50; Saffet Köse, "İbn Dâvûd ez-Zâhirî", *DİA*, XIX, 410-411; H. Y. Apaydın, "İbn Hazm", *DİA*, XX, 39-52.

rini incelemiş, ardından kendi bağımsız görüşlerini ortaya koymuştur. Ne var ki kendisinden bir asır sonra Cerîriyye mezhebinin müntesibi kalmamıştır.[462]

# MEZHEPLERİN İHTİLAF SEBEPLERİ

Mezhepler arasında bazı farklılıkların bulunması tabiidir. Dolayısıyla bu görüş farklılıkları İslam dairesinin içinde bir yere sahiptir. Bununla birlikte mezhepler arasında farkların niçin oluştuğu üzerinde durulması gereken bir konudur.

## Yöntem İle İlgili İhtilaflar

Mezhepler Arası Farklılıkların Sebepleri

Şehristânî'nin insanların karşılaştıkları olayların sınırsız; nasların ise sınırlı olduğuna şeklindeki düşüncesine daha önce değinilmişti. Kuşkusuz bu durum, naslar açısından bir eksiklik değildir, çünkü naslar sınırlı sayıda olsa da söz konusu olayları kuşatabilecek ölçüde bir derinliğe sahiptir.

Kur'an ve sünnet özellikle insanların maslahatının sabit olduğu, yani zaman ve mekâna göre menfaatin değişmeyeceği hususlarda ayrıntılı hükümler vazetmiştir. Bunların sayısı son derece azdır. Evlenilmesi yasak olanlar, karı-koca ayrılığı sonrası kadının beklemesi gereken süre, aile içi işleyiş kuralları, miras hükümleri ve hadd cezaları bunlar arasında sayılabilir. Bunun dışında fıkhın iki temel kaynağı Kur'an ve sünnet, evrensellik ve süreklilik özelliğinin tabii sonucu olarak her zaman ve mekânda geçerli evrensel ilkeleri elde edebilecek özellikte gelmiştir. İşte zamanın ve

462 Zehebî, *Siyeru a'lâmi'n-nübelâ*, XIV, 267-282; Bedrân, *Târîhu'l-fikhi'l-İslâmî*, s. 171-172; Zeydan, *el-Medhal li-dirâseti'ş-şerî'ati'l-İslâmiyye*, s. 150-151; Karaman, *İslam Hukuk Tarihi*, s. 229; M. Fayda, "Taberî", *DİA*, XXXIX, 314-318.

mekânın ihtiyaçlarını gerçekleştirebilmek için tespit edilecek bu ilkelerin hangi yöntemle işletileceği noktasında farklı mezhepler ortaya çıkmıştır. Esasen birbirinden farklı mezheplerin ortaya çıkışının en önemli sebebi bu yöntemlerdir. Mezhep zaten kelime olarak gidilecek yol demektir. Her mezhebin kendisine özgü yol veya yöntemi bulunmaktadır. Olaylara yaklaşım ve problemlerin çözümünde her mezhebin usulü ve yöntemi, o mezhebin âlimleri tarafından yazılan fıkıh usulü eserlerinde tespit edilmiştir.

## Coğrafi Bölge Farkından Doğan İhtilaflar

Mezheplerin yapılanmasında bir diğer faktörün, coğrafi yapı, ihtiyaçlar, insanların fıtri özellikleriyle farklı anlayış ve kabulleri, aldıkları eğitim olduğu söylenebilir.

Hz. Peygamber'in vefatından sonra âlim sahâbîlerin farklı merkezlerde yürüttükleri eğitim-öğretim faaliyetleri, çok geçmeden belirli ilkeler etrafında okullaşmaya dönüşmüş, peşinden sahâbîye tabi olan neslin (tâbiûn) nasları anlama, yorumlama ve olayların tahlilinde gösterdikleri yaklaşım şekli, amelî hükümlerin elde edilmesinde farklılıklara sebebiyet vermiş; böylece 1. ve 2. yüzyılda ekolleşmeler meydana gelmiştir. Re'y (Ehl-i Irâk) ve Hicâz medreseleri bu okullaşmanın en belirgin örnekleridir. Coğrafi yapıya bağlı olarak gelişen çevresel faktörlerin bu yapılaşmada ciddi etkiye sahip olduğunu belirtmek gerekir. Irak bölgesinin farklı ve hareketli bir kültürel yapıya sahip oluşu, değişik kültürlerin kavşak noktasında bulunuşu, Hz. Peygamber ve sahabe döneminde görülmeyen birtakım olayların ortaya çıkışı, fetih hareketleriyle oluşan dinamik yapı mevcut nasların re'y ve kıyasla işletilmesini zaruri kılmış ve re'y ekolünün doğuşunu hazırlamıştır. Öte yandan Hz. Peygamber'in Medine'de yaşaması, sahabenin orada etkin bulunuşu, Medine'nin daha sade bir yapıya sahip oluşu ve dış etkiye kapalı muhafazakâr bir görüntü vermesi içtihada fazla ihtiyaç bırakmamış, hadisler ve sahabe fetvaları yeterli olmuştur.

Coğrafyanın Fıkhî Yaklaşımlar Üzerindeki Etkisi

Re'y ekolünün imamı Ebû Hanîfe, Ehl-i hadis veya Ehl-i eser ekolünün imamı ise İmam Mâlik'tir. İmam Şâfiî'nin Irak'ta iken farklı bir mezhebe, Mısır'a gittiğinde ise görüşlerinin değişmesiyle başka bir mezhebe sahip oluşu coğrafyanın görüş ve yöntem üzerindeki etkisini göstermesi açısından önemlidir.

Naslara Yaklaşım Biçimindeki Farklılıklar

Hadiselerle ilişkisinin kurulması sırasında nasların zahirine tutunma veya maksadını tespit edip ona göre hareket etme, hukuki işlemlerin geçerliliğinde zahirî şartları dikkate alma ya da tespit edilebildiğinde niyete göre amel etme gibi yaklaşım farklılıkları da mezhepleri oluşturan ve onların farklılaşmasında rol oynayan faktörlerdendir. Mesela nasların zahirine tutunmayı bir yöntem olarak belirleyen Zâhirîler ile diğer mezhepler arasındaki fark bu açıdan oldukça açıklayıcıdır. Keza bir akdin geçerliliği için şekil şartlarını yeterli sayan ve niyetlere göre hükmü Allah'ın vereceğini düşünen, bu yönüyle de hukukun *istikrar* fonksiyonunu önceleyen İmam Şâfiî'ye karşı, tespit edilebildiğinde niyete göre hareket etmek gerektiğini düşünen ve hukukun daha işlevsel ve *adalete* hizmet eden bir yapı oluşunu öne çıkaran Mâlikî, Hanbelî ve belirli şartlarda Hanefîlerin yaklaşım farkı da bu konuda örnek olarak zikredilebilir.

## Deliller İle İlgili İhtilaflar

Nasları Anlama Biçimindeki Farklılıklar

Kur'an ve sünnetin fıkhın ana kaynaklarını oluşturduğu konusunda görüş ayrılığı yoktur. Nasların ise sübutu ve delaleti kati olabilir. Bu durumda bu tür naslar içtihada kapalıdır. Söz gelimi evlenme yasaklarından bahseden Nisâ suresinin

23. ayeti burada zikredilebilir. Kur'an ayetlerinin tamamının sübutu kati olsa da manaya delaleti zanni olabilir. İşte bu durumda ayetleri anlama yöntemi mezheplerin ihtilaf sebeplerinden birisi olmuştur.

Ayetlerin âmm ya da hass olarak değerlendirilmesi, âmm-hass ilişkisi (âmmın tahsisi vs.); mutlak ya da mukayyed olarak kabul edilmesi ya da bu ikisi arasındaki ilişki (mutlakın mukayyede hamledilmesi vs.); hakikat veya mecaz konusundaki yaklaşım, nâsih-mensûh meselesi ve bunun uygulaması; nasların manaya ne şekilde delalet ettiği (ibare, işaret, iktiza vs.) gibi usul-i fıkıh kitaplarında geniş şekilde ele alınan yaklaşım farklılıkları da ihtilaf sebepleri arasında sayılabilir.

Hadislerin daha çok âhad yolla gelmiş olması sebebiyle sübutunun zannî olması, mezheplerin onları kabul kriterlerinde farklılıklar ortaya çıkarmış, bunlar da mezhepler arasındaki ihtilafta belirleyici olmuştur. Hanefîler bu tür rivayetlerin kabulü için ravinin rivayet ettiğine aykırı davranmamasını, rivayetin çok tekrarlanan bir konu ile ilgili olmamasını –çünkü çok tekrarlanan konularda mütevatir haber gerekir–, ravi fakih değilse hadisin fıkhın temel ilke ve kurallarından birisine aykırı olmamasını şart koşarlar. Mesela Hanefîler reşit kızların evliliğinde veli iznini şart koşan iki hadisi, ravisinin rivayet etiğine aykırı davranması gerekçesiyle amel etmeye uygun bulmamışlardır. Mâlikîler, Şâfiîler ve Hanbelîler ise kendi kabul şartlarını taşıması sebebiyle söz konusu hadisleri amel etmeye değer bularak nikâhta veli iznini gerekli görmüşlerdir.

Hz. Peygamber'in tasarruflarının onun hangi niteliğine göre yaptığının tespiti de ihtilafta etkiye sahip olmuştur. Mesela Hz. Peygamber'in, *"Kim bir ölü araziyi kullanacak hâle getirirse (ihyâ) orası ona aittir."* hadisini[463] Ebû Hanîfe

463 Buhârî, "Hars", 15; Ebû Dâvûd, "İmârât", 37; Tirmizî, "Ahkâm", 38; Mâlik, *el-Muvatta*, "Akdiye", 26, 27.

ve İmam Mâlik devlet başkanı sıfatıyla söylenmiş bir hadis olarak değerlendirmişler; Şâfiî ise bunun bir tebliğ ve fetva tasarrufu olduğu görüşünü savunmuştur. Birinci görüşe göre ölü toprağı ihya etmek devlet başkanının iznine tabidir, ikinci görüşe göre ise böyle bir izne gerek yoktur.

Benzer şekilde Hz. Peygamber'in, *"Savaşta bir düşman askerini öldüren onun üzerinden çıkana sahip olur."* hadisini[464] Ebû Hanîfe ve İmam Mâlik devlet başkanı tasarrufu olarak değerlendirmiş, İmam Şâfiî, Ebû Sevr ve Dâvûd ez-Zâhirî ise fetva ve tebliğ tasarrufu olarak yorumlamışlardır.[465]

Nasların illetinin belirlenmesinde gözetilen kurallar ve yaklaşımlar da ihtilaf sebebi olarak değerlendirilebilir. Diğer ferî deliller, yöntem ve ilkelerin ise ya kabulünde ya da az veya çok kullanımı hususundaki farklılıklar mezhepler arasındaki ihtilaf sebeplerini oluşturmaktadır. Bu bağlamda örfün mezhepler arası ihtilaflarda önemli bir rolünün bulunduğunu da belirtmek gerekir.

## Dilden Kaynaklanan İhtilaflar

Dilin Nasların Yorumuna Etkisi

Nasların delaletindeki zannîliğin sebeplerinden birisi dildir. Bu husustaki yaklaşımlar ihtilafların oluşmasında etkili olmuştur. Mesela *müşterek* kelimelerin anlamlarından birisinin tercihinde ya da kelimenin hakikat mi yoksa mecaz mı olduğunun tespitinde gözetilen ilkeler mezhepler arasındaki farklılıkları doğurmuştur.

Söz gelimi Kur'ân-ı Kerîm, kocasından ayrılan ve hayız gören kadınların beklemesi gereken süreyi, *"Boşanmış kadınlar, üç kurû' beklerler."* (Bakara suresi, 2:228) ayetiyle *üç kurû'* olarak belirlemiştir: Ayette *kurû'*'dan maksat Hanefîler

464 Mâlik, *el-Muvatta*, "Cihâd", 18.

465 Bu konuda geniş bir çalışma için bk. Murat Şimşek, *Bağlayıcılık Bakımından Hz. Peygamber'in İctihad ve Tasarrufları*, Ankara, 2011.

ve Hanbelîlere göre hayız; Ca‘ferîler, Mâlikîler ve Şâfiîlere göre ise üç temizlik süresidir. Her iki tercihin temelinde dil kurallarıyla ilgili birtakım ilkeler bulunmaktadır.

"*Başlarınızı meshedin…*" (Mâide suresi, 5:6) ayetinde geçen "bi" edatının anlamındaki ihtilaf konuyla ilgili başka bir örnektir. Hanefîler, Şâfiîler ve Hanbelîler bu harfin "bütünün bir parçasına işaret ettiğini" söyleyerek abdestte başın bir kısmının meshedilmesinin yeterli olacağı görüşünü; Mâlikîler ise söz konusu harfin teyit için geldiğini, dolayısıyla başın tamamının meshedilmesi gerektiğini savunurlar.

Yine abdest ayetinde (Maide suresi, 5:6) Şâfiîler, abdestin ayette belirtilen sıraya uygun olarak yapılmasını (tertib); Hanbelîler tertibin yanı sıra uzuvların ara verilmeden ard arda yıkanmasını (muvâlât); Mâlikîler ise uzuvların art arda yıkanmasının yanı sıra uzuvların yıkanırken ovulmasını (tedlîk) abdestin şartları içerisinde sayarlar. Bu farklılığın sebebi dilin ayetin yorumundaki etkisidir.

Benzer şekilde "*Kadınlara dokunduğunuzda* (…)"[466] ayetinde geçen dokunma (*lems*) kelimesini Şâfiîler hakikat anlamına alarak kadına dokunmanın abdesti bozacağını savunmuşlar; Hanefîler ise kelimenin mecaz anlamını esas alarak bunun cinsel ilişki anlamına geldiğini, dolayısıyla abdesti bozanın da bu eylem olduğunu düşünmüşlerdir. Mâlikîler ise söz konusu ifadeyi, karşı cinslerinin birbirlerine şehvetle dokunuşu şeklinde yorumlayarak abdestin böyle bir eylemle bozulacağını savunmuşlardır.

Emir kipinde gelen kelimelerin farza mı, nedbe mi yoksa ibâhaya mı delalet ettiği; nehiy kipiyle gelen bazı kelimelerin de harama mı yoksa kerahete mi delalet ettiği yönündeki tercihler de ihtilaf sebepleri arasındadır.[467]

---

466 Mâide suresi, 5:6.

467 Konu ile ilgili bk. Mustafa İbrahim Zelemî, *Esbâbü ihtilâfi'l-fukahâ'fi'l-ahkâmi'ş-şer'iyye*, Amman, 2005, s. 63 vd.

# MEZHEPLER ARASI İLİŞKİLER VE İHTİLAFLAR KARŞISINDA TUTARLI TAVIR

## Mezhepler Arası İlişkiler

Mutlak Hakikat İddiasının Mezhepler Arası İlişkilere Etkisi

Mezhepler arası ilişkiler tarihte olduğu gibi günümüz için de aktüel bir konudur. Tarihî süreçte özellikle Hristiyan dünyası bu alanda acı tecrübeler yaşamıştır. Teolojik boyutlu mezhep çatışmalarının temelinde bazı etkenler vardır. Bunlardan biri, "Kilise dışında kurtuluş yoktur." anlayışıdır. Bu kabul, diğer dinlere karşı savaşın teolojik zeminini oluştursa da esasen Hristiyan dünyada yaşanan mezhep kavgalarının itici güçlerinden birisi olmuştur. Çünkü her mezhebin kilisesi "mutlak hakikati" kendilerinin temsil ettiği inancını savunmuş, dolayısıyla kurtuluşun kendilerinde olduğunu iddia etmiştir. Kurtuluşa gelmeyenlerin zorla getirileceği, ruhun kurtuluşu için her türlü ten cezasının uygulanabileceği inancı da farklı inanç ve gruplara (din ve mezhep) karşı hoşgörüsüzlüğe sebep olmuştur.

Hristiyan Dünyada Mezhep Savaşları

Tanrı adına hareket etme iddiası ruhban sınıfına sorgulanamaz bir pozisyon kazandırdığı için farklı görüş ve kanaatlerin yeşermesi mümkün olmamıştır. Dünyanın Tanrı'ya ve şeytana ait olmak üzere ikiye ayrılıp, aynı inancı paylaşmayanların şeytanın hükümranlığında görülmesi, onlarla mücadelenin temeli hâline getirilmiş, bu ise şiddetin itici gücü olmuştur. Bu anlayış diğer din ve mezheplere yönelik hoşgörülü bir tutumun gelişmesini engelleyerek fanatizme yol açmıştır.

"Kral kimse din odur." şeklindeki yaklaşım da bir ülkede yaşayan insanların kralın dinine tabi olmasını zorunlu hâle getirmiş, bu nedenle farklı inançlara hayat hakkı tanınmamıştır. Hz. Peygamber'in Bizans Kralı Herakleios'a

(575-641) yazdığı İslam'a davet mektubunda *"İslam'ı kabul etmekten kaçınması hâlinde halkının günahını da üstleneceği"* şeklindeki uyarısı[468] muhtemelen halkın kralın dininden olma zorunluluğu sebebiyledir. Yoksa İslam'da hiç kimsenin bir başkasının suçunun cezasını çekmeyeceği esaslı bir prensiptir.[469]

Bütün bunların tabii sonucu olarak da Hristiyanlar hem din olarak hem de mezhep olarak kendi dışındakileri sapkın (heretic) kabul ederek onlarla savaşma yoluna gidince kanlı mezhep kavgaları ve din savaşları yüzyıllarca sürmüştür.

4. Haçlı Seferi'nde Katolik ve Ortodoks Hristiyanlar arasında yaşananlar mezhep savaşlarının temsil gücü yüksek bir örneğidir. 1204 yılında Mısır veya Kudüs'e gitmek üzere yola çıkan, ancak fikir değiştirerek İstanbul'a yönelen Katolik Haçlı Orduları, bölgedeki Ortodoks Hristiyanların kutsal mekânlarını tahrip etmiş, buralarda yer alan ikonları parçalamış, din adamlarını asmış, Doğu Hristiyanları tarafından aziz sayılan kişilerin mezarlarını yağmalamış ve oradaki değerli eşyaları ve kutsal emanetleri ele geçirmişlerdir. Hatta Hristiyanlığın en kutsal mabedi olarak görülen Ayasofya'ya atlarıyla girip ikonları, ipekli halıları talan etmişler, aziz tasvirlerini ve kutsal kitapları çiğnemişlerdir.

24 Ağustos 1572'de, Fransa'da Saint-Barthélemy Katliamı[470] olarak meşhur olan olayda ise Katolikler, bir gecede 20.000 ile 70.000 arasında olduğu ifade edilen Protestan'ı öldürmüşler; peşinden 11 Eylül 1572 tarihinde Papa Gregory, dinsizleri cezalandırdığı için Fransa kralını övmüş, katliamın failleri madalya ile ödüllendirilmiştir.

---

468 bk. Muhammed Hamîdullah, *Hz. Peygamber'in Altı Orijinal Diplomatik Mektubu* (çev. Mehmet Yazgan), İstanbul, 1990, s. 111-131.

469 En'âm suresi, 6:164; Fâtır suresi, 35:18; Necm suresi, 53:38-39.

470 Ayferi Göze, "Onaltıncı Yüz Yıl Düşünürlerinde Baskıya Karşı Direnme", *İÜHFM*, XXXIV/1-4 (1969), s. 243-248.

Almanya'da meydana gelen Otuz Yıl Savaşları'nda (1618-1648) Katolikler ve Protestanlar binlerce insanı katletmişlerdir. Savaş, Vestfalya Barışı (1648) ile son bulsa da Papalık antlaşmayı tanımadığını bildirmiştir.

Müslüman toplumlar açısından konuya bakıldığında gerek mezheplerin kendi aralarında gerekse diğer din mensuplarına karşı dinin özünden ya da mezhep imamlarının tavrından kaynaklanan bir sıkıntının yaşandığını söylemek güçtür. Tarihî süreçte, Batı'da olduğu şekliyle kurumsal anlamda bir mezhep çatışmasından söz etmek mümkün değildir. Bazı dönemlerde, İslam toplumlarında yaşanan mezhep kavgaları ise ya taraftarlık taassubundan kaynaklanmış ya da siyasi veya sosyal sebebe bağlı olarak gelişmiştir.

İslam toplumları söz konusu olduğunda mezhepler arasında iyi ilişkilerin hâkim olmasının sebeplerini şöyle sıralamak mümkündür:

İçtihatların Mutlak Hakikat Olarak Görülmemesi

1) Hristiyanlıkta olduğunun aksine, İslam'da mezhep içinde ya da bireysel anlamda "içtihadın mutlak hakikati ifade etmediği" düşüncesi mezhep kavgalarını önleyen temel faktördür. İçtihada açık olan konularda geliştirdikleri metot çerçevesinde Allah'ın muradını izhar etmeyi amaçlayan mezhepler, istinbat ettikleri hükümleri Hristiyan mezheplerinin aksine mutlak hakikat olarak görmeyip hataya açık beşerî-fikrî çabalar olarak değerlendirmişlerdir.[471] Bu anlayış içtihadın tanımına "İçtihat, zann-ı gâlipten ibarettir." şeklinde yansımış, pratik sonucu da "İçtihat ile içtihat nakzolunmaz."[472] yani "Bir içtihat diğerini geçersiz kılmaz, bir içtihadın değeri diğer bir içtihat ile ölçülmez." şeklindeki külli kaide ile Mecelle tarafından özetlenmiştir. Nitekim Hanefî âlimi Haskefî'nin (ö. 1088/1677) şu sözü bu noktayı açıklayıcı niteliğe sahiptir:

471 bk. İbn Kayyim el-Cevziyye, *İlâmü'l-muvakkıîn*, II, 200-201; Karaman, *İslam Hukukunda İctihad*, s. 158-161.

472 bk. *Mecelle*, md. 16.

“Bizim mezhebimizin görüşü isabetlidir, fakat hataya ihtimali vardır. Muhalifimizin mezhebinin görüşü hatalıdır, ama isabetli olmaya ihtimali vardır.”[473]

İbn Âbidîn (ö. 1252/1836) bu sözü şöyle açıklar: “‘Bizim mezhebimizin görüşü kesin olarak isabetlidir.’ diye iddia edemeyiz. Keza ‘Muhalifimizin mezhebi de kati olarak hatalıdır.’ şeklinde bir iddiada bulunamayız. Bunun dayanağı şudur: Allah’ın her mesele hakkında muayyen bir hükmü vardır. O hükmü aramak gerekir. O hükme isabet eden doğruyu bulmuş, isabet edemeyen de hata etmiş olur. Hata eden de (çabasının karşılığı olarak) ecre nail olur.”[474]

Mezhep kitaplarında, diğer mezheplere mensup âlimler hakkında saygılı bir dil kullanılmış, muhalif mezhep imam ve âlimleri rahmet ve dua ile anılmışlardır. Üstelik mezhep kitaplarında ihtiyaç durumunda oyuncak hâline getirmemek ve şeri bir hükmü düşürmemek kaydıyla diğer mezhep hükümlerinden istifade edilebileceği kaydedilmiştir. Keza Ca‘ferîler de dâhil olmak üzere bütün mezhepler, bir mezhebe mensup imamın arkasında diğer mezhebe mensup birisinin namaz kılabileceğini kabul etmişlerdir.[475]

Bu görüşlerden de anlaşılacağı üzere bir içtihadi hüküm isabet ve hata ihtimallerini beraberce taşımaktadır. Bu sebeple hiçbir içtihadi hüküm mutlak hakikati temsil ede-

---

473 Haskefî, *ed-Dürrü’l-muhtâr* (İbn Abidîn, *Reddü’l-muhtâr* içinde), Kahire, 1272-1324, I, 33.

474 İbn Âbidîn, *Reddü’l-muhtâr*, I, 33.

475 Bir Müslüman diğer mezhebe mensup bir imamın arkasında namaz kılabilir. Hanefîler ve Şâfiîler imamın namazının cemaatin mezhebine göre sahih olma şartını ararlar. Mesela elin kanaması Şâfiî mezhebine göre abdesti bozmaz. Buna göre bir Hanefî eli kanadığı hâlde abdestini tazelemeyen bir imama uyamaz. Çünkü ona göre imamın abdesti bozulmuştur. Buna mukabil Mâlikîler ve Hanbelîler imamın ibadetinin kendi mezhebine göre sahih olmasını, diğer mezhep saliklerinin ona uyabilmesi için yeterli görürler. Ca‘ferîlere göre de içtihat veya taklit yönünden imam ile muktedî, yani imama uyan kimse farklı görüşte bulunuyorlarsa muktedî imamın namazının sahih olduğuna inandığı takdirde ona uyabilir.

mez. Buna göre bir içtihadın değeri, diğer içtihat ile ölçülemez. İçtihat yapabilecek kabiliyet ve bilgi birikimine sahip olan âlimin naslardan istinbat ettiği hüküm kendisi açısından haktır ve ona göre davranmak da onun vazifesidir, diğer görüş sahipleri onun tercihine saygılı davranmakla yükümlüdür. O da diğer görüşlere karşı aynı tavrı sergilemek durumundadır. Buna göre usulüne uygun olarak elde edilmiş içtihadi hükümler hiçbir zaman batıl sayılmaz ve ilgili görüşü benimseyen âlimler ya da onlara tabi olan müminler ilmî tenkit dışında herhangi bir muhalefete konu yapılamazlar.

Bu düşünce kurumsallık anlamında taassuba dayalı mezhep bağlılığına engel olmuş, Müslüman birinin muayyen bir mezhebi benimsemiş olsa bile ihtiyaç hâlinde diğer mezhep görüşlerinden de istifade edebileceği fikri muhafaza edilmiştir.[476] İslam tarihinde bu uygulamanın 25 Ekim 1917 tarihli *Hukuk-ı Aile Kararnamesi* gibi zengin örnekleri ortaya çıkmıştır.

Farklı Görüşlerin Rahmet Olarak Değerlendirilmesi

Üstelik İslam toplumunda farklı görüşlerin mevcudiyeti bir rahmet olarak düşünülmüştür. Mesela Abbâsî Halifesi Mansûr'un *el-Muvatta* adlı eserini resmîleştirerek hükümlerin esası kılınması teklifine İmam Mâlik (ö. 179/795), bunun "görüş farklılıklarının rahmet olduğu" ilkesine ters düşeceği gerekçesiyle karşı çıkmış ve halifeyi bu düşüncesinden caydırmıştır.[477]

Bununla beraber Osmanlılarda olduğu gibi devletin resmî olarak bir mezhebi uygulamaya esas alması hukukta birlik ve istikrarı sağlama açısından zaruridir. Bu durum az önce işaret edildiği üzere ihtiyaç durumunda diğer mezheplerin görüşlerinden birini ya da tamamını kanunlaştırmaya engel olmadığı gibi vatandaşların günlük hayattaki bireysel

476 bk. Mahmûd Muhammed Şeltût–Muhammed Ali es-Sâyis, *Mukarenetü'l-mezâhib fi'l-fıkh*, Kahire, 1953, s. 2-7.
477 Mehmet Erdoğan, *İslam Hukukunda Ahkâmın Değişmesi*, s. 219.

tercihlerinde de serbestlik içinde diledikleri görüşe göre hareket edebilmelerine bir engel teşkil etmemektedir.

İçtihadi hükümlerin değeri ile ilgili bu yaklaşım vatandaşlığın din ve mezhep birliği ile sınırlı olmadığı sonucunu doğurmuş, mezhep kavgalarını önlemiş, farklı doktrin ve doktriner sistemlerin bir arada yaşamasına meşruiyet kazandırmıştır.

Usulüne uygun olarak yapılmış içtihatlara, hatalı olması hâlinde bile bir ecir takdir edilmesi,[478] ona uygun amelin makbul sayılması da mezhep çatışmalarını önleyici bir etkiye sahip olmuştur.

Bununla beraber İslam toplumlarında mezhep taraftarları arasında bazı kavgaların ortaya çıktığı, dolayısıyla bu anlayıştan sapmaların görüldüğü zamanlar olmuştur. Mesela belirli bir dönemde Bağdat'ta Şafiîler ile Hanbelîler; Merv, İsfahan ve Rey bölgelerinde ise Şâfiîler ile Hanefîler arasında yaşanan bazı mezhep kavgaları nakledilmektedir.[479] Ancak bu tür olaylar, daha çok siyasi ve taraftarlık taassubunun getirdiği fanatizmin bir sonucu olarak anlık hadiseler şeklinde ortaya çıkmış, yerel kalmış ve herhangi bir müçtehidin yönlendirmesiyle meydana gelmemiş, dolayısıyla kurumsallık kazanmamıştır.

Mezhepler arası tartışmaların bilimsel tartışmalara bağlı olarak geliştiğini, *fırak-ı dâlle* kabul edilen gruplara karşı ilmî reddiyeler dışında kurumsal bir eylem yapılmamış olmasından da anlayabiliriz. Tarihte yaşanan ve daha çok siyasi karakterli olan *mihne* olaylarının varlığı da bu gerçeği zedelemez. Bu hadisede sahip oldukları anlayışın veya fikrin kabulünü dayatan siyasi iktidar iken, baskıya maruz kalanlar da buna karşı çıkıp zarar gören âlimler olmuştur.

---

478 Buhârî, "İ'tisâm" 20, 21; Müslim, "Akdiye", 15; Ebû Dâvûd, "Akdiye", 2.
479 Karaman, *İslam Hukukunda İctihad*, s. 255.

Masumiyetin Peygamberlere Özgü Oluşu

2) İmamların masum olduğu inancına sahip olan Şia istisna edilirse, Hristiyanlık'taki, özellikle de Katoliklik'teki inancın aksine, İslam inanç sisteminde peygamberler dışında hiç kimse masum değildir. Peygamberlerin masum oluşu esasında peygamberlik görevi ile ilgili olup, onlar bu görevleri sebebiyle hesaba da çekileceklerdir.[480] Dolayısıyla hiç kimsenin Tanrı adına hareket etme gibi bir yetkisi yoktur. Bu anlayış, suistimale oldukça elverişli olan *teokratik* düzen için önemli bir engel olup İslam'ın diğer dinlere yönelttiği önemli teolojik eleştirilerden birisini oluşturmaktadır.[481]

Dinî İnançların İnsanın İradesine Bırakılması

3) İnsanlara ilahî mesaj ulaştırıldıktan sonra onu kabul edip etmeme kendisine aittir. Bu noktada bireysel sorumluluk esastır. Kişinin iradesi elindedir, dilerse iman eder, kurtuluşu hak eder; dilerse de reddeder ve ahirette sonucuna katlanır. Bu konuda peygamber ve dolayısıyla diğer müminlerin vazifesinin tebliğden ibaret olduğunu Kur'an ve Hz. Peygamber açık bir biçimde ifade ederler. Bir dinin kurtuluşun kendi değerlerinde olduğunu savunmasından ve kurtuluşa davet etmesinden daha doğal bir şey olamaz. Ancak İslam, Hristiyanlığın aksine kurtuluşu seçip seçmemeyi, kişilerin tercihine bırakmıştır ki bu fanatizmi önleyen temel faktörlerinden birisidir.

Dinde Zorlama Olmayışı

4) Kur'an, inançlara yönelik baskıyı açık bir biçimde yasaklamış, Hz. Peygamber de örnek uygulamalarıyla ümmetini bu yönde eğitmiştir. Allah ve Resulü'nün açıkça belirlediği bir konuda ise farklı bir davranış söz konusu olamaz.[482] Kur'ân-ı Kerîm'in ilke olarak dinî inanç noktasında insanlara zor kullanmayı yasaklayan tavrı çok açıktır.[483] Bu tutum, sadece diğer dinlere karşı değil, aynı zamanda diğer mezheplere yönelik yaklaşımda da önemli bir temel oluşturmaktadır.

480 A'râf suresi, 7:6.
481 bk. Tevbe suresi, 9:31.
482 Ahzâb suresi, 33:36.
483 Bakara suresi, 2:256; Yûnus suresi, 10:99.

## İhtilaflar Karşısında Tutarlı Tavır

Mezhepler arası ihtilaflar öze, esasa ilişkin ayrılıklar değil, ana noktalar sabit kalmak kaydıyla delil ve yönteme bağlı olarak ortaya çıkan farklılıklardır. Dolayısıyla bu tür ihtilaflar yerilmiş değil, tam aksine bir zenginlik ve rahmet olarak telakki edilmiştir. Ayrıca her bir görüşün de fıkıh açısından muteber bir delili vardır.

Bir Müslüman temel kaynaklardan hüküm çıkarabilecek birikime sahip ise hükmü doğrudan onlardan alır. Ama bu güce sahip değilse, bir mezhebe tabi olur veya onu taklit eder. İhtiyaç duyduğunda ya da bir zorunluluk söz konusu olduğunda benimsediği mezhebin dışında, diğer mezheplerin kolaylıklarından da yararlanabilir. Bu konuda bütün mezhepler ittifak hâlindedir. Mesela Hanefî mezhebine mensup biri, yolculuk hükümlerine tabi olduğu bir ortamda diğer mezheplerin görüşlerine uyarak namazlarını *cem* edebilir. Cem, peş peşe gelen iki farz namazı bir vakitte kılmak demektir. Öğle namazının vaktinde önce öğleyi, peşinden ikindiyi, akşam namazı vaktinde ise önce akşamı, peşinden yatsıyı kılmaya *cem-i takdîm*; ikindi vaktinde önce öğleyi, peşinden ikindiyi, yatsı vaktinde de önce akşamı, ardından yatsıyı kılmaya ise *cem-i te'hîr* denir. Hanefî mezhebine göre hac esnasında Arafat ve Müzdelife dışında cem caiz değildir. Diğer mezheplerde ise belirli mazeretler sebebiyle hac dışında da cem yapılabilir. Bunlar fıkıh kitaplarında ayrıntılı şekilde ele alınmaktadır.

Hanefîler dışındaki mezheplere göre seferîlik cem yapmayı mübah kılan bir sebeptir. Şâfiîler ve Hanbelîler mutlak olarak seferîliğin cem yapmaya imkân verdiğini savunurlarken; Mâlikîler cemi caiz kılan sefer hâlinin meşakkatli olmasını şart koşarlar.

İttiba ve Taklit

Kur'an ve sünnetten hüküm çıkarabilmek belirli seviyede bilgi birikimine sahip olmayı gerektiren bir uzmanlık işidir. Böyle bir donanıma sahip olmayan bir Müslüman belirli bir mezhebe uyarak dinini yaşar. Bir mezhebin hükmüne delilini bilerek uymaya ittiba, delilini bilmeden takip etmeye ise taklit denir. Bir mezhebi benimsemiş kişi, ihtiyaç ve sıkıntı hâlinde şeri bir hükmü düşürmemek ve onu oyuncak hâline getirmemek kaydıyla diğer mezheplerin kolaylıklarından yararlanabilir. Bu, bütün mezheplerin kabul ettiği bir hükümdür. Buna göre Hanefî mezhebine mensup biri diğer mezheplerin görüşlerinden yararlanarak yolculuk hâlinde meşakkat yaşaması durumunda namazlarını cemederek kılabilir. Hatta uçakta, otobüste ve trende koltukta oturarak namaz kılmaktansa cem tavsiye de edilebilir. Çünkü söz konusu araçlarda birçok rüknü usulüne uygun şekilde yerine getirme imkânı yoktur. Mesela kıbleye dönme, kıyam, rükû, secde, ka'de'yi (oturuş) yerine getirmek zordur. Cem durumunda ise sadece vakit yoktur. Bu iki durum karşılaştırıldığında cem yapmak daha uygun gözükmektedir. Ancak bu ifadelerden uçak, otobüs ve trende namazın caiz olmadığı gibi bir anlam da çıkarılmamalıdır. Elbette bu vasıtalarda da namaz kılan kişi, yaptığı kadarıyla namazını kılar ve vazifesini ifa etmiş olur.

Benzer şekilde Şâfiî mezhebine mensup biri, kadın ve erkeklerden oluşan kalabalık bir ortama maruz kaldığında abdest konusunda Hanefî görüşünden yararlanabilir.

Sıkı bir şekilde Hanefî mezhebini uygulayan Osmanlı Devleti 25 Ekim 1917 tarihli *Hukuk-ı Aile Kararnamesi*'nde diğer mezheplerden ihtiyaca cevap veren çok sayıda hükmü kanunlaştırmıştır. Kuşkusuz bu durum, farklı mezheplerden yararlanmanın devlet düzeyinde karşılığını bulduğu önemli örneklerden birini teşkil etmektedir.

# MEZHEPLERLE İLİŞKİSİ BAKIMINDAN MÜSLÜMAN

Herhangi bir mezheple ilişkisi bakımından bir Müslüman beş konumdan birisinde bulunabilir. Bunları şöyle ele alabiliriz:

## İçtihat

İçtihat, kelime olarak "bir şeyi elde edebilmek için bütün çabayı sarf etmek" anlamına gelir. Bir fıkıh usulü terimi olarak içtihat, en genel anlamıyla Kur'an ve Sünnet'te açık olmayan bir meselenin şeri hükmünü delilden hareketle tespit edebilmek için olanca gücü harcamak demektir. Bu faaliyeti yapabilecek donanıma sahip olan âlime müçtehit denir. İslam hukuk literatüründe fakih ve müftî de aynı anlamı ifade etmek üzere kullanılır.

Mutlak ve Mukayyet İçtihat

İçtihat, mutlak ve mukayyet olmak üzere ikiye ayrılır. Mutlak içtihat her meselede içtihat yapabilecek birikim ve donanıma sahip olmaktır. Bu güce sahip olan âlime mutlak müçtehit denir. Belirli meselelerde içtihat yapabilme kudretine sahip olan âlime ise mukayyet müçtehit denir.

İçtihat Yapabilmenin Şartları

İçtihat yapabilmek için birtakım şartların gerçekleşmiş olması gerekir. Kur'an ve sünneti bilmek, yani ahkâm ayetleri ve hadisleri ile bunlarla ilgili temel bilgilere sahip olmak temel şarttır. Bu iki kaynak Arapça olduğu için bu kaynakları anlayabilecek ölçüde Arap diline vâkıf olmak diğer bir şarttır. İcma hasıl olmuş hükümler içtihada kapalı olduğu için bu tür ahkâmı bilmek de şartlar arasında sayılmaktadır. İçtihadın nasıl yapılacağını gösteren fıkıh usulü ilmini bilmek gerekir. Ayrıca İslam hukukunun ana gayelerine (makâsıdü'ş-şerî'a), ruhuna vâkıf olmak da esaslı bir şarttır. Ayrıca iyi niyetli olmak da önemlidir. Mukayyet içtihatta ise içtihat edilen konuları bilmek şart koşulmuştur.

İçtihadın alanı şeri amelî hükümlerdir. İtikâdî, ahlaki, kaynağı duyular (havâs-ı selîme) ya da akıl olan hükümler içtihat alanının dışındadır. İtikâdî konuları akaid-kelam; ahlaki konuları ahlak-tasavvuf; konusu madde olan ilimleri de fizik, kimya, biyoloji gibi disiplinler inceler.

Allah'ın, kulların eylemleriyle ilgili mutlaka bir hükmü vardır. Bu hüküm bizzat Allah ve Resulü tarafından kati olarak açıkça belirlenmiş ise ona aynen uymak gerekir. Eğer hüküm, açık değil ise birtakım çıkarım teknikleri kullanılarak hüküm muteber kaynaklardan elde edilir. İşte bu esaslar fıkıh usulü ilminin konusudur.

Sübutu ve delaleti kati olan nasların (ayet, mütevatir hadis) belirlediği hükümler, içtihada kapalıdır. *Mecelle*'nin, "Mevrid-i nasta içtihada mesağ yoktur." şeklindeki 14. maddesi buna işaret etmektedir.

İçtihat faaliyeti, sübutu kati olsa da delaleti zanni ya da delaleti kati de olsa sübutu zanni olan naslarca (haber-i vâhid) belirlenmiş olan hükümler alanında yürütülür. Bu tür hükümlerin de üzerinde icma hasıl olanları içtihada kapalıdır.

İçtihat, Hükmü İspat Değil, İzhar Eder.

İçtihat, karşılaşılan meselede Allah'ın muradını ortaya çıkarma (izhar) gayretidir. Bu esas "İçtihat hükmün muzhiridir, müsbiti değildir." kuralıyla ifade edilir. Bu ilkeyle, içtihadın doğrudan hüküm koyma çalışması olmadığı, zira bunun Allah'a mahsus olduğu, dolayısıyla içtihadın sadece gizli bulunan hükmü açığa çıkarma (keşf) ameliyesi olduğu anlatılmak istenir.

İçtihat, "zann-ı gâlip"ten ibarettir. Bu, içtihatla elde edilen hükmün Allah'ın kesin muradı anlamına gelmediğini, hata ihtimaline açık bulunduğunu, ancak varılan sonucun isabetli olduğuna inanıldığını ifade eder.

İçtihat ilmî bir faaliyettir. Bu sebeple gerekli birikim ve donanıma sahip olan her âlim içtihatta bulunabilir. Vardığı sonuç kendisini bağlayıcıdır. Müçtehit delilden hareketle ulaştığı neticeye aykırı hareket edemez, bir başkasını ya da mezhep hükmünü taklit edemez.

İçtihatta hata olabilir. Ancak varılan sonuç için gerekli şartların yerine getirilmiş olması yeterlidir. Hz. Peygamber, içtihat yapabilecek donanıma sahip olan âlimlerin içtihatlarında isabet etmesi hâlinde iki, hata etmesi hâlinde ise bir sevap alacağını belirtmiştir.[484] Bu sebeple içtihadî hükümlerde her zaman değişmeler olabilir.

"İçtihat içtihadı nakzetmez." kuralı, bir içtihadın diğerini geçersiz kılamayacağı, her bir içtihadın kendi içinde bir değerinin bulunduğunu ifade eder. Buna göre bir içtihadın değeri diğer bir içtihatla ölçülemez. Ancak uygulamada herhangi bir mezhebi esas almış bulunan bir devletin diğer mezheplerden alarak ya da yeni bir içtihatla yasalaştırdığı hüküm herkesi bağlar. Uygulamada Hanefî mezhebini esas alan Osmanlı Devleti'nin son dönemlerinde hazırlanan *Hukuk-ı Âile Kararnamesi*'nde diğer mezheplerden yararlandığına değinmiştik.

İçtihadın tecezzi kabul edip etmeyeceği, yani içtihada açık olan saha içerisinde sadece bir alanda müçtehit olunup diğer alanlarda müçtehit olunmama konusu ulema arasında tartışmalıdır. Söz gelimi aile hukuku alanında müçtehit olmayan birisi, borçlar hukukunda içtihat ehliyetine sahip olabilir mi? İçtihatta isabet kaydedebilmek için tıpkı başarılı bir tedavi için hastalığın bütünüyle tanınması gerektiği

484 Buhârî, "İ'tisâm", 20, 21; Müslim, "Akdiye", 15; Ebû Dâvûd, "Akdiye", 2; Nesâî, "Ahkâm", 2, "Kudât", 3; İbn Mâce, "Ahkâm", 3; Ahmed b. Hanbel, *el-Müsned*, IV, 198, 204, 205

gibi, hükmü aranan meselenin de tam anlamıyla anlaşılması ve tanınması gerektiği dikkate alınırsa, özellikle meselelerin oldukça karmaşık hâle geldiği ve profesyonelliğin gerektiği günümüzde bu soruya olumlu cevap vermek uygun gözükmektedir. Fakat yine de her bir hüküm, sistemin bir parçasını oluşturduğu için İslam hukukunun temel felsefesine hâkim olmanın gerekli olduğunu söylemeliyiz.

Bir müçtehidin ele aldığı meseleyi gerektiği şekilde incelemesinden sonra vardığı sonuca uyması gerekir. Bu aşamadan sonra bir başka müçtehidin görüşünü taklit etmesi caiz değildir. Ancak içtihatta bulunmamış ise bir başka müçtehidi taklit edip edemeyeceği İslam âlimleri arasında tartışmalıdır. İmâm-ı Âzam'ın talebesi Muhammed b. Hasan eş-Şeybanî'ye göre kendisinden daha âlim bir müçtehidi taklit edebilirse de kendisine denk veya daha aşağı mertebede bulunan birisini taklit etmesi caiz değildir. Meselenin tetkiki bir müçtehit için uzun süre alıyor ve müçtehit araştırmaya vakit bulamıyor ise o zaman onun başka bir müçtehide uyması caiz olur.

## Tahrîc

Mezhep İlkeleri İçinde İçtihat: Tahrîc

Tahrîc, kısaca ifade edilecek olursa, mezhep ilkeleri doğrultusunda istidlalde bulunmak anlamına gelir. Mezheplerin istikrara kavuşmasından sonra yaygınlaşan tahrîc yöntemi, bir mezhebe mensup müçtehidin karşılaştığı cüzi meselenin mezhepte açık hükmünü bulamadığı durumlarda, nasların yanı sıra başta imamlar olmak üzere mezhebi temsil eden görüş ve metinlerden yola çıkarak o meseleyi çözümleme yoluna gitmesidir. Bu yönteme tahrîc, bu işlemi yapan müçtehide de muharric denilir. Muharricin mezhebin ilke ve hükümleri karşısındaki konumu, müçtehidin naslar karşısındaki konumuna benzemektedir. Müçtehit nasları esas alır, muharric ise mezhep ilkelerini dikkate alır. Tahrîc de bir içtihat yöntemi olduğu için bu faaliyette bulunacak âlimin içtihat şartlarını taşıması gerekir.

Tahrîcü'l-Furû ale'l-Usul: Tikel Meselelerin Tümel Asıllarıyla İlişkilendirilmesi

İstidlali bir sisteme bağlama ihtiyacının külli kaide türü eserlerin ortaya çıkmasında etkili olduğu söylenebilir. Mesela tahrîc faaliyetlerinin hız kazandığı bir dönemde yaşayan Hanefî âlimi Kerhî'nin (ö. 340/952), usulünde tespit edilen asılların bu yönde bir işlevinin bulunduğunu söylemek mümkündür. Özellikle mevcut literatür dikkate alındığında 7. yüzyılda örnekleri görülen cüzi meselelerin külli asıllarıyla bağlantısını kurma tekniğini gösteren *tahrîcü'l-furû' ale'l-usûl* türü eserler bu faaliyetin disipline edilmesi ihtiyacından doğmuş olmalıdır.

Gündelik hayatta karşılaşılan problemlerin büyük ölçüde yeknesak oluşu, özellikle Hanefîlerin eğitim ve öğretim sürecinde öğrenciye fıkıh melekesi kazandırmak maksadıyla farazi meselelere yönelmelerinin getirdiği içtihat zenginliği, tahrîc yönteminin gelişmesinin faktörleri arasında sayılabilir. Üstelik mezheplerin yapısal olarak tutarlı bir şekilde kurulması ve ilkelerini belirginleştirmesinin bu yöntemi güçlendirdiğini söyleyebiliriz.

## İttiba

İttiba ile Taklit Arasındaki Fark

İttiba, dilde "birinin peşinden gitmek, izinden yürümek" anlamına gelir. Fıkıh usulü terimi olarak ittiba ise, delilini bilerek bir görüşe tabi olmak demektir. Bir görüşe ittiba eden kişi, müçtehit ile mukallit arasında bir yerde bulunur. O, içtihat yapabilecek donanıma sahip olmamakla birlikte uyduğu görüşün delilini bildiği için, delilini bilmeden görüşü taklit eden mukallitten ayrılmaktadır. Başka bir deyişle mukallit, kişiye; ittiba eden ise, görüşe tabi olmaktadır. İttiba eden kişiler bizzat içtihat yapamasalar da, müçtehidin hükme esas aldığı delilleri inceleyip bir değerlendirme yapabilecek birikime sahiptirler. Bu nedenle onlar, sırf taklitle yetinmeyerek bilinçli bir şekilde görüşe uymalıdırlar.

## Taklit

İçtihatta bulunmak hem bir kabiliyeti hem de bu alanda eğitim görmeyi gerektirir. Herkesin söz konusu iki imkâna sahip olması beklenemez. Bu sebeple içtihat ehliyetini haiz olmayanlar ilmine güvendikleri, gönüllerinin yattığı bir müçtehide tabi olurlar. Delilini bilmeden bir âlimin görüşüne uymaya taklit denir. Bu şekilde davranana da mukallit denir. Âmmî (ç. avâm) denilen bu kesime düşen, samimiyetine ve liyakatına güvendiği bir âlimin görüşüne uygun amel etmektir. Mezhepler bu işlevi görmektedir.

Ana kaynaklardan gerekli hükmü çıkarabilmek için metodolojik bilgi ve uzmanlık gerekir. Gündelik hayatın karmaşık problemleri, insanın kabiliyet ve imkânları onun bütün alanlarda yeterli donanımı sağlamasına ve uzmanlık derecesinde bilgi elde etmesine fırsat vermez. Bu gerçek, zorunlu olarak iş bölümünü beraberinde getirmektedir. Bu sebeple her toplumun kabiliyetlerine göre uzmanlaşmak üzere bireylerini organize etmesi ve onları ihtiyaç duyduğu alanlara yönlendirmesi esaslı bir görevdir. Kuşkusuz dinî bilgi alanı da bunlardan birisidir. İşte bu amaçla, Tevbe suresinin 122. ayeti, savaş hâlinde bile olsa bir grubun dinî bilgide derinleşip savaştan dönenleri uyarmak üzere geride kalmalarını istemektedir.

Üstelik, *"Bilmiyorsanız bilenlere sorun."*[485] ayeti ile *"Bilgisizliğin (cehâlet) ilacı sormaktır."*[486] hadisi, bireysel ya da toplumsal sorunlar karşısında çözüm üretecek uzmanları yetiştirmenin mecburi olduğuna işaret etmektedir.

---

485 Nahl suresi, 16:43; Enbiyâ suresi, 21:7.
486 Ahmed b. Hanbel, *el-Müsned*, I, 330.

İhtiyaçları karşılayacak uzmanların yetiştirilmesinde ihmal, dünya hayatında hizmetlerin aksamasına yol açacağı gibi, ahiret yurdunda da toplumun bütünüyle cezalandırılmasına sebep olacaktır. Bu nedenle karşılaşılan meselenin sorulup gerekli cevabın alınabileceği ya da meselenin çözümü hususunda istişare edilebilecek uzmanların yetiştirilmesi dinî bir zorunluluktur. Fıkıh dilinde bu zorunluluğa farz-ı kifâye adı verilmektedir.

Daha açık bir ifade ile söyleyecek olursak, toplumun bütün bireylerinin tabip, veteriner, mühendis, iktisatçı ve din bilgini olmasına gerek yoktur. Buna ne hayatın şartları ne de insanların kabiliyetleri fırsat tanır. Ancak toplumun bu tür hizmetleri görecek uzmanları yetiştirmesi, böylece insanların birbirlerinden istifade edebilecekleri bir ortamın oluşması toplum düzeni için elzemdir.

## Telfîk

Telfîk, bir meselede iki ve daha fazla âlimin veya mezhebin görüşünü birleştirmek demektir. Mahremi olmayan bir kadına dokunan ve aynı zamanda vücudunun bir yerinden kan akan kişinin, telfik yaparak kendisini abdestli sayması bu konunun klasik örneğini oluşturur. Çünkü birinci durumda Hanefîlere, ikinci durumda da Şâfiîlere göre abdest bozulmamıştır.

Konuyla ilgili verilebilecek bir başka örnek şudur: Bir şahıs namaz vakti daraldığında abdest alacak su veya teyemmüm edecek bir toprak bulamayıp temiz bir kaya bulduğunda İmam Şâfii'yi taklit ederek teyemmümü terk eder, namazı kazaya bırakır; kaza konusunda da İmam Mâlik'i taklit ederse telfik yapmış olur. Bu şekilde hareket eden kişi namazı düşürmektedir. Zira İmam Şâfiî'ye göre temiz toprak dışında bir şeye teyemmüm yapmak caiz değildir. Daha sonra namazın kazası gerekir. İmam Mâlik'e göre ise abdest alacak su, teyemmüm yapacak toprak ve temiz kaya bulunmadığında namaz sâkıt olur; kaza gerekmez. Kişi, birinci durumda İmam Şâfiî'yi, ikinci durumda ise İmam Mâlik'i taklit ederek namazı düşürmektedir.

İslam hukukçuları arasında telfik konusu tartışılmış, bu yolla şeri hükümlerin düşürüleceği, İslam hukukunun özüne uymayan sonuçların doğabileceği gerekçe gösterilerek telfikin caiz olmadığı savunulmuştur. Ancak söz konusu endişeleri dikkate alarak telfikin ancak belirli sınırlar dâhilinde caiz olabileceği dile getirilmiştir.

Bir Müslüman, içtihat derecesinde bir donanıma sahip olmadığı zaman bir mezhebe tabi olarak dinî yaşantısını devam ettirir. Onun, sıkıntıya düştüğü durumlarda diğer mezheplerin kolaylıklarından yararlanma imkânı her zaman için söz konusudur. Ancak bu, sadece yükümlülüğün yerine getirilebilmesi için başvurulacak bir yoldur. Şeri hükmü düşürme kastıyla böyle bir çabanın içinde olmanın dinin ruhuna uymadığını belirtmek gerekir.

SEKİZİNCİ BÖLÜM

# UYGULAMADA İSLAM HUKUKU

# İFTÂ

## Kavramsal Çerçeve

İftâ, fetva vermek demektir. Fetva, kelime olarak bir olayla ilgili hükmü açıklayan kuvvetli cevap anlamına gelir. Çoğulu *fetâvâ* veya *fetâvî*dir (fetvalar). Bir fıkıh terimi olarak fetva, sözlük anlamıyla yakınlık arzeder ve bir meselenin dinî hükmünü yazılı veya sözlü olarak açıklayan cevap manasında kullanılır. Yapılan bu işe de iftâ (fetva vermek) denir.

Cevabı açıklayana, yani fetva verene *müftî*; soruyu sorup cevabını isteyene de *müsteftî* denir. Aynı konuda verilen birçok fetva içerisinde tercihe esas alınan görüşe ise *müftâ bih* denir ki daha çok mezhep içi ihtilaflarda kullanılan bir kavramdır. Fetva verirken uyulması gereken kurallara da genellikle *âdâbü'l-müftî* veya *âdâbü'l-fetvâ* adı verilir. Fetvada dört unsur söz konusudur:

Fetvanın Unsurları

1) Fetva veren (müftî)

2) Fetva isteyen (müsteftî)

3) Sorulan soru (mesele)

4) Verilen cevap (fetva)

Dinî bir konuda soru sorma ya da sorunun cevabını vermenin fetva kelimesiyle ifade edilmesinde, kelimenin Kur'ân-ı Kerîm ve hadîs-i şerîflerdeki kullanımının etkili olduğunu söylemeliyiz.

Fetva kelimesi ve türevleri Kur'ân-ı Kerîm'de sözlük anlamına paralel olarak, görüş sorma veya görüş bildirme,[487] soru sorma,[488] rüyayı yorumlama[489] anlamlarında dokuz ayette geçmektedir. Aynı anlamda kelime hadislerde de tü-

487 Nisâ suresi, 4:127, 176; Kehf suresi, 18:22; Neml suresi, 27:32.
488 Sâffât suresi, 37:11, 149.
489 Yûsuf suresi, 12:41, 43, 46.

revleriyle birlikte genişçe kullanılmış,[490] sonraki dönemlerde de kavramsal bir çerçeveye oturtularak başlangıçta verilen mana terimleşmiştir.

## Fetvanın Alanı

Fetva resmî değil, sivil bir faaliyettir. Bu sebeple fetva, din-hayat irtibatına yönelik hemen bütün konuları içine alır. Fetva, meselenin dinî hükmünü oluşturur. Bu sebeple bir Müslüman, günlük hayatta karşılaştığı her türlü sorunu müftîye sorabilir.

## Fetva Sorumluluğu

Fetva vermek ya da dinî bir meseleyi aydınlatmak, ehli açısından ne kadar büyük bir sevap getiriyorsa yeterli birikim ve donanıma sahip olmayanların fetva vermeye yeltenmesi de bir o kadar günahtır. Hatta bu tür bir davranış haram olup büyük günahlar arasında girer. Nitekim Hz. Peygamber şu hadisleriyle uyarılarda bulunmuştur:

*"Bilgisi bulunmadığı hâlde fetva veren onun günahını üstlenir."*;[491]

*"Sizin fetva vermeye en cüretkâr olanınız, cehenneme atılmaya en cesaretli olanınızdır"*;[492]

*"Yüce Allah ilmi, kullarının kalbinden çekip almak şeklinde değil, âlimlerin ruhunu almak suretiyle kaldırır. Nihayet hiçbir âlim kalmayınca halk kendilerine cahil birtakım kimseleri önder (reis) edinir. Bunlara mesele sorulur. Onlar da ilimleri olmadığı hâlde fetva verirler de hem kendileri sapıklığa düşer hem de diğer insanları saptırırlar."*[493]

---

490 bk. Wensinck, *Concordance*, "f.t.v." md.
491 Ebû Dâvûd, "İlim", 8.
492 Dârimî, "Mukaddime", 20.
493 Buhârî, "İlim", 34; Müslim, "İlim", 13.

Bu sebeple âlimler bilmedikleri meseleler kendilerine getirildiğinde "Bilmiyorum." diyebilmişler ve onun sorumluluğu altına girmemişlerdir. Hatta "Lâ edrî nısfü'l-ilm." yani "Bilmiyorum sözü ilmin yarısıdır." ifadesi ulema arasında meşhur olmuştur.

Denizler mürekkep olsa hatta onun bir misli daha getirilse Allah'ın ilmini yazmaya yetmeyeceğine göre[494] insanın her şeyi ihata etmesi mümkün değildir. O hâlde kişi bilmediği konuda fetva vermemeli; müftî, söylenen her sözün kayda geçtiğini ve mutlaka hesabının verileceğini[495] aklından çıkarmamalıdır.

## Müftîde Aranan Şartlar

Kaynaklar müftînin Müslüman, mükellef (akıllı ve bülûğa ermiş), dinî hassasiyete sahip, zeki, duyguların etkisinden uzak objektif kriterlere göre hareket edebilen, ilkeli, vardığı sonucu karşı tarafın kimliğine bakmaksızın açıklayabilen bir kişiliğe sahip olması gerektiği üzerinde dururlar. Müslüman olmayan, akıl hastası, küçük ve âlimlerin çoğunluğuna göre fâsıkın (yani günahkâr, haram işleyen ve farzları terk eden Müslüman'ın) fetvası geçerli değildir. Çünkü fetva şeri hükmü haber vermek demektir. Fâsıkın haberi ise muteber değildir.

Müftî'nin İçtihat Şartlarını Taşıma Zarureti

Fetva, dinin açık hükmünün bulunduğu bir konuda isteniyor ise bu, doğrudan hükmün aktarılması/beyan edilmesiyle; açık hüküm bulunmayan konularda ise istinbat/içtihat yoluyla verilir. Bu nedenle müftî, içtihat şartlarını taşıyan âlim olmalıdır. Bir başka ifadeyle müftî ile müçtehit aynı anlama gelir.

Müftî sorulan soruyu iyi anlamalı ve derinlemesine

494 Kehf suresi, 18:109.
495 Kâf suresi, 50:17-18.

düşünmelidir. Cevabını müsteftînin anlayabileceği şekilde açık bir biçimde anlatmalı, gerekirse delillerini zikretmeli, verdiği fetvalarda orta yolu tercih etmeli, bilmediği konularda gelen sorulara cevap vermemeli, onları araştırmalı ve bilenlere danışmalı ya da müsteftîyi onlara yönlendirmelidir. Günümüzde ihtisasa saygının bir gereği olarak müftînin soruyu ilgilendiren alanda uzmanlığı bulunmadığı takdirde fetva vermemesi en doğrusudur.

Müftînin soruyu soran kişinin özel hâllerini ve sırrını ifşa etmemesi sorumluluğunun gereğidir ve fetvanın adabındandır.

Örf ve âdetin etkin olduğu konularda sorunun geldiği yörenin gelenek ve anlayışını, kelimelere yüklediği anlamı iyi bilmek, bunları öğreninceye kadar fetvadan uzak durmak esastır. Bu konu özellikle de yemin ve talak gibi konularda büyük önem arz etmektedir. Çünkü belirli bir örfe göre belirlenmiş olan hükümler farklı bir örfün geliştiği ortamlarda değişebilmektedir. Söz gelimi et yemeyeceğine yemin eden biri, balık ile tavuğun et içinde sayıldığı bir bölgede, balık veya tavuk yemesi hâlinde yeminini bozmuş olur. Ama et, balık ve tavuğun ayrı ayrı sayıldığı, balık ile tavuğun ete dâhil edilmeyip kendi ismiyle anıldığı bir bölgede et yemeyeceğine yemin eden biri balık veya tavuk yediği takdirde yemini bozulmuş olmaz. Benzer şekilde dayalı-döşeli olarak kiraya verilen evlerin bulunduğu yörelerde, evde bulunması standart olan eşya konusunda bir örf oluşmuşsa, akit esnasında konuşulmasa da kiraya veren bu eksiklikleri tamamlamakla yükümlüdür.

Son olarak müftî, vereceği fetva ile maksadı aşacak durumların ortaya çıkmasına karşı uyanık olmalıdır.

## Müsteftînin Durumu

Müsteftî iyi niyetli olmalı ve cevabı aranan soru ya da çözümü istenen sorun şeri hükmü öğrenme ve uygulama amacı taşımalıdır. Başkasının bilgisini denemek, cehaletini ortaya çıkarmak, tartıştıkları kişiyi mağlup etmek, elde edilen bilgiyi haksız yere kullanmak amacıyla soru sorup fetva istemek erdemli bir davranış değildir.

Âlimlerin çoğunluğuna göre, müsteftî, sorusunu sorabileceği birden fazla müftî varsa hangisinin daha bilgili olduğunu araştırmaya gereksinim duymaksızın, sorusunu dilediğine sorabilir ve aldığı cevaba göre hareket edebilir. "*Bilmiyorsanız bilenlere sorun.*" ayeti[496] bu görüşün delilidir. Bu konuda mezhep farkı da çok önemli bir husus değildir. "Âmmî'nin (müçtehit olmayan sıradan insanın) mezhebi, müftünün fetvasıdır."[497] ifadesine fıkıh kitaplarımızda açık bir şekilde yer verilir. Çünkü içtihada açık konularda usulüne uygun şekilde istinbât edilen hükümler, dinin mutlak görüşü, diğer bir ifadeyle Allah'ın kesin muradı olarak kabul edilmemiştir.

Daha önce ifade edildiği üzere İslam âlimlerinin birbirlerine bakışlarında belirleyici rol oynayan bu husus şöyle formüle edilmişti: "Bizim mezhebimizin görüşü isabetlidir, ama hatalı olma ihtimali vardır. Muhalifimizin mezhebinin görüşü hatalıdır, ama isabetli olma ihtimali vardır."[498] Buna göre hiçbir içtihat mutlak anlamda dinin kendisi değildir, ama usulüne uygun yapılmış her içtihat dinin içinde bir yere sahiptir ve Allah katında bir değeri vardır. Delilini bilmeksizin bir müçtehide uyan kişi (mukallit) sormakla üzerine düşeni yapmıştır.

---

496 Nahl suresi, 16:43; Enbiyâ suresi, 21:7.
497 bk. İbn Nüceym, *el-Bahru'r-râik*, II, 316.
498 İbn Âbidîn, *Reddü'l-muhtâr*, I, 33.

## Birden Fazla Müftîye Sormak

Peki, müsteftî, cevabını öğrenmek istediği soruyu birden fazla müftîye sorduğu ve onlardan farklı cevaplar aldığı zaman nasıl hareket etmelidir? Bu konuda birçok görüş bulunmakla birlikte müsteftî, müftînin bilimsel donanımını ölçebilecek birikime sahip bulunmadığı için ilmine güvendiği ve kalbinin yattığı görüşe uymalıdır.

## Müftîyi Yönlendirmek

Müsteftî sorduğu soruda sübjektif bir tavırla müftîyi yönlendiriyor, müftî de buna göre bir cevap veriyor ve aldığı cevap da vicdanını rahatsız ediyorsa, bu durumda müsteftî aldığı cevaba göre hareket edip etmeme hususunda kendi vicdanının sesine kulak vermeli; böyle bir fetva ile haksızlığa yol açmamalıdır. Çünkü müftî olayın iç yüzünü bilmediği için sadece kendisine sorulan soru çerçevesinde konuya muttali olur ve dinlediğine göre cevabını verir.

Müsteftî sorusunda bazı hususları açıklamaz ya da yönlendirici davranırsa aldığı cevap o konunun şeri hükmünü ortaya çıkarmaz. Hz. Peygamber (s.a.v.)'in "*Müftüler sana fetva verse de sen yine de fetvanı vicdanından al.*"[499] mealindeki hadisi bu hususa işaret etmektedir.

## Müftînin Fetvasını Değiştirmesi

Müsteftî, aldığı fetvaya göre amel ettikten sonra, müftînin fetvası değişmiş ve öncekine aykırı yeni bir hüküm ortaya çıkmışsa onun ameli geçerlidir ve batıl olmaz. Hz. Ömer bir olay üzerine verdiği bir hükmün üzerinden yaklaşık bir yıl geçtikten sonra aynı konuda farklı bir görüş ortaya

---

499 Ahmed b. Hanbel, *el-Müsned*, I, 194.

koymuş ve kendisine önceki verdiği hüküm hatırlatılınca "O geçen sene verdiğimiz hükümdü, bu ise şimdiki hükmümüzdür." şeklinde cevap vermiştir.[500] İslam hukukunun "İçtihat ile içtihat nakzolunmaz." yani "İçtihat içtihadı bozmaz." kaidesinin[501] anlamlarından biri de budur. Ancak müsteftî, müftînin rücû ettiği (döndüğü) görüşünden sonra ona göre davranamaz.

## Fetvada Hata

Fetva hususunda müftî ile tabibin konumlarının birbirine benzediğini söyleyebiliriz. Tabip hastayı ne kadar iyi tanır, hastalığı ne kadar iyi bir şekilde teşhis ederse, tedavide de o derece başarılı olur. Müftî de soruyu soranı, meseleyi ne kadar iyi teşhis edebilirse, fetvasını da o kadar isabetli bir şekilde verebilir.

Burada sadece hükmü sorulan mesele değil, soruyu soran da önemlidir. Bu anlamda "Tıpta hastalık yoktur, hasta vardır." özdeyişi fetva için de geçerlidir. Tıpkı aynı hastalığın farklı bünyelerde farklı etkiye sahip olması ve hastanın durumuna göre bir tedavinin gerekmesi gibi, bazen de soruyu soranın durumuna göre farklı fetvalar ortaya çıkabilir. Bu, müftînin maharetine bağlıdır. Hanefîlerin istihsan yönteminin amaçlarından birisi de budur. Öyleyse müftî hata yapmamak için öncelikle soruyu soranı ve sorduğu meselenin farklı boyutlarını bilmek durumundadır.

Fetvada Hatanın İki Şekli

Fetvada hata iki şekilde olabilir. Gerekli donanıma sahip olmayan birisi "bana göre" diyerek fetva vermiş ve hatası ortaya çıkmış ise bu şahıs günahkârdır, tövbe etmelidir. Eğer kul haklarından birisinin ihlaline sebep olmuş ise, ayrıca verdiği fetvadan doğan hatanın telafisi de mümkün ise müftî, ilgili

500 Serahsî, *el-Mebsût*, XVI, 84.
501 bk. *Mecelle*, md. 16.

kişiyi vakit geçirmeden ikaz ederek yükümlülüğünü hatırlatmalı, hatasını telafi etmelidir. Böyle bir kişi maddi bir zarara ya da cezaya vesile olmuşsa bu zarardan sorumlu olmakla birlikte hangi şartlarda ne tür bir tazminle yükümlü olduğu fukaha arasında tartışma konusudur. Bazı âlimler sorumluluğu ehil olmayana soru sorana yüklemekte ve fetva verenin yükümlülüğünün bulunmadığını dile getirmektedirler.

## Fetvanın Değişmesi

Çeşitli faktörlere bağlı olarak içtihada dayalı hüküm ve fetvalarda değişiklik söz konusu olabilir. Belirli bir maslahat ya da örf ve illete göre verilmiş olan fetvalar, o maslahatın veya örf ve illetin değişmesiyle değişir. Aynı şekilde belirli maksatları gerçekleştirmek üzere öngörülmüş vasıta türünden hükümler de daha uygun vasıtaların ortaya çıkmasıyla değişir. Mesela menkul malların kalıcılığı olmaması sebebiyle vakfedilemeyeceği yönündeki fetva, bu yönde gelişen bir örf sebebiyle değişmiş ve caiz görülmüştür. *Mecelle*'nin 39. maddesinde yer alan "Zamanın değişmesiyle hükümlerin değişmesi inkâr olunamaz." kaidesi bu konuyu ele almaktadır.

Başlangıçta Kur'an öğretme, imamlık, müezzinlik vb. ibadet türünden görevler için ücret alınması caiz görülmezken daha sonraları bu hizmetlerin aksaması ve ihtiyaç sebebiyle bu meslek erbabına maaş bağlanması caiz görülmüştür. İlk başlarda Hz. Peygamber'in soyundan gelenler zekât almazken daha sonraki dönemlerde bu caiz görülmüştür. Başlangıçta birisinin yanında emanet olarak bırakılan malların –o şahsın kusuru yoksa– herhangi bir sebeple telef olması durumunda malın yanında bulunduğu kişinin tazmin sorumluluğu bulunmazken sonraları ahlakın bozulmasından dolayı tazmine hükmedilmiştir. Ahlaki yozlaşmanın yaygınlaşmadığı dönemlerde bütün müminler güvenilir sayıldığından dava şahitleri araştırılmazken bir müddet sonra araştırılması gerektiği hükme bağlanmıştır. Belirli bir döneme kadar kişi kendi mülkünde dilediği gibi tasarrufta bulunabilirken bir müddet sonra bu komşuya zarar vermeme şartına bağlanmıştır. Bu ve benzeri hükümleri çoğaltmak mümkündür.

Fıkıh kitaplarında rücû edilen görüşler bulunduğu gibi değişen hükümlerden de bahsedilir. Bu anlamda İmam Şâfiî'nin eski ve yeni iki mezhebi bulunduğu bilinmektedir.

Hükümlerin ve fetvaların hangi faktörlere bağlı olarak değişebileceği ayrı bir araştırma konusudur. Burada şuna işaret etmekle yetinilecektir: "Değişen görüş ve içtihat ile fetva verilemez." Tarihî süreç içerisinde İslam toplumlarında bu ihtiyacı karşılayan âlimler ve kurumlar hep bulunmuş; birçok fetva mecmuası günümüze kadar gelmiştir. Osmanlılar döneminde Şeyhülislamlık (meşîhat) makamına bağlı bir fetvahane kurumu, fetva işlerini yürütmüştür. Günümüzde İslam ülkelerinde de benzer müesseseler bulunmaktadır.

Şeyhülislamlık

## Günümüz Fıkıh Problemlerinin Çözümünde Fetva Faaliyetleri

### 1. Bireysel Faaliyetler

Dünyanın herhangi bir yerinde bir Müslüman'ın karşılaştığı bir problemin mutlaka bir çözümü vardır. Yaşanan problemlerin usulüne uygun şekilde çözümlenememesi hâlinde kişi, onu kendi yöntemine göre çözümleme yoluna gider. Keyfîliğe meydan vermemek için bu yöndeki ihtiyaçları karşılamak üzere uzman kişileri yetiştirmek, amaca hizmet edecek kurumları oluşturmak İslam ümmeti üzerine farz-ı kifâyedir. Tarihî süreçte olduğu gibi günümüzde de bu görevi ifa etmek üzere bireysel ve kurumsal çalışmalar verimli şekilde devam etmektedir. Her dönemde bu görevi üstlenmiş bulunan bir fetva kurumu ya da âlimler mutlaka bulunmuştur.

Mesâil-i Nâzile: Ortaya Çıkan Fıkhi Problemler

Diğer taraftan yaşanan devrin ilim kurumlarında güncel meselelerin müzakeresi eğitimin bir parçası kabul edilmiştir. Fıkıh tarihinin en önemli şahsiyetlerinden Ebû Hanîfe'nin (ö. 150/767) fıkıh okulunda talebeye verilen ders konularından birisinin *mesâil-i nâzile* olduğu nakledilir.[502] Böylece hem meselenin çözümü hem de öğrenciye fıkıh melekesi kazandırma amaçlanmıştır.

Yazıldıkları dönemlerden itibaren fıkıh kitapları aynı zamanda fetva ihtiyacını da karşılamış; fakihler, dönemlerinde ortaya çıkan sorulara da cevaplar vermişlerdir. Bu alanda zengin de bir literatür oluşmuştur. Söz gelimi Sâmânoğulları dönemi vezirlerinden aynı zamanda büyük Hanefî fakihi olan Hâkim eş-Şehîd el-Mervezî (ö. 334/945) fetva verirken müftülerin yararlanmaları, karar verirken kadıların esas almaları, günlük işlerinde halkın müracaat etmeleri için İmam Muhammed'in *Zâhiru'r-rivâye* kitaplarını birleştirerek tekrarları çıkarmış ve *el-Kâfî* adıyla yeni bir eser meydana getirmiştir. Bu kitap, fıkıh tarihinin en kıymetli çalışmalarından birisidir. Bunun yanında her mezhebin âlimlerinden günümüze ulaşan çok değerli fetva koleksiyonları mevcuttur. Günümüzde de aynı gelenek devam etmektedir.

Günümüz fıkıh problemlerini ele alan araştırmacılar kitaplarında genellikle iki kavramı öne çıkarmaktadırlar. Bunlardan bir grup, problemi esas alarak çağdaş meseleler anlamına gelen *kadâyâ mu'âsıra* ifadesini diğer bir grup ise cevabı öne çıkararak *fetâvâ* kavramını kullanmaktadırlar.

Bireysel anlamda fetvaları yayımlanmış günümüz araştırmacılarından bazıları şunlardır:

Muhammed Reşid Rıza, *el-Fetâvâ*, Beyrut, 1970-1972, I-VI.

Mahmûd Şeltût, *el-Fetâvâ*, Beyrut, 1983.

---

502 H. Sabit Şibay, "Ebû Hanife", *İA*, IV, 22.

Ali Tantavi, *el-Fetâvâ,* Cidde, 1987.

Şerbasî, *Yes'elûneke fi'd-dîn ve'l-hayât,* Beyrut, 1977-1981, I-VII.

Abdülhalim Mahmûd, *el-Fetâvâ,* Kahire, 1988, I-II.

Mustafa Ahmed ez-Zerkâ', *el-Fetâvâ,* Dımaşk, 1999.

Muhammed Ebû Zehre, *el-Fetâvâ,* Kahire, 2006.

Câdelhak Ali Câdelhak, *Buhûs ve fetâvâ İslâmiyye fî kadâyâ mu'âsıra,* Kahire (el-Ezherü'ş-Şerif), I-II.

Muhammed Salih Useymin, *el-Fetâvâ,* Riyad, 1991, I-II.

Muhammed Tahir b. Âşûr, *el-Fetâvâ,* Dübey (Dubai), 2004.

Yûsuf el-Karadâvî, *Min Hedyi'l-İslâm: Fetâvâ Mu'âsıra,* Mansure, 2000-2003, I-III.

Vehbe ez-Zuhaylî, *Fetâva'l-asr fi'l-ibâdât ve'l-mu'âmelât ve hâcâti'n-nâs ve istifsârâtihim,* Dımaşk, 2005.

Said Ramazan el-Bûtî, *Kadâyâ fıkhiyye mu'âsıra,* Dımaşk, 1994.

Ali Ahmed Sâlûs, *el-İktisâdü'l-İslâmî ve'l-kadâya'l-fıkhiyyetü'l-mu'âsıra,* Devha, 1996, I-II.

Behî el-Havlî, *el-İslâm ve'l-kadâyâ'l-mer'etü'l-mu'âsıra,* Kuveyt, 1984.

Son asırda Suudi Arabistan eski müftüsü Abdülazîz b. Bâz'ın da içinde bulunduğu bir grup âlimin fetvaları *Mevsû'atü fetâvâ mu'âsıra* (I-IV, el-Mektebetü't-Tevfîkiyye, Kahire,) başlığıyla yayımlanmıştır.

Ayrıca özel alanları konu alan fetvaların yer aldığı çalışmalar da yayımlanmıştır. Mesela kadınları ilgilendiren konuları içeren fetva mecmuaları, *Fetâva'n-nisâ; Fetâva'l-mer'eti'l-müslime* gibi isimlerle neşredilmiştir.

Ekonomiyi ilgilendiren meselerde, *el-Fetâva'ş-şer'iyye fi'l-mesâili'l-iktisâdiyye*; tıbbi konuları ele alan *el-Fetâva'l-müte'allika bi't-tıbb ve ahkâmi'l-merdâ*; ibadetlerin belirli alanlarını konu alan mesela oruçla ilgili fetvalar *Fetâvâ ramazân, Fetâvâ ramazâniyye*; gayrimüslim ülkelerde yaşayan Müslümanları ilgilendiren sorunlar *fıkhu'l-ekalliyyât,* aileyi ilgilendiren meselelerde *el-Fetâva'l-mu'âsıra fi'l-hayâti'z-zevciyye* gibi başlıklarla yayımlanmıştır.

Günümüz fıkıh meselelerine yönelik yayımlanan bazı Türkçe kitaplara şunları örnek verebiliriz:

Hayreddin Karaman, *İslamın Işığında Günün Meseleleri*, İstanbul, 2001, I-III; aynı müellif, *Günlük Hayatımızda Helaller Haramlar*, İstanbul, 1995.

Halil Günenç, *Günümüz Meselelerine Fetvalar*, İstanbul, ts., İlim Yayınları.

Nihat Dalgın, Gündemdeki *Tartışmalı Dinî Konular*, Samsun, 2003.

Dünyanın birçok Müslüman ülkesinde yayımlanmakta olan İslam hukuku araştırmaları dergilerinin yanı sıra genel nitelikli periyodiklerde güncel fıkıh meselelerini konu alan makaleler de yayımlanmakta, üniversitelerde başarılı tezler hazırlanmaktadır.

**2. Kurumsal Faaliyetler**

Fetvâhâne Geleneği

Müslüman devletler, her dönemde, karşılaşılan yeni meselelere çözümler üretmek üzere kurumlara sahip olmuşlardır. Söz gelimi Osmanlılar döneminde Meşîhat, yani Şeyhülislamlık makamı bu vazifeyi ifa etmiş, zaman içinde bu müesseseye bağlı bir fetva merkezi, *Fetvâhâne,* oluşturulmuş ve söz konusu merkez, gittikçe kurumsallaşan bir seyir takip ederek önemli hizmetler görmüştür. Osmanlı şeyhülislamlarının bir kısmının fetvaları da yayımlanmıştır. *Fetâvâ-i*

*Ebussuûd Efendi, Fetâvâ-yı Ali Efendi, Behcetü'l-fetâvâ, Fetâvâ-yı Feyziyye, Netîcetü'l-fetâvâ, Fetâvâ-yı Abdürrahîm, Fetâvâ-yı Ankaravî, el-Fetâvâ'l-hayriyye, el-Fetâvâ'l-Hâmidiyye, Fetevâ-yı Minkarizâde* gibi fetva mecmuaları en muteber kaynaklar olarak kabul edilmiştir.

Aynı gelenek bugün de devam etmektedir. Mesela Mısır ve Suudi Arabistan iftâ teşkilatları bünyesinde yer alan fetva komisyonlarınca verilen fetvalar yayımlanmaktadır. Mısır müftülüğünün *el-Fetâva'l-İslâmiyye min Dâri'l-İftâi'l-Mısriyye*'si (Kahire, 1980-97, I-XX); Suud İftâ Teşkilatının ise *Fetâva'l-lecneti'd-dâime li'l-buhûsi'l-ilmiyye ve'l-iftâ*'sı bu çalışmalar arasındaki zikredilebilir (Riyad, 1992-2003, I-XXIII). Aynı şekilde Dubai Vakıflar Dairesi ve İslami Meseleler Kurumu da (Dâiretü'l-Evkaf ve'ş-Şuûnü'l-İslâmiyye) fetvalarını yayımlamaktadır (*Fetâvâ Şer'iyye*, Dubai, 2001-2003, I-VI).

İslam dünyasında bazı özel kurumlar da kendi alanını ilgilendiren hususlarda karşılaştıkları problemleri konu alan toplantılar düzenlemekte ve yayımlamaktadır. Mesela Albaraka finans kurumunun Suudi Arabistan'da bankacılık ve finans meselelerini konu alan 1981-2001 yılları arasında gerçekleştirdiği bir dizi toplantının sonuçları *Fetâvâ Nedevâti'l-Bereke* adıyla yayımlamıştır (Cidde 1997). Bu çalışma Abdüsselam Arı tarafından Türkçeye tercüme edilmiştir (*İslam Ekonomisi ile İlgili Fetvalar 1981-2001/1403-1422,* İstanbul 2010). Türkiye'de İslami Araştırmalar Vakfı neredeyse her yıl bu tür ulusal ya da uluslararası sempozyumlar düzenleyerek sunulan bildiri ve müzakereleri neşretmektedir.

Mecma'u'l-buhûsi'l-İslâmiyye, Mısır

İslam dünyasının en eski eğitim müessesesi kabul edilen Mısır el-Ezher Üniversitesi'ne bağlı olarak zamanın Cumhurbaşkanı olan Cemal Abdünnâsır'ın önerisiyle

6 Temmuz 1961 tarihinde çıkarılan bir kanunla kurulan İslam Araştırmaları Akademisi'nin, *Mecma'u'l-buhûsi'l-İslâmiyye* adıyla bilinen bilimsel faaliyetleri bulunmaktadır. Akademi 1964-1977 yılları arasında güncel dinî meseleleri konu alan sekiz bilimsel toplantı düzenlemiş ve sunulan tebliğ ve müzakereleri yayımlamıştır.

Mecma'u'l-fıkhi'l-İslâmî, Suudi Arabistan

Günümüzde güncel fıkıh problemlerini çözümlemeyi hedefleyen en önemli kurumlardan biri, 25-28 Ocak 1981'de Suudi Arabistan'da toplanan 3. İslam Ülkeleri Devlet ve Hükümet Başkanları Zirvesi'nde alınan kararla kurulan ve merkezi Cidde'de bulunan İslam Konferansı Teşkilatı'na bağlı *Mecma'u'l-fıkhi'l-İslâmî* (*Fıkıh Akademisi*)'dir. Amaç modern hayatın ortaya çıkardığı problemlere fıkha uygun çözümler üretmektir. Akademinin üyeleri ve uzmanları başta fıkıh olmak üzere iktisat, tıp vb. modern disiplinlerde ihtisas sahibi kişilerden ve diğer ilim adamlarından oluşmaktadır. Üye ülke temsilcilerinin yanı sıra İslam ülkelerindeki fıkıhla ilgili kurumlardan da temsilciler bulunmaktadır. Her yıl düzenli olarak toplanan kurul, önceden belirlediği güncel problemin, belirli bir hazırlık evresinden sonra, fıkıh mütehassısları ve o meselenin uzmanları tarafından çözülmesini sağlamaya çalışır. İttifak edilen sonuçlar Akademinin kararı olarak yayımlanmakta; tebliğler de akademinin *Mecelletü'l-Mecma'i'l-fıkhi'l-İslâmî* adlı dergisinde neşredilmektedir.

Akademi bugüne kadar insan hakları, yiyecekler ve ilaçların içerdiği kimyasal katkı maddeleri sebebiyle geçirdiği değişiklikler, klonlama, orucu bozan maddeler, iktisadi ve mali konularda ortaya çıkan güncel meseleler, İslami açıdan genetik mühendisliği ve genetik tedaviler, alacakların ve hisse senetlerinin zekâtı, rü'yet-i hilal, tüp bebek, süt bankaları, organ nakli, sigorta ve reasürans, kaparo, modern iletişim vasıtasıyla akitler, Müslümanların gayrimüslimlerle evliliği gibi konuları tartışmıştır. Akademinin oturumlarında alınan kararlar ve yapılan tavsiyeler ayrı bir kitap hâlinde Arapça olarak yayımlanmakta olup İngilizce, Fransızca, Urduca, Türkçe ve Farsçaya tamamen veya kısmen tercüme edilmiş bulunmaktadır.

Râbıtatü'l-'Âlemi'l-İslâmî, Suudi Arabistan

1396 (1976) yılında Dünya İslam Birliğine (*Râbıtatü'l-'Âlemi'l-İslâmî*) bağlı olarak Mekke'de kurulmuş bulunan bir Fıkıh Akademisi daha mevcuttur (Mecma'u'l-Fıkhi'l-İslâmî). Son devir ulemasından birçok uzmanın üye olduğu bu kurum da birçok meseleyi tartışarak sonuçlandırmaya çalışmıştır. 1395-1405 yılları arasında gerçekleştirilen yedi toplantının kararları neşredilmiştir. Bu Fıkıh Akademisi de bir öncekine benzer bir çalışma sistemine sahiptir. Tıbbi, iktisadi ve ibadetlerle ilgili bazı konulardaki güncel fıkhî problemlerin yanı sıra Masonluk, Komünizm, Kâdîyânîlik, Bahâîlik gibi siyasi, dinî ve ideolojik akım ve sistemleri de tartışmıştır.

The Fiqh Council of North America, ABD

Kuzey Amerika İslam Toplumu/Islamic Society of North America (ISNA), yaklaşık 40 yıldır Amerika Birleşik Devletleri'nde bulunan Müslüman topluma yönelik çalışmalar yapan bir kuruluştur. Özellikle yılda bir yaptığı toplantı ile Amerika'daki Müslümanları bir araya getirmeyi, tecrübe ve bilgi aktarımını sağlamayı hedefleyen ISNA, aynı zamanda Müslümanlar ile başka inanç grupları arasında da bir köprü olma vazifesi görmektedir. ISNA, kendisine bağlı alt birimler ile Amerika dışında kalan bölgelerde Müslümanların karşılaştıkları sorunları çözme hususunda bazı organizasyonlar düzenlemektedir. ISNA, birçok organizasyona ilave olarak özellikle Amerika'da yaşayan Müslümanların karşılaştıkları bazı dinî meselelere fetvalar da vermektedir.

ISNA'ya bağlı olarak faaliyet gösteren The Fiqh Council of North America (FCNA) bu vazifeyi yürütmektedir. Kurul,

Amerika'da yaşayan Müslümanların bireysel ve toplumsal yaşantıları ile ilgili mevzular başta olmak üzere, resmî kuruluşlara da fıkhî konularda fetva ve görüş bildirmektedir. Kurulun başkanı Muzammil Siddiqi olup, üyeleri arasında İslam Hukukçusu Y. Ziya Kavakçı da bulunmaktadır.

European Council for Fatwa and Research, İrlanda

Avrupa Fetva ve Araştırma Konseyi/European Council for Fatwa and Research (ECFR), merkezi Dublin'de bulunan ve başkanlığını Yusuf el-Karadavî'nin, genel sekreterliğini de Hüseyin Muhammed Halawa'nın yaptığı, Federation of Islamic Organisations in Europe'un önderliğinde 1997'de Londra'da kuruldu. ECFR'in amacı Avrupa'da yaşayan Müslüman ilim adamlarını bir araya getirerek fıkhî meselelere kurul üyelerinin ortak fetvaları ile çözümler üretmek, Avrupalı Müslümanların sorunlarını ele alan yayınlar yapmak ve araştırmalara öncülük etmektir.

Bu amaçları yerine getirirken aşağıdaki yöntemleri takip etmektedir:

1) Kurula arz edilen meselelerde ihtisas sahibi olan üyelerden oluşan alt komisyonlar teşkil etmek,

2) İlgili mesele hakkında daha önce yapılmış akademik çalışmalar ile fetvaları incelemek,

3) Resmî makamları kurulun verdiği fetvaların geçerliliği hususunda ikna etmek,

4) Değişik fıkhî meseleleri ele alan seminerler ve eğitim programları düzenlemek,

5) Fetva, araştırma ve çalışmaları Avrupa'nın değişik dillerinde yayımlamak.

Fetva verilirken öncelikli olarak Kitap, sünnet, icma ve kıyasa başvurulur. İhtiyaç hâlinde istihsan, maslahat-ı mürsele, sedd-i zerâi, örf, sahâbî kavli ve şer'u men kablenâ gibi delillere de müracaat edilir. Fetva verilirken dört Sünnî mezhep kaynaklarının yanı sıra, başka fakihlerin de görüşlerine müracaat edilerek ilgili meseleye ve maslahata en uygun olan görüş seçilir. Kurul fetva verirken ele alınan meseleye, en uygun sahih kaynaklara referansta bulunup zorluğa yol açmayacak bir seçenek sunmaya çalışmaktadır.

Olağan veya acil toplantılarda ele alınan konular ile ilgili fetvalar ya kurul üyelerinin ittifakı veya çoğunluğun kabulü ile Kurul adına verilmektedir. Verilen fetvaya katılmayan Kurul üyesi, farklı bir görüşte olduğunu belirtebilmektedir. Kurul başkanı veya üyeler, bir araya gelmeden kurul adına fetva verme yetkisine sahip olmamakla beraber, kurulun adını zikretmeden bireysel fetvalar verebilirler.

Üyelerin seçiminde ise Avrupa'da yaşamak ve İslam hukuku alanında bilgi sahibi olmak gibi şartlar aranmakla beraber; kurul üyelerinin çoğunluğunun kabulüyle Avrupa dışında yaşayan üyeler de seçilebilmektedir. Ancak bunların sayısı %25'i geçmemelidir. Yılda bir defa olağan bir şekilde toplanan ECFR, gerekli gördüğü takdirde ele alınan meseleyle ilgili uzmanları sunum yapmaları için çağırabilmekte; ancak bunların alınan kararda oy hakları bulunmamaktadır.

IGMG Din İstişare Kurulu, Almanya

İslam Toplumu Millî Görüş (IGMG) Din İstişare Kurulu (DİK): Merkezi Almanya'nın Köln kentinde bulunan İslam Toplumu Millî Görüş'e bağlı bir komisyon olup bünyesinde Avrupa'da yaşayan Müslüman ilim adamlarının yanı sıra Türk üniversitelerinden uzmanlar da yer almaktadır. Günlük hayatta Müslümanların karşılaştığı güncel dinî sorunlara çözüm üretmeye çalışmakta ve gündeme göre toplanmaktadır.

The Islamic Sharia Council, İngiltere

İslam Fıkhı Konseyi/The Islamic Sharia Council (ISC): Bazı ilim adamlarıyla İngiltere'deki Müslüman toplum içerisinde faaliyet gösteren bazı kurumların önde gelen isimlerinin çeşitli sosyal problemler sebebiyle 1982'de Central Mosque of Birmingham'da bir araya gelerek kurdukları bir müessesedir. Üyeleri, İngiltere'de dinî alanda faaliyet gösteren bilimsel kuruluşlardaki ilim adamlarından oluşmaktadır. Kendilerine gelen meselelerde dört büyük mezhep âlimlerinin fetvalarına ilaveten Zâhirî mezhebinin yaklaşımını da dikkate almaktadır. Kurum, her türlü dinî meseleyi ele almakla beraber, daha çok aile hukuku, ibadetler, miras ve finans konularına yönelik fetvalar vermektedir.

High Islamic Council of Australia, Avustralya

Avustralya Yüksek İslam Konseyi Fetva Kurulu/Darul-Fatwa (High Islamic Council of Australia): Avustralya'da yaşayan Müslüman toplumun ihtiyaçlarına cevap vermeye çalışmaktadır. Kuruluş, Avustralyalı Müslümanları ilgilendiren konularda raporlar hazırlamak, İslami okullar açmak, imamlar yetiştirmek, Kur'an kursları açmak, ailevi meselelerde danışmanlık yapmak ve nikâh merasimleri düzenlemek gibi birçok faaliyetin yanında fıkhî meselelere de cevaplar üretmektedir.

Din İşleri Yüksek Kurulu, Türkiye

Türkiye'de Diyanet İşleri Başkanlığı bünyesinde görev yapan Din İşleri Yüksek Kurulu da güncel fıkhî meselelerle ilgilenmektedir. Bir başkan ve on beş üyeden oluşan kurul, toplumu ilgilendiren yeni meseleleri gündemine alarak tartışmakta, zaman zaman konunun uzmanları ile din bilginlerini, akademik çevreleri bir araya getiren bilimsel toplantılar düzenlemektedir. Burada sunulan tebliğ ve müzakereleri yayımlamakta ve ortaya çıkan sonuçları kararlarında kullanmaktadır. Ayrıca daha çok kurul bünyesinde görev yapan uzmanları yoluyla, günlük olarak da ülkenin her tarafından kendilerine gelen sorulara yazılı ve sözlü cevaplar vererek bu alandaki boşluğu doldurmaya çalışmaktadır.

# UYUŞMAZLIKLARIN ÇÖZÜMÜ

Anlaşmazlıkların Çözüm Yolları

Toplumsal hayatın, insanları haklar ve yükümlülüklerle karşı karşıya getirdiği dinamik bir süreçten ibaret olduğunu, bunun ise ihtilafları kaçınılmaz kıldığını, hayatın da anlaşmazlık ve çekişmelerle devam edemeyeceğini yukarıda ifade etmiştik. İslam hukuku bu uyuşmazlıkların çözümü için üç yol göstermiştir:

1) Aralarında ihtilaf olanların anlaşmaları (sulh),

2) Hakeme başvurmaları (tahkim),

3) Mahkemeye gitmeleri (kaza).

## Sulh

Tarafların karşılıklı anlaşma ile uyuşmazlığı sona erdirmek üzere yaptıkları akittir. Sulh, mahkemeye başvurmadan tarafların kendi aralarında olabileceği gibi, mahkemeye intikal etmiş ve görülmekte olan dava sonuçlanmadan da olabilir.

Kur'ân-ı Kerim aile içi ihtilaflar örnekliğinde, uyuşmazlıkların çözümünde sulhu tavsiye ederek bunun hayırlı bir yol olduğunu belirtmiş;[503] hadisler de sulhu teşvik etmiştir.[504] Fıkıh kitaplarında müstakil bir başlık altında ele alınan sulhun İslam hukukunda geniş bir uygulama alanı vardır. Sulh, uyuşmazlıkların çözümünde kolaylık, çabukluk sağlaması, taraflar arasında kin ve nefreti önlemesi açısından İslam hukukunun önem verdiği bir uygulamadır. Sulh üç şekilde yapılabilir:

Sulh Yolları

1) İkrar üzerine sulh (*an ikrârin sulh*): Davalının iddia edilen hakkı ikrar edip davacı ile yaptığı sulhtur. Mesela bir alacak iddiasında, borçlu olduğu iddia edilen şahsın (davalı),

503 Nisâ suresi, 4:128.
504 bk. Wensinck, *Concordance*, "s.l.h." md.

söz konusu borcu kabul edip başka bir bedel üzerinden anlaşmalarına denir. Bu tür sulhun caiz olduğu konusunda İslam hukukçuları arasında görüş birliği vardır.

2) İnkâr üzerine sulh (*an inkârin sulh*): Davacının iddiasını ispat edemediği ve davalının da ikrar etmediği hâllerde, davalının yemin etmemesi ve husumete son vermesi demektir. Davacının hak iddiasını, davalı reddetmekle birlikte iddiaya konu olan hakkın bir miktarı üzerine sulh anlaşması yapmaları Hanefî, Mâlikî ve Hanbelîlere göre caizdir. Davalının husumeti sona erdirme çabası böyle bir sulhta etkili olabilir.

3) Sükût üzerine sulh (*an sükûtin sulh*): Davacının iddiası karşısında davalının cevap vermeyip sessiz kalması üzerine yapılan sulhtur. Davacının hak iddiası karşısında davalının inkâr veya ikrar etmeyip sessiz kalmasından sonra iddia edilen hak konusunda aralarında sulh olmasıdır. İslam hukukçularının çoğunluğuna göre bu tür sulh caizdir.

Uyuşmazlığı sona erdiren bir akit olarak sulh, tarafları bağlayıcıdır ve tek taraflı olarak bozulamaz.

## Hakem/Tahkim

Tarafların kamu davaları dışında, yani kendilerini ilgilendiren bir konuda aralarında çıkan uyuşmazlığı çözmek üzere bir başkasını hakem tayin etmeleri yaygın usullerden biridir. Hakem tayin edilen kişinin de bunu kabul etmesi şarttır. Hakemi seçme taraflara ait olmakla birlikte bazı hâllerde devlet de hakem tayininde bulunabilir.

Kur'ân-ı Kerîm aile içi uyuşmazlıklarda hakemliği bir yol olarak önermiş,[505] Hz. Peygamber ve sahabe de bunu çeşitli alanlarda uygulamışlardır. Hz. Peygamber'in Kurayza

505 Nisâ suresi, 4:35.

Yahudileri ile olan anlaşmazlıkta Sa'd b. Mu'âz'ı hakem tayin etmesi konunun meşhur örneklerinden birisidir. Hz. Ömer'in Übey b. Ka'b ile ortak oldukları bahçenin meyvelerinin paylaşımında yaşadığı ihtilafta Zeyd b. Sâbit'i hakem tayin etmesi sahabe uygulamasından bir örnektir.

Hakem, kararını inanç, örf ve diğer hukuk kurallarına uygun şekilde verir ve adalet-hakkaniyet ölçülerini gözetir. Taraflar hakem kararını vermeden önce onu azledebilirler, ancak hakem karar verdikten sonra hüküm bağlayıcıdır.

## Yargı/Kaza

Uyuşmazlıkların çözümünde resmî karar mercii mahkemelerdir. Mahkeme, toplumsal hayatın zorunlu kıldığı kurumlardan biridir. Çünkü her hak sahibinin kendisine yapılan haksızlıkları bizzat gidermeye (ihkak-ı hak) çalışması, toplumda bitmez tükenmez bir güç çekişmesi ve kargaşayı beraberinde getirir ki toplumsal hayatın bu şekilde devamı mümkün değildir. Yukarıda zikredilen sulh ve tahkim yöntemi de rızaya dayalı olduğu için zorlayıcı güçten yoksundur. Dolayısıyla bu iki yolla her durumda netice alma imkânı bulunmadığından, devlet gücünün arkasında olduğu bir yargılama sisteminin kurulması zorunluluk arzetmektedir.

Diğer peygamberler[506] gibi Hz. Peygamber[507] de birçok davayı bizzat karara bağlamış, kendi huzurunda, gelen bazı davaların çözümünü arkadaşlarına yaptırarak onları bu yönde eğitmiş, çeşitli şehirlere kadılar tayin etmiş, yargılama usullerini belirlemiş ve yargının işleyişinde hassasiyet göstermiştir.

Yargılama usulü ile ilgili önemli bir belge sayılan, Hz. Ömer'in Basra Kadısı Ebû Mûsâ el-Eş'arî'ye yazdığı tali-

506 bk. Sâd suresi, 38:26.
507 bk. Mâide suresi, 5:48, 49.

mat[508] konunun İslam'ın ilk yıllarından itibaren ciddi şekilde ele alındığını göstermektedir. İslam hukuk tarihinde yargılama usulü ile ilgili müstakil eserler kaleme alınmış ve fıkıh kitaplarında dava ve hâkimlik bahisleri özel bir bölüm olarak ilk dönemlerden itibaren varlığını korumuştur.

İslam hukukuna dair eserlerde adalet ve hakkaniyete göre hükmetmenin, imandan sonra gelen farzların en kuvvetlisi, kulluk vecibelerinin en şereflisi olduğu ifade edilmiştir.[509] Yargının işi, hukukun nihai gayesi olan adaleti sağlamaktır. İslam hukukunda adalet hizmetlerinin gerektiği şekilde yürüyebilmesi için devlete geniş bir alan bırakılmıştır. Devlet, belirli ilkeler ile zaman ve mekânın ihtiyaçları doğrultusunda kurumsal yapıyı oluşturmakla yükümlüdür. İslam hukukunda yargı, diğer kurumlar gibi devlet başkanının yetki ve sorumluluk alanında görülmüştür. Çünkü devletin işleyişinden birinci derecede sorumlu olan kişi devlet başkanıdır. Bu sebeple adliye hizmetleri devlet başkanı odaklı bir çerçevede ele alınır, kadılar devlet başkanı veya onun yetkilendirdiği kurum tarafından belirli bir usule göre tayin edilirler.

Görev Dağılımında En Önemli İki İlke: Liyakat ve Emanet

Görev dağılımında en önemli ilke, göreve onu başarabilecek yetkinlikte birisinin atanması, atananın da görev bilinci ve sorumluluk düşüncesiyle hareket etmesidir. Kur'ân-ı Kerîm'in bizzat belirlediği bu iki ilke, *liyakat* ve *emanet*[510] olarak literatürde yer almıştır. Hz. Peygamber de bu hususta hassasiyetle durmuştur: *"İş, ehline verilmez ise orada kıyametin koptuğunu göreceksiniz."*[511]

Kadılık için, akil, baliğ, Müslüman, görev yeterliliğine sahip olmak şart olduğu gibi vazifeye engel bedenî bir özrün

508 bk. Abdüsselam Arı, "Hz. Ömer'in Ebû Mûsâ el-Eş'arî'ye Gönderdiği Mektubun Yargılama Hukuku Açısından Analizi", *İHAD*, sy. 2, Konya, 2003, s. 85-99.
509 Serahsî, *el-Mebsût*, XVI, 59; Hamevî, *Gamzü uyûni'l-besâir*, I, 78.
510 Nisâ suresi, 4:58.
511 Buhârî, "Rikâk", 35; Ahmed b. Hanbel, *el-Müsned*, II, 361.

bulunmaması da gerekmektedir.[512] Kadınlardan kadı olup olamayacağı tartışmalıdır.

Yargının bağımsızlığı ve yargıç güvencesi, Hz. Peygamber döneminden itibaren adaletin tesisinde ön şart olarak belirlenmiştir. Hukuk, kaynağı açısından ilahî olduğu için herkesin tabi olduğu bir özelliğe sahiptir. Bu, belirli ölçüde keyfîliğe engel oluşturan bir hususiyettir. Yargıç güvencesi açısından kadılar herhangi bir suistimal veya kadılık göreviyle bağdaşmayacak işler yapmadıkça görevden alınamazlar.

Hâkim, davada kararını etkileyecek dış etkilerden uzak olmak durumundadır. Söz gelimi o, objektiflik ilkesi ve yargı güvenliği açısından hediye kabul etmemelidir. Hz. Peygamber'in genel anlamda devlet görevlilerine verilen hediyeleri gayrimeşru kazanç (gulûl)[513] sayması kadıların bu konuya daha fazla hassasiyet göstermelerini gerektirmiştir. İslam âlimlerinin, "Hediye kapıdan girince görev sorumluluğu ve hassasiyeti (emanet) pencereden çıkar." sözü[514] bunu yansıtan bir örnektir. Keza kadılar öfke, moral bozukluğu gibi sağlıklı hüküm vermeyi engelleyecek hâlet-i ruhiye içinde bulunduklarında hüküm vermemelidirler.[515]

İslam'ın ilk dönemlerinde kadılar kendi içtihatlarına göre hüküm veriyorlardı. Kadının içtihadına göre hüküm verdiği hâllerde bu hüküm herkesi bağlar. Çünkü içtihatla içtihat nakzolunmaz.[516] Ancak açıkça sabit bir ilkeye veya nassa muhalefet söz konusu ise hüküm geçersiz olur. Çünkü içtihat zann-ı galipten ibaret olduğuna göre "hatası zahir olan zanna itibar yoktur."[517]

512 *Mecelle,* md. 1492-1497.

513 Beyhakî, *es-Sünenü'l-kübrâ,* X, 233; Şevkânî, *Neylü'l-evtâr şerhu Müntekâ'l-ahbâr,* Kahire, 1938, VIII, 268, 269.

514 Serahsî, *el-Mebsût,* XVI, 82.

515 Buharî, "Ahkâm", 13; Müslim, "Akdiye", 16; Ebû Dâvûd, "Akdiye", 9; Tirmizi, "Ahkâm", 7; Nesâî, "Kudât", 32; İbn Mâce, "Ahkâm", 4.

516 Serahsî, *el-Mebsût,* XVI, 84; *Mecelle,* md. 16.

517 *Mecelle,* md. 72.

Mezheplerin kurumsal yapıya kavuşmasından sonra hukukta istikrar açısından İslam toplumlarında belirli bir mezhep esas alınarak kaza faaliyetleri yürütülmüştür. Bu husus karmaşa ve düzensizliği önlemiştir. Mesela Abbâsîler döneminde Ebû Yûsuf'un adalet hizmetlerinden sorumlu baş kadı (kâdi'l-kudât) olmasıyla Hanefî mezhebi yürürlükte kalmıştır. İslam tarihinin en uzun süre yaşayan ve yeryüzünün en etkili devletlerinden birisi olan Osmanlı Devleti de aynı şekilde faaliyetlerini Hanefî mezhebine göre yürütmüştür.

Kadının hükmü haramı helal, helali haram kılmaz. Sadece mevcut delillere göre uyuşmazlığı sonlandırır. Bu, açıklık ve objektiflik ilkesinin zorunlu sonucudur. Şayet taraflardan birisi davacının delil yetersizliği sebebiyle ya da davalının yalan yere yemin etmesi sebebiyle veya yalancı şahitlik dolayısıyla karşı tarafın hakkına girmiş ise *kazaen* olmasa da *diyaneten* bundan sorumludur.

Tarihî süreçte İslam devletlerinde istikrar açısından mahkemelerde tek mezhebin hükümleri esas alınsa da diğer mezheplere mensup vatandaşların çoğunlukta olduğu yerlerde halkın mezhebine uygun kadılar da atanmıştır.

İslam hukukunun yargılama hukukuna dair temel ilkeleri çerçevesinde zamanın ihtiyaçlarına göre adaletin tecellisinde gerekli olacak düzenlemeler yapılabilir ve bu çerçevede kurumsallaşma yoluna gidilebilir. Mesela adaletin gereği olarak ihtisas mahkemeleri veya yüksek mahkemeler oluşturulabilir.

## Fetva-Kaza İlişkisi

Fetva ve kaza fonksiyon olarak şeri hükmü açıklama noktasında birleşirlerken bazı hususlarda birbirlerinden ayrılırlar. Fetva, bütün dinî meselelerde şeri hükmü açıklamayı hedefler ve sırf bilimsel kriterlere göre haricî etkilerden uzak gelişen sivil bir çabanın ürünü olarak öne çıkar. Bu sebeple fetva, belirli insanların tekelinde değildir.

Fetva ile Kaza Arasındaki Farklar

İslam'da Tanrı adına hareket eden din adamları sınıfı (ruhban) bulunmadığı için bilimsel birikimi yeterli olan herkes (âlim), fetva verebilir. Günlük hayatta bir Müslüman'ın karşılaştığı her türlü dinî soru ya da sorun bu sahayı ilgilendirir ve bu açıdan fetva, kazadan daha geniş bir alana sahip olur. Ancak sorunun kendisine sorulduğu âlimin verdiği cevap bağlayıcı olmakla birlikte soran kişinin aldığı cevaba uyma zorunluluğu yoktur, bu onun vicdanını ilgilendirir. Kaza ise yargı alanını ilgilendirdiği için devlet otoritesini temsil eden kadının mahkemeye intikal eden davada verdiği kararı, şeri hükmü açıklamış olmakla birlikte aynı zamanda resmîdir ve tarafları bağlayıcı karakterdedir.

Üstelik kadıların hüküm verirken fetvalardan yararlandıkları ve müftülerle istişare ettikleri bilinen bir husustur. Mesela Sâmânoğulları döneminin ünlü vezir ve âlimlerinden Hâkim eş-Şehîd el-Mervezî'nin (ö. 334/945) *el-Kâfî*'yi bu amaçla hizmete sunduğuna değinmiştik. Osmanlılar döneminde Molla Hüsrev'in *Dürerü'l-hükkâm*'ı ile İbrahim el-Halebî'nin *el-Mültekâ*'sı fetva ve kazaya esas alınan eserlerdendir.

Fetva ile kaza ya da müftî ile kadı arasında esaslı farklardan birisi de kendilerine arzolunan meseleye bakıp bakmama konusundaki zorunluluk hususunda ortaya çıkar. Müftînin hukuki açıdan böyle bir zorunluluğu yok iken kadının davayı sonuçlandırma mecburiyeti vardır. Müftî açısından mecburiyet resmî olarak fetva vermek ile görevlendirilmemişse, sadece o soruyu kendisinden başka cevaplayamayacak bir başka âlimin bulunmaması hâlinde ortaya çıkar ki bu daha çok dinî-ahlaki bir zorunluluktur.

Bu durumda da sorulan soru, soranı ilgilendiren bir husus değilse ya da farazi bir mesele ise müftînin cevap verme mecburiyeti yoktur.

İftâ ile kaza arasındaki farklardan bir diğeri de ifta kurumunun kaza teşkilatına göre daha özgür olmasıdır. Müftî bilimsel ölçülere göre daha rahat hareket alanına sahipken kadı yargılamada birliği sağlama ve karmaşayı önleme açısından devletin belirlediği mezhep ya da yasama organının çıkardığı kanuna bağlıdır. Kadının kendi görüş ya da mezhebine muhalif bile olsa belirlenmiş kurala göre hükmetme zorunluluğu vardır.

# HİSBE

Hisbe, İslam toplumlarında genel ahlakı ve kamu düzenini korumak ve denetlemekle görevli idari bir teşkilattır. İslam'ın, "iyiliği hâkim kılma ve kötülüğü engelleme" (emr bi'l-ma'rûf nehiy ani'l-münker) ilkesi gereğince toplumun her bir ferdini gücü ile orantılı olarak[518] görevlendirdiğine dair birçok nas vardır.[519] Hisbe teşkilatı da bu ilkenin resmiyete aksetmiş şeklidir.

Muhtesip

Hisbe, farz-ı kifâye olmakla birlikte bu göreve tayin edilen yetkili anlamına gelen *muhtesib* açısından farz-ı ayndır. Muhtesibin, eda ehliyetine sahip, adaletine ve emanetine güvenilir bir kimse olması gerekir. Bunun yanında görevli olduğu alanlarla ilgili mesleki bilgiye sahip olması da işin doğasının gereğidir. Muhtesibin görev alanı ticari ve sosyal hayatta sıkça karşılaşılan ahlaki sorunlarla mücadele etmektir. Özellikle ticari hayatta karşılaşılan hile ve aldatmalar

518 Müslim, "Îmân", 78; Tirmizî, "Îmân", 17; Nesâî, "Îmân", 17.
519 Mesela bk. Nahl suresi, 16:125; Âl-i İmrân suresi, 3:104, 110; Buhârî, "İsti'zân", 2, "Mezâlim", 22; Müslim, "Îmân", 83, 85, "Libâs", 114, "Selâm", 3; Ebû Dâvûd, "Edeb", 12.

onun görev alanlarının başında gelmektedir. Bu sebeple hisbeyi günümüzde zabıta teşkilatına benzetmek çok da hatalı gözükmemektedir.

Muhtesip, görev alanı ile ilgili hususlarda geniş bir ta'zîr yetkisine sahiptir. Cinayet ve haddi gerektiren suçlarda ise yetkisi bulunmamaktadır. Hisbe teşkilatı, karşılaşılan ahlaki sorunlara anında ve hızlı müdahale imkânı veren, toplumdaki denetim mekanizmalarının süratli işleyişine hizmet eden, bu yönüyle de caydırıcı bir özelliğe sahip olan bir kurumdur. Hisbenin, yargıdan (kaza) ayrıldığı taraflardan birisi de budur.

İslam milletlerinde hisbe teşkilatı, toplumda huzur ve güvenin oluşmasına katkı sağlamış, uyuşmazlıkların meydana gelmesini önleyici/caydırıcı rol oynamış, ahlaki zaaftan kaynaklanan sorunlara anında müdahale etmiştir. Hisbe teşkilatı, bu dinamik karakteriyle adliye teşkilatına yardımcı bir kurum olarak işlev görmüştür.

وَآخِرُ دَعْوَانَا أَنِ الْحَمْدُ لِلَّهِ رَبِّ الْعَالَمِينَ.

# KAYNAKÇA

**ABDULLAH EFENDİ,** Yenişehirli, *Behcetü'l-fetâvâ,* İstanbul 1849.

**ABDÜLAZİZ,** Emir, *el-Enkihatü'l-fâside ve'l-menhiyyu anhâ fi'ş-şerî'ati'l-İslâmiyye,* Amman 1982-83, I-II.

**ABDÜLBÂKÎ,** Muhammed Fuad, *el-Mu'cemü'l-müfehres li-elfâzı'l-Kur'âni'l-Kerîm,* İstanbul 1984.

**ABDÜLHAMİD,** Nizâmüddîn, *Mefhûmü'l-fıkhi'l-İslâmî,* Beyrut 1984.

**ABDÜRREZZÂK,** Ebû Bekir b. Hemmâm es-San'ânî, *el-Musannef* (nşr. Habîburrahman el-A'zamî), Beyrut 1970-1972, I-XI.

**AHMED B. HANBEL,** *el-Müsned,* Bulak 1313, I-VI.

**AHMED EMİN,** *Duhâ'l-İslâm,* Beyrut 1933-1936, I-III.

**AHMED,** M. Şerif, *Tefsîru'n-nusûs el-medeniyye,* Bağdat 1979.

**AHSAN,** M. Manazir, *Social Life under the Abbasids,* London 1979.

**AKÇAY,** Mustafa, *Çağdaş Dünyada İnsan ve Dinî Sorumluluğu,* İstanbul 2002.

**AKYÜZ,** Vecdi, *Dört Mezhep İmamı,* İstanbul 1996.

**.......,** *Emevîlerin Kuruluş Devrinde İslâm Kamu Hukuku,* İstanbul 1991.

**.......,** *İslam Hukukunda Yüksek Yargı ve Denetim,* İstanbul 1995.

**ALİ HASAN,** Abdülkâdir, *Nazratün âmme fî târîhi'l-fıkhi'l-İslâmî,* Kahire 1965.

**ALİ HAYDAR EFENDİ,** *Dürerü'l-hükkâm şerhu Mecelleti'l-ahkâm,* İstanbul 1330, I-IV.

**ALİ KHAN,** Mir Siadat, "The Mohammedan Laws against Usury and how they are Evaded", *Journal of Comparative Law,* II, Cambridge 1929, s. 233-244.

**ÂLİM B. ALÂ FAHRUDDÎN,** *el-Fetâva't-Tatarhâniyye,* Peşaver 2004, I-V.

**ALİYYÜLKÂRÎ,** Ebü'l-Hasan Nuruddîn Ali, *Fethu bâbi'l-inâye,* Beyrut 1998, I-III.

**ANKARAVÎ,** Mehmed Emin Efendi, *el-Fetâvâ,* İstanbul 1281.

**ARAL,** Vecdi, *Toplum ve Adaletli Yaşam,* İstanbul 1988.

**ARI,** Abdüsselam, "Hz. Ömer'in Ebû Mûsâ el-Eş'arî'ye Gönderdiği Mektubun Yargılama Hukuku Açısından Analizi", *İslam Hukuku Araştırmaları Dergisi* [*İHAD*], sy. 2, Konya 2003, s. 85-99.

**……,** *İslam Hukukunda Sâik Teorisi,* İstanbul 2009.

**ARSAL,** Sadri Maksudi, "Hukuk İlmi ve Sosyoloji I: Hukuk Kavaidi ve Hukuk İlmi", *Ankara Üniversitesi Hukuk Fakültesi Dergisi,* [*AÜHFD*] I/1 (1964), s. 20-34.

**ARSEBÜK,** Esat, *Medeni Hukuk I: Başlangıç ve Şahsın Hukuku,* İstanbul 1938.

**ASLAN,** Nasi, *İslam Hukukunda Yargılama Etiği ve İlkeleri,* Ankara 2005.

**ATAR,** Fahreddin, "İfta Teşkilatının Ortaya Çıkışı", *Marmara Üniversitesi İlahiyat Fakültesi Dergisi* [*MÜİFD*], sy. 3 (1985), s.19-48.

**……,** *Fıkıh Usûlü,* İstanbul 1988.

**……,** *İslâm İcra ve İflâs Hukuku,* İstanbul 1990.

**AYDIN,** M. Akif, *İslâm-Osmanlı Aile Hukuku,* İstanbul 1985.

**.......,** *Türk Hukuk Tarihi,* İstanbul 2010.

**AYNÎ,** Ebû Muhammed Bedruddîn Mahmûd b. Ahmed, *el-Binâye fî şerhi'l-Hidâye* (nşr. Mevlevî Muhammed Ömer), Beyrut 1980-1981, I-X.

**.......,** *Umdetü'l-kârî şerhu Sahîhi'l-Buhârî,* Kahire 1348.

**AZÎMÂBÂDÎ,** Muhammed Eşref b. Emîr es-Sıddîkî-Ebû Tayyib Muhammed Şemsülhak, *Avnu'l-Ma'bûd şerhu Süne-ni Ebî Dâvûd,* Medine 1968-1969, I-XIV.

**BÂBERTÎ,** Muhammed b. Muhammed Ekmelüddîn, *el-'İnâye fî şerhi'l-Hidâye* (İbnü'l-Hümâm, *Fethu'l-Kadîr* içinde), Bulak 1319, I- IX.

**BÂCÎ,** Ebü'l-Velîd Süleyman b. Halef b. Sa'd el-Ende-lüsî, *el-Müntekâ şerhu'l-Muvatta'i'l-İmâm Mâlik* (Kahire, 1332'den ofset), Dârü'l-Fikri'l-Arabî, Kahire, ts., I-VI1.

**BAĞDÂDÎ,** İsmail Paşa, *Hediyyetü'l-'ârifîn* (nşr. Kilisli Muallim Rifat-İbnülemin Mahmud Kemal-Avni Aktuç), İs-tanbul 1951-1955, I-II.

**.......,** *Îzâhu'l-meknûn fi'z-zeyl alâ Keşfi'z-zunûn an esâ-mi'l-kütüb ve'l-fünûn* (nşr. Kilisli Muallim Rifat-Şerefeddin Yaltkaya), İstanbul 1945-1947, I-II.

**BAHRULULÛM EL-LEKNEVÎ** (Abdülali Muhammed el-Ensârî), *Fevâtihu'r-rahamût bi-şerhi Müsellemi's-sübût* (Gaz-zâlî, *el-Müstasfâ* içinde), Bulak 1324, I-II.

**BAKTIR,** Mustafa, *İslâm Hukukunda Zarûret Hali,* Akçağ Yayınları, Ankara, ts..

**BAŞGİL,** Ali Fuad, "Devlet Nizamı ve Hukuk", *İstanbul Üniversitesi Hukuk Fakültesi Mecmuası* [*İÜHFM*], XIX/3-4 (1953), s. 576-591.

**BAYINDIR,** Abdülaziz, *İslam Muhakeme Hukuku,* İstanbul 1986.

**BAZ,** Jean, *Essai sur la Fraude a la loi en droit musulman,* Paris 1938.

**BEDİR,** Murteza, *Fıkıh, Mezhep ve Sünnet,* İstanbul 2004.

**BEDRÂN,** Ebü'l-Ayneyn Bedrân, *Târîhu'l-fikhi'l-İslâmî,* Beyrut 1968.

**BEHHESÎ,** Ahmed Fethi, *es-Siyâsetü'l-cinâiyye fi'ş-şerî'ati'l-İslâmiyye,* Beyrut 1983.

**BEHÛTÎ,** Mansûr b. Yûnus b. İdrîs, *Keşşâfü'l-kınâ an metni'l-İknâ* (nşr. Hilâl Musaylihi Mustafa), Beyrut 1982, I-VI.

**BEKRÎ,** Bedrüddîn Muhammed b. Ebî Bekî eş-Şâfiî, *el-İ'tinâ fi'l-fark ve'l-istisnâ* (nşr. Adil Ahmed Abdülmevcûd-Ali Muhammed Muavvad), Beyrut 1991, I-II.

**BELGESAY,** M. Reşit, *Devletler Hususi Hukunda Adliye,* İstanbul 1937.

**BERKİ,** Ali Himmet, *Hukuk Mantığı ve Tefsir,* Ankara 1948.

**BEROJE,** Sahip, *Ceza Muhakemesi Hukuku Açısından İslam İspat Hukuku,* Ankara 2007.

**BEYHAKÎ,** Ebû Bekir Ahmed b. Hüseyin, *es-Süneü'l-kübrâ* (nşr. M. Abdülkadir Atâ), Beyrut 1994, I-X.

**BİLGİLİ,** İsmail, *İslam Hukukunda Ma'dûmun Satışı,* Konya 2011.

**BİLMEN,** Ömer Nasuhî, *Hukuk-ı İslâmiyye ve Istılâhât-ı Fıkhiyye Kamusu,* Bilmen Yayınevi, İstanbul, ts., I-VIII.

**BROCKELMANN,** Carl, *GAL,* Leiden 1943-1949, I-II; *Suppl.*, Leiden 1937-1942, I-III.

**BUHÂRÎ,** Ebû Abdillah Muhammed b. İsmail, *el-Câmi'us-sahîh,* İstanbul 1315, I-VIII.

**BURHÂNÎ,** Muhammed Hişâm, *Seddü'z-zerâi fi'ş-şerî'ati'l-İslâmiyye*, Beyrut 1985.

**BÛTÎ,** Saîd Ramazan, *Davâbitü'l-maslaha fi'ş-şerî'ati'l-İslâmiyye*, Beyrut 1986.

**CESSÂS,** Ebû Bekir Ahmed b. Ali er-Râzî, *Ahkâmü'l-Kur'ân*, İstanbul 1335-1338, I-III.

**CEVHERÎ,** *es-Sıhâh* (nşr. Ahmed Abdülgafûr Attâr), Beyrut 1987, VI.

**CEZÎRÎ,** Abdurrahman, *Kitâbü'l-Fıkh ale'l-mezâhibi'l-erbaa*, İstanbul 1986, I-V.

**CİN,** Halil, *İslâm ve Osmanlı Hukukunda Evlenme*, Konya 1988.

**COULSON,** N. C., *Fî Târîhi'l-fıkhi'l-İslâmî* (çev. M. A. Serrâc-H. M. eş-Şâfi'î), Beyrut 1992.

**CUMA,** Ali, *el-Medhal ilâ dirâseti'l-mezâhibi'l-fıkhiyye*, Kahire 2012.

**CÜBÛRÎ,** Hüseyin Halef, *'Avârizu'l-ehliyye inde'l-usûliyyîn*, Mekke 1988.

**CÜRCÂNÎ,** Seyyid Şerif, *et-Ta'rîfat*, Beyrut 1983.

**ÇAĞIL,** Orhan Münir, *Hukuk Başlangıcı Dersleri*, İstanbul 1963.

**ÇEKER,** Orhan, *İslam Hukukunda Akitler*, İstanbul 2006.

**ÇELİKER,** Hüseyin, *İslam Hukukunda Yargı Bağımsızlığı*, İstanbul 2005.

**ÇOBANOĞLU,** Rahmi, *Hukukta Gaye Problemi*, İstanbul 1964.

**ÇOLAK,** Abdullah, *İslam Hukuk Tarihi ve Delilleri*, Malatya 2010.

**DAĞCI,** Şamil, *İslam Ceza Hukukunda Şahıslara Karşı Müessir Fiiller*, Ankara 1996.

**DALGIN,** Nihat, *İslam Hukukunda Boşama Yetkisi,* İstanbul 2001.

**.......,** *İslam Hukukuna Göre Müslüman Gayr-ı Müslim Evliliği,* Samsun 2005.

**DÂMAD,** Abdurrahman b. Muhammed, *Mecme'u'l-enhur fî şerhi Mülteka'l-ebhur,* İstanbul 1328, I-II.

**DÂREKUTNÎ,** Ali b. Ömer, *es-Sünen* (nşr. Abdullah Hâşim Yemânî el-Medenî), Kahire 1966, I-IV.

**DÂRİMÎ,** Ebû Muhammed Abdullah b. Abdirrahmân, *es-Sünen* (nşr. Mustafa Dîbel-Buga), Beyrut 1991, I-II.

**DAVUDOĞLU,** Ahmed, *Sahih-i Müslim Tercüme ve Şerhi,* İstanbul 1977-1980, I-XI.

**DEBÛR,** Enver Mahmûd, *el-Karâin ve devruhâ fi'l-isbât fi'l-fıkhi'l-cinâ'î el-İslâmî,* Kahire 1985.

**DERDÎR,** Ebü'l-Berekât Ahmed, *eş-Şerhu'l-kebîr* (*Hâşiye ale'ş-Şerhi'l-kebîr* içinde), Kahire 1328, I-IV.

**DESÛKÎ,** Muhammed b. Ahmed, *Hâşiye alâ'ş-Şerhi'l-kebîr alâ muhtasari'l-İmâm Halîl,* Kahire 1328, I-IV.

**DEVÂLİBÎ,** Muhammed Ma'rûf, *el-Medhal ilâ ilmi usûli'l-fıkh,* Dımaşk 1965.

**DİHLEVÎ,** Şah Veliyyullah, *Hüccetullahi'l-bâliğa* (nşr. Muhammed Şerif Sükker), Beyrut 1990, I-II.

**DÖNMEZ,** İbrahim Kâfi, "İslam Hukukunda Müctehid ile Modern Hukuklarda Hâkimin Durumu", *Marmara Üniversitesi İlahiyat Fakültesi Dergisi* [*MÜİFD*], sy. 4 (1986), s. 23-51.

**DÖNMEZER,** Sulhi, "Hukuk ve Hayat", *İstanbul Üniversitesi Hukuk Fakültesi Mecmuası* [*İÜHFM*], XXI/1-4 (1957), s. 424-433.

**DUMAN,** Soner, *Şafii'nin Kıyas Anlayışı,* İstanbul 2009.

**DÜREYNÎ,** Fethi, *Nazariyyetü't-te'assüf fi's-ti'mâli'l-hak fı'l-fıkhi'l-İslâmî,* Dımaşk 1988.

**DÜREYNÎ,** Neşet İbrâhim, *et-Terâdî fi'l-'ukûdi'l-mübâdelâti'l-mâliyye,* Cidde 1982.

**EBÛ DÂVÛD,** Süleyman b. Eş'as es-Sicistânî, *es-Sünen* (nşr. İzzet Ubeyd ed-De'âs-Âdil es-Seyyid), Hıms 1969-1974, I-V.

**EBÛ HAYYÂN EL-ENDELÜSÎ,** *el-Bahrü'l-muhît,* Kahire 1329, I-VIII.

**EBÛ SÜLEYMAN,** A. Ahmed, *İslamın Uluslararası İlişkiler Kuramı* (çev. Fehmi Koru), İstanbul 1985.

**EBÛ SÜNNE,** Ahmed Fehmi, *el-Örf ve'l-'âde fî re'yi'l-fukahâ',* Kahire 1947.

**EBÛ UBEYD,** Kasım b. Sellâm, *el-Emvâl* (nşr. Muhammed Halil Herrâs), Kahire 1947.

**EBÛ YÛSUF,** Ya'kûb b. İbrahim, *Kitâbü'l-Harâc,* Kahire 1302.

**EBÛ ZEHRE,** Muhammed, *el-Ahvâlü'ş-şahsiyye,* Dârü'l-Fikri'l-Arabî, Kahire, ts..

**.......,** *Buhûs fi'r-ribâ,* Dârü'l-Fikri'l-Arabî, Kahire, ts..

**.......,** *Ebû Hanîfe,* Kahire 1947.

**.......,** *el-Milkiyye ve nazariyyetü'l-'akd fi'ş-şerî'ati'l-İslâmiyye,* Dârü'l- Fikri'l-Arabî, Kahire, ts..

**.......,** *eş-Şâfi'î,* Dârü'-Fikri'l-Arabî, Kahire, ts..

**.......,** *Usûlü'l-fıkh,* Dârü'l-Fikri'l-Arabî, Kahire, ts..

**.......,** *el-İmâm Zeyd: Hayatuhu ve Asruhu,* Dârü'l-Fikri'l-Arabi, Kahire, ts..

**EBÜ'L-BEKÂ,** *el-Külliyyât* (nşr. Adnan Derviş-Muhammed el-Mısrî), Müessesetü'r-Risâle, Beyrut, ts..

**EBÜ'L-HÜSEYİN EL-BASRÎ,** *el-Mu'temed fî usuli'l-fıkh* II (nşr. Muhammed Hamidullah), Institut Français de Damas, Dımaşk 1964.

**EBÜ'L-FEREC EL-ISFAHÂNÎ,** *Makatilü't-Tâlibiyyîn* (nşr. Seyyid Ahmed Sakr), Beyrut 1987.

**EBÜ'L-LEYS ES-SEMERKANDÎ,** *Hizânetü'l-fıkh ve uyûnü'l-mesail* (nşr. Selahaddin en-Nâhî), Bağdat 1965-1967, I-II.

**EKİNCİ,** Ekrem Buğra, *İslam Hukuku,* İstanbul 2006.

**…….,** *İslam Hukuku ve Önceki Şeriatler,* İstanbul 2003.

**EKŞİ,** Ahmet, *İslâm Tıp Hukuku,* İstanbul 2011.

**ELMALILI,** Muhammed Hamdi Yazır, *Hak Dini Kur'an Dili,* İstanbul 1979, I-X.

**ERBÎLÎ,** Mahmûd Emin, *Tenvîru'l-kulûb,* Kahire 1377.

**ERDEBÎLÎ,** Yûsuf b. İbrâhim, *Kitâbü'l-Envâr li-a'mâli'l-ebrâr,* Kahire 1326, I-II.

**ERDOĞAN,** Mehmet, *Akıl Vahiy Dengesi Açısından Sünnet,* İstanbul 1995.

**…….,** *Fıkıh İlmine Giriş,* İstanbul 2009.

**…….,** *Fıkıh ve Hukuk Terimleri Sözlüğü,* İstanbul 1998.

**…….,** *İslâm Hukukunda Ahkâmın Değişmesi,* İstanbul 1990.

**ERKAL,** Mehmet, *İslam Vergi Hukuku,* Erzurum 1981.

**ERTURHAN,** Sabri, *İslam Ceza Hukuku Etrafındaki Tartışmalar,* İstanbul 2008.

**ESEN,** Hüseyin, *İslam Hukukunda Mali Cezalar,* İstanbul 2006.

**FEYYÛMÎ,** Ahmed b. Muhammed b. Ali el-Makkarî, *el-Misbâhu'lmünîr,* Bulak 1316, I-II.

**GAZNEVÎ,** Sirâcüddîn Ömer b. İshâk, *el-Gurretü'l-münîfe fi tahkiki bazı mesâ'ili'l-İmâm Ebî Hanîfe*, Kahire 1950.

**GAZZÂLÎ,** *el-Mustasfâ fî usûli'l-fıkh*, Beyrut 1993.

**GOLDZIHER,** Ignaz, *Introduction to Islamic Theology and Law* (İng. çev. Andras-Rudth Hamori), New Jersey 1981.

**GÜLER,** Zekeriya, "Ebû Hanife'nin Hadis İlminde Zayıf Olduğu İddiasınınTahlili", *İmam-ı Azam ve Düşünce Sistemi Sempozyumu*, Bursa 2003, II, 325-334.

**GÜNDÜZ,** Eren, *Zeyd bin Ali: Hayatı, Eserleri ve İslam Hukuk Düşüncesindeki Yeri*, Düşünce Kitabevi, Bursa 2008.

**GÜNGÖR,** Erol, *İslâmın Bugünkü Meseleleri*, İstanbul 1983.

**HACVÎ,** Muhammed b. Hasan, *el-Fikrü's-sâmî fi târîhi'l-fıkhi'l-İslâmi*, Medine 1976, I-II.

**HAÇKALI,** Abdurrahman, *İslam Hukuk Tarihinde Gayeci İçtihat Metodunun Gelişimi*, İstanbul 2004.

**HADDÂDÎ,** Ebû Bekir b. Ali, *el-Cevheretü'n-neyyire*, İstanbul 1316, I-II.

**HAFÎF,** Ali, *İslam Hukukuna Göre Hukuki İşlemler ve Hükümleri* (çev. Rahmi yaran), İstanbul 2011.

**HALLÂF,** Abdülvehhâb, *Hulâsatü târihi't-teşrî'i'l-İslâmî* (*İlmü usûli'l- fıkh* içinde), Kahire 1956.

**HAMEVÎ,** Ahmed b. Muhammed el-Hanefî, *Gamzü 'uyûni'l-besâ'ir şerhu kitâbi'l-Eşbâh ve'n-nezâ'ir*, Beyrut 1985, I-IV.

**HAMİDULLAH,** Muhammed, "İslam Hukukunun Kaynaklarına Dair Yeni Bir Tedkik" (çev. Bülent Davran), *İTED*, 1/4 (1953), s. 63-67.

**.......,** *el-Vesâiku's-siyâsiyye*, Beyrut 2001.

……., *İslam Hukuku Etüdleri*, İstanbul 1984.

……., *İslamın Hukuk İlmine Katkıları*, İstanbul 2005.

**HASEBALLAH,** Ali, *Usûlüt-teşrî'i'l-İslâmî*, Kahire 1982.

**HASKEFÎ,** Alâüddîn Muhammed b. Ali, *ed-Dürrü'l-muhtâr* (İbn Abidîn, *Reddü'l-muhtâr* içinde), Kahire 1272-1324, I-VII.

**HASSÂF,** Ebû Bekir Ahmed b. Amr (Ömer) eş-Şeybânî, *Kitâbü'l-Hiyel*, Kahire 1314.

**HEYET,** *el-Fetâva'l-Hindiyye*, Bulak 1310, I-VI.

**HEYSEMÎ,** Ebü'l-Hasan Nûruddîn el-Heysemî, *Mecma'ü'z-zevâ'id ve menbâ'ü'l-fevâ'id*, Beyrut 1967, I-X.

**HİN,** Mustafa Saîd, *Eseru'l-ihtilâf fi'l-kavâ'idi'l-usûliyye fî ihtilâfi'l-fukahâ*, Beyrut 1986.

**HUDARÎ BEK,** Muhammed, *Târîhut-teşrî'îl-İslâmî*, Beyrut 1983.

**İBN ABDİSSELÂM,** İzzüddîn Abdülaziz, *Kavâ'idü'l-ahkâm fi mesâlihi'l-enâm*, Beyrut 1990, I-II.

**İBN ÂBİDÎN,** Muhammed Alâüddîn, *Reddü'l-muhtâr ale'd-Dürri'l-muhtâr şerhu Tenvîri'l-ebsâr*, Kahire 1272-1324, I-VII [VI/1-2, Tekmile; VII/1-2, *Takrîrâtü'r-Râfi'î*].

**İBN ÂŞÛR,** Muhammed Tâhir, *İslam Hukuk Felsefesi* (çev. Mehmet Erdoğan-Vecdi Akyüz), İstanbul 1996.

**İBN CÜZEYY,** Ebü'l-Kâsım Muhammed b. Ahmed, *el-Kavânînü'l- fıkhiyye*, Dârü'l-Kütübi'l-İlmiyye, Beyrut, ts..

**İBN EBÎ YA'LÂ,** Ebü'l-Hüseyin, *Tabakâtü'l-Hanâbile* (nşr. Muhammed Hâmid el-Fıkî), Kahire 1952, I-II.

**İBN EBİ'D-DEM,** Şihâbüddîn İbrahim b. Abdillah, *Kitâbü Edebi'l-kazâ* (nşr. M. Mustafa ez-Zühaylî), Dımaşk 1982.

**İBN FERHÛN,** Ebü'l-Vefâ Burhânüddîn İbrâhim b. Ali, *ed-Dîbâcü'l-müzheb fî ma'rifeti a'yâni ulemâ'i'l-mezheb,* Dârü'l-Kütübi'l-İlmiyye, Beyrut, ts..

**.......,** *Tebsiratü'l-hükkâm fî usûli'l-akdiye ve menâhici'l-ahkâm,* Beyrut 1883.

**İBN HACER EL-ASKALÂNÎ,** Şihâbüddîn Ahmed b. Muhammed, *Fethu'l-Bârî bi-Şerhi Sahîhi'l-Buhârî* (nşr. M. Fuad Abdülbâkî-Muhibbüddîn el-Hâtîb-Kusay Muhibbüddîn el-Hatîb), Kahire 1986-1987, I-XIII.

**İBN HALDÛN,** *Mukaddime,* el-Mektebetü'l-Müsennâ, Bağdat, ts..

**İBN HAZM,** Ebû Muhammed Ali b. Ahmed, *el-Muhallâ* (nşr. Ahmed Muhammed Şakir), Mektebetü Dâri't-Türâs, Kahire, ts., I-XI.

**İBN KAYYİM EL-CEVZİYYE,** *İ'lâmü'l-muvakkîn an Rabbi'l-âlemîn* (nşr. Tâhâ Abdurrauf Sa'd), Dârü'l-Cîl, Beyrut, ts., I-IV.

**.......,** *et-Turuku'l-hükmiyye fî's-siyâseti'ş-şer'iyye* (nşr. Muhammed Hâmid el-Fıkî), Dârü'l-Kütübi'l-ilmiyye, Beyrut, ts..

**İBN KUDÂME,** Ebû Muhammed Abdullah b. Ahmed, *el-Muğnî,* Beyrut 1972-1973, I-XIV.

**İBN KUTLUBOĞA,** *Tâcü't-terâcim fî tabakâti'l- Hanefîyye,* Bağdat 1962.

**İBN MÂCE,** Ebû Abdillah Muhammed b. Yezîd el-Kazvînî, *es-Sünen* (nşr. M. Fuad Abdülbâkî), Kahire 1952, I-II.

**İBN MÂZE,** Burhânü'l-eimme Hüsâmüddîn, *Şerhu Edebi'l-kâdî li'l-Hassâf* (nşr. Muhyî Hilâl es-Serhân), Bağdat 1977-1978, I-IV.

**İBN MELEK,** İzzüddîn Abdüllatîf, *Şerhu Menâri'l-envâr,* İstanbul 1965.

**İBN NÜCEYM,** Zeynüddîn b. İbrâhim, *el-Bahru'r-râik şerhu Kenzi'd-dekâik,* Kahire 1333, I-VIII [VIII. cild: Muhammed b. Hüseyin b. Ali (tekmile)].

**.......,** *el-Eşbâh ve'n-nezâir* (Hamevî'nin *Gamzü uyûni'l-besâ'ir'i* ile), Beyru, 1985, I-IV.

**İBN RECEB,** Ebü'l-Ferec Abdurrahman, *el-Kavâid fi'l-fikhi'l-İslâmî* (nşr. Tâhâ Abdurraûf Sa'd), Kahire 1972.

**İBN RÜŞD,** Ebü'l-Velîd Muhammed b. Ahmed el-Hafîd el-Kurtubî, *Bidâyetü'l-müctehid ve nihâyetü'l-muktesid,* İstanbul 1985, I-II.

**.......,** *el-Mukaddimâtü'l-mümehhidât* (nşr. Saîd Ahmed A'râb), Beyrut 1988, I- III.

**İBN TEYMİYYE,** Takıyyüddin Ahmed b. Abdilhalîm, *İkâmetü'd-delîl alâ ibtâli't-tahlîl* (*el-Fetâva'l-kübrâ,* III. cild içinde), Kahire 1965.

**.......,** *Mecmû'u Fetâvâ* (nşr. Abdurrahman b. Muhammed), Riyad 1381-1386, I-XXXVII.

**İBNÜ'L-ARABÎ,** Ebû Bekir Muhammed b. Abdillah, *Ahkâmü'l- Kur'ân* (nşr. Ali Muhammed el-Bicâvî), Kahire 1974, I-IV.

**İBNÜ'L-BEZZÂZ EL-KERDERÎ,** Hâfızüddîn Muhammed b. Muhammed, *el-Câmi'u'l-vecîz* (*el-Fetâva'l-Hindiyye* IV-VI. ciltleri kenarında), Bulak 1310, I-III.

**İBNÜ'L-HÜMÂM,** Kemâlüddîn Muhammed b. Abdilvâhid, *Fethu'l-Kadîr,* Kahire 1319, I-IX. [VII-IX, Kadızâde, *Netâicü'l-efkâr fi keşfi'r- rumûz ve'l-esrâr* (tekmile)].

**İBNÜ'L-HÜMÂM,** *et-Tahrîr* (İbn Emîri'l-Hâc, *et-Takrîr* ile), Bulak 1316, I-III.

**İBNÜ'L-İMÂD,** Abdülhay b. Ahmed, *Şezerâtü'z-zeheb fi ahbâri men zeheb,* Kahire 1350-1351, I-VIII.

**İBNÜ'L-LEHHÂM,** Ali b. Abbâs el-Ba'lî, *el-Kavâid ve'l-fevâidü'l-usûliyye vemâ yetealleku bihâ mine'l-ahkâmi'l-fer'iyye* (nşr. Muhammed Hâmid el-Fıkî), Mektebetüs-Sünneti'l-Muhammediyye, Kahire, ts..

**İLTAŞ,** Davut, *Fıkıh Usulünde Mütekellimin Yönteminin Delalet Anlayışı*, İstanbul 2011.

**İSNEVÎ,** *Nihâyetü's-sûl*, Beyrut 1999.

**.......,** *et-Temhîd* (nşr. M. Hasan Heyto), Beyrut 1400, I.

**İZMİRLİ,** İsmail Hakkı, *İlm-i Hilâf*, İstanbul 1330.

**KÂDÎ EBÛ YA'LÂ,** Muhammed b. Hüseyin el-Ferrâ el-Hanbelî, *el-Ahkâmü's-sultâniyye* (nşr. Muhammed Hâmid el-Fıkî), Beyrut 1983.

**KÂDÎHÂN,** Hasan b. Mansûr el-Özcendî, *el-Fetâva'l-Hâniyye (el- Fetâva'l-Hindiyye* I-III. ciltleri kenarında), Bulak 1310, I-III.

**KAHRAMAN,** Abdullah, *İslam Borçlar Hukukunda Kefalet Sözleşmesi*, İstanbul, 2000.

**.......,** *İslamda İbadetlerin Değişmezliği*, İstanbul 2002.

**KARADÂĞÎ,** Ali Muhyiddîn Ali, *Mebdeür-rızâ fı'l-ukûd: dirâse mukârene fi'l- fıkhi'l-İslâmî*, Beyrut 1985, I-II.

**KARADÂVÎ,** Yûsuf, *Fetâvâ mu'âsıra*, Kuveyt 1989.

**.......,** *Fıkhu'z-zekât*, Beyrut 1969, I-II.

**.......,** *Şerî'atü'l-İslâm*, Beyrut 1987.

**KARÂFİ,** Ebü'l-Abbâs Ahmed b. İdris es-Sanhâcî, *Envâru'l-burûk fî envâ'i'l-furûk*, Kahire 1347, I-IV (*el-Furûk*).

**KARAMAN,** Hayreddin, *Fıkıh Usûlü*, İstanbul 1982.

**.......,** *İslam Hukuk Tarihi*, İstanbul 1989.

**.......,** *İslam Hukukunda İctihad*, Diyanet İşleri Başkanlığı Yayınları, Ankara, ts..

……., *Mukayeseli İslam Hukuku,* İstanbul 1982-1987, I-III.

**KÂSÂNÎ,** Ebû Bekir Alâüddîn b. Mes'ûd, *Bedâiu's-sanâ'î fi tertîbi'ş-şerâî',* Kahire 1910, I-VII.

**KASTALLÂNÎ,** Ahmed b. Muhammed b. el-Hatîb, *İrşâdü's-sârî li-şerhi Sahîhi'l-Buhârî,* Bulak 1891, I-X.

**KÂTİB ÇELEBİ,** (Hacı Halife), *Keşfü'z-zunûn an esâmi'l-kütüb ve'l-fünûn* (nşr. Kilisli Muallim Rifat-Şerefeddin Yaltkaya), İstanbul 1941-1943, I-II.

**KATTÂN,** Mennâ, *et-Teşrî' ve'l-fıkhü'l-İslâmî: târîhen ve menhecen,* Beyrut 1985

**KAYADİBİ,** Saim, *Doctrine of Istihsan in Islamic Law,* Konya 2007.

**KAZVÎNÎ,** Ebû Hâtim Mahmûd b. Hasan eş-Şâfi'i, *Kitâbü'l-Hiyel* (nşr. Joseph Schacht), Hannover 1924.

**KEHHÂLE,** Ömer Rızâ, *Mu'cemü'l-müellifîn,* Dımaşk 1957-1961, I-XV.

**KERHÎ,** Ebü'l-Hasan Ubeydullah b. Hüseyin, *el-Usûl* (Debûsî, *Tesîsü'n-nazar*'ın sonunda), Dâru İbn Zeydûn, Beyrut, ts.

**KEVSERÎ,** Muhammed Zâhid, *Bülûğu'l-emânî fî sîreti'l-İmâm Muhammed b. el-Hasan eş-Şeybânî,* Kahire 1969.

……., *Hüsnü't-tekâdî fî sîreti'l-İmâm Ebî Yûsuf el-Kâdî,* Kahire 1968.

……., *Te'nîbü'l-Hatîb alâ mâ sâkahu fi tercemeti Ebî Hanîfe mine'l-ekâzîb,* Beyrut 1981

**KİYÂ EL-HERRÂSÎ,** Ali b. Muhammed, *Ahkâmü'l-Kur'ân* (nşr. Musâ Muhammed Ali-İzzet Ali İd Atıyye), Kahire 1974-1975, I-IV.

**KOCA,** Ferhat, *İslam Hukuk Metodolojisinde Tahsis,* İstanbul 1996.

**KÖKSAL,** A. Cüneyd, *Fıkıh Usulünün Gayesi ve Mahiyeti*, İstanbul 2008.

**KÖSE,** Murtaza, *İslam Hukukunda Anonim Ortaklar*, İstanbul 2006.

**KÖSE,** Saffet, "Hukuk mu Ahlak mı?", *İslam Hukuku Araştırmaları Dergisi* [*İHAD*], sy. 17, Konya 2011, s. 15-50.

**.......,** "Hz. Ömer'in Bazı Uygulamaları Bağlamında Ahkâmın Değişmesi Tartışmalarına Bir Bakış", *İslam Hukuku Araştırmaları Dergisi* [*İHAD*], sy. 7, Konya 2006, s. 13-50.

**.......,** *Çağdaş İhtiyaçlar ve İslam Hukuku*, İstanbul 2004.

**.......,** *İslam Hukuku Açısından Din ve Vicdan Hürriyeti*, İstanbul 2003.

**.......,** *İslam Hukukunda Hakkın Kötüye Kullanılması*, İstanbul 1997.

**.......,** *İslam Hukukunda Kanuna Karşı Hile*, İstanbul 1996.

**.......,** "İslam Hukukunun Statik Olduğu İddiasının Tahlili", *SÜİFD*, sy. 6, Konya 1996, s. 155-295.

**KUDÛRÎ,** Ebü'l-Hüseyin Ahmed b. Muhammed, *el-Kitâb* (Meydânî, *el-Lübâb* içinde), Beyrut 1979, I-IV.

**KUREŞÎ,** Abdülkâdir b. Muhammed, *el-Cevâhirü'l-mudiyye fi tabakâti'l-Hanefiyye* (nşr. Abdülfettâh Muhammed Hulv), Kahire 1973-1979, I-III.

**KURTUBÎ,** Ebû Abdillah Muhammed b. Ahmed, *el-Câmi' li-ahkâmi'l-Kur'ân* (nşr. Ebû İshak İbrâhim), Kahire 1966-1967, I-XX.

**KUTUB,** Muhammed, *İslâm'ın Etrafındaki Şüpheler* (çev. Ali Özek), İstanbul 1969.

**LAMMENS,** H., "el-Fıkhu'l-İslâmî târîhuhû ve tetavvurâtühû II: Tarâiku'l-mezâhibi's-sünniyye", *el-Meşrik*, XXXI, Beyrut 1933, s. 116-125.

**LEKNEVÎ,** Muhammed Abdülhay, *el-Fevâ'idü'l-behiyye fî terâcimi'l-Hanefîyye* (nşr. M. Bedrüddin Ebû Firâs), Kahire 1324.

**MAHMESÂNÎ,** Subhi, *Felsefetü't-teşrî' fi'l-İslâm,* Beyrut 1980.

**.......,** "İslâm Hukukunun Tedvini" (çev. İbrahim Kâfi Dönmez), Marmara Üniversitesi İlahiyat Fakültesi Dergisi, [*MÜİFD*], sy. 3 (1985), s. 313-328.

**.......,** *en-Nazariyyetü'l-âmme li'l-mûcebât ve'l-ukûd fi'ş-şerî'ati'l-İslâmiyye,* Beyrut 1948, I-II.

**MÂLİK B. ENES**, *el-Muvatta* (nşr. M. Fuad Abdülbâkî), Kahire 1951, I-II.

**MÂVERDÎ,** Ebü'l-Hasan Ali b. Muhammed el-Basrî el-Bağdâdî, *el- Ahkâmü's-sultâniyye ve'l-vilâyâtü'd-dîniyye*, Kahire 1966.

**MEDKÛR,** M. Sellâm, *Vücûbu tatbîki şerî'ati'l-İslâmiyye* [y.y.], 1979.

**MEKKÎ,** Muvaffak b. Ahmed, *Menâkıbü Ebî Hanîfe*, Beyrut 1981.

**MERDÂVÎ,** Ebü'l-Hasan Alâüddîn Ali, *el-İnsâf fi ma'rifeti'r-râcih mine'l-hilâf alâ mezhebi'l-İmâm* (nşr. Muhammed Hâmid el-Fıkî), Beyrut 1986, I-XII.

**MERGÎNÂNÎ,** Ebü'l-Hasan Burhânüddîn Ali b. Ebî Bekr, *el-Hidâye şerhu Bidâyeti'l-mübtedî*, Kahire 1965, I-IV.

**MERVEZÎ,** Ebû Abdillah Muhammed b. Nasr, *İhtilâfü'l-ulemâ* (nşr. Seyyid Subhi es-Sâmerrâî), Beyrut 1986.

**MEVSILÎ,** *Ebü'l-Fazl Mecdüddîn Abdullah b. Mahmûd, el-İhtiyâr li-ta'lîli'l-Muhtâr*, İstanbul 1987, I-V.

**MEYDÂNÎ,** Abdülganî el-Ganîmî, *el-Lübâb şerhu'l-Kitâb*, Beyrut 1979, I-IV.

**MOLLA HÜSREV,** Muhammed b. Firâmuz, *Dürerü'l-hükkâm fî şerhi Gureri'l-ahkâm,* İstanbul 1302, I-II.

**MUHAMMED B. HASEN EŞ-ŞEYBÂNÎ,** *el-Mehâric fi'l-hiyel* (nşr. Joseph Schacht), Leipzig 1930.

**MÛSÂ, M. YUSUF,** *el-Emvâl ve nazariyyetü'l-'akd fil-fıkhi'l-İslâmî,* Kahire 1987.

**.......,** *Târîhu'l-fıkhi'l-İslâmî: Da'vetün kavliyyetün li-tecdîdihî bi-rücû' li-mesâdirihi'l-ûlâ,* Kahire 1958.

**MÛSÂ,** Seyyid Muhammed, *el-İctihâd ve medâ hâcetinâ ileyhi fi hâze'l-'asr,* Dârü'l-Kütübi'l-Hadîse, Kahire, ts..

**MÜDERRİS,** Muhammed Mahrûs Abdüllatîf, *Meşâyihu Belh mine'l-Hanefîyye ve mâ inferedû bihî mine'l-mesâ'ili'l-fıkhiyye,* Bağdat 1978-1979, I-II.

**MÜSLİM B. HACCÂC,** Ebü'l-Hüseyin el-Kuşeyrî, *el-Câmi'u's-sahîh* (nşr. M. Fuad Abdülbâkî), Kahire 1955-1956, I-V.

**NAILLINO,** Carlo A., "İslam Hukuku" (çev. Arif Erginay), *Ankara Üniversitesi Hukuk Fakültesi Dergisi* [*AÜHFD*], XI/1-2 (1954), s. 343-562.

**NEMR,** Abdülmün'im, *el-İctihâd,* Kahire 1987.

**NESÂÎ,** Ebû Abdirrahman b. Şuayb, *es-Sünen* (*el-Müctebâ*), [Süyûtî şerhi ve Sindî haşiyesiyle birlikte], Kahire 1312, I-VI- II.

**NESEFÎ,** Necmüddîn b. Hafs, *Tâlibetü't-talebe fi'l-ıstılâhâti'l-fıkhiyye,* İstanbul 1311.

**NEVEVÎ,** Ebû Zekeriyyâ Muhyiddîn b. Şeref, *el-Mecmû' şerhü'l-Mühezzeb,* Dârü'l-Fikr, Beyrut, ts., I-XX [X-XII, Sübkî'nin tekmilesi; XIII-XX, Necîb el-Mutî'î'nin tekmilesidir].

**ÖĞÜT,** Salim, *Dini Hükümlerin Temellendirilesinde Hikmet,* Çorum 2009.

**ÖMERÎ,** İsmâil, *el-Hak ve nazariyyetü't-te'assüf fi's-ti'mâli'l-hak*, Musul 1984.

**......., ** Nâdiye Şerif, *el-İctihâd fi'l-İslâm*, Beyrut 1985.

**.......,**Nâdiye Şerif, *İctihâdü'r-Resûl*, Beyrut 1984.

**ÖZ,** Mustafa, Başlangıçtan Günümüze Şîîlik ve Kolları, İstanbul 2011.

**ÖZEL,** Ahmet, *İslam Devletler Hukuku'nda Savaş Esirleri*, Ankara 1996.

**.......,** *İslam Hukukunda Ülke Kavramı*, İstanbul 2011.

**ÖZLEM,** Doğan, "Ahlak Hukuku Önceler", *Kavramlar ve Tarihleri - I*, İstanbul 2002, s. 123-146.

**PALA,** Ali İhsan, *İslam Hukuk Metodolojisinde Emir ve Yasakların Yorumu*, Ankara 2009.

**.......,** *İslâm Hukukunda İhtiyat İlkesi*, Ankara 2009.

**PEKCAN,** Ali, *İslam Hukukunda Gaye Problemi*, İstanbul 2003.

**.......,** *İslam Hukuk Teorisine Usuli Yaklaşımlar*, Konya 2009.

**RÂGIB EL-ISFAHÂNÎ,** *el-Müfredât*, Dımaşk-Beyrut 1992.

**REMLÎ,** Şemsüddîn Muhammed b. Ahmed, *Nihâyetü'l-muhtâc ilâ şerhi'l-Minhâc*, Beyrut 1984, I-VIII.

**SABUNÎ,** Muhammed Ali, *Ahkâmu'l-Kur'ân*, Dersaadet, İstanbul, ts., I-II.

**SA'DÎ,** Abdülkadir Abdurrahman, *Eserü'd-delâleti'n-nahviyye ve'l-lügaviyye fi's-tinbâti'l-ahkâm*, Bağdat 1986.

**SA'DÎ, MUHAMMED SABRİ,** *Nazariyyetü tefsîri'n-nusûs fi'l-kânûn ve'ş-şerî'ati'l İslâmiyye*, Kahire 1979.

**SADRUŞŞERÎA,** Ubeydullah b. Mes'ûd, *et-Tavzîh fi halli*

*gavâmizi't-Tenkîh* (Teftâzânî, *et-Telvîh* içinde), Kahire, ts., I-II.

**SAHNÛN B. ABDİSSELÂM B. SAÎD,** *el-Müdevvenetü'l-kübrâ*, Kahire 1324, I-VI.

**SAÎD B. ALİ ES-SEMERKANDÎ,** *Cennetü'l-ahkâm ve cünnetü'l-hısâm* (nşr. Saffet Köse-İlyas Kaplan), Beyrut 2005.

**SAÎD B. MANSÛR B. ŞU'BE EL-HORÂSÂNÎ EL-MEKKÎ,** *es-Sünen* (nşr. Habîbürrahmân el-Azamî), Beyrut 1985, I II.

**SAİD HALİM PAŞA,** *Buhranlarımız* (haz. E. Düzdağ), İstanbul 1993.

**SALİH,** Muhammed Edib, *Mesâdiru't-teşrî'i'l-İslâmî ve menâhicü'l-İstinbât*, Riyad 2002.

**SAYMERÎ,** Hüseyin b. Ali, *Ahbâru Ebî Hanîfe ve ashâbih* (nşr. Ebü'l-Vefâ el-Efganî), Haydarâbâd 1974.

**SCHACHT,** Joseph, *An Introduction to Islamic Law*, Oxford 1971.

**SENHÛRÎ,** Abdürrezzâk, *Mesâdiru'l-hak fi'l-fıkhi'l-İslâmî*, Kahire 1954-1960, I-VI

**SERAHSÎ,** Şemsüleimme Muhammed b. Ahmed b. Sehl, *el-Mebsût*, Kahire 1324-1331, I-XXX.

**SERAHSÎ,** Şemsüleimme, *el-Usûl* (nşr. Ebü'I-Vefâ el-Efgânî), [Haydarâbâd 1372'den ofset], Beyrut 1973, I-II.

**SEVİG,** Vasfi Raşid, "Fıkıh ve Medeni Kanun", *Ankara Üniversitesi Hukuk Fakültesi Dergisi* [*AÜHFD*], VIII/3-4 (1951), s. 210- 235.

**SEZGİN,** Fuat, *GAS*, Leiden 1967-1984, I-X.

**SUVÂR,** M. Vahîdüddîn, *eş-Şekl fi'l-fıkhi'l-İslâmî* [y.y.], 1985.

**.......,** *et-Ta'bîr ani'l-irâde fi'l-fıkhi'l-İslâmî*, Cezayir 1979.

**SÜBKÎ,** Ebü'l-Hasan Takıyyüddîn Ali b. Abdilkâfi, *el-Fetâvâ*, Dârü'l-Ma'rife, Beyrut, ts., I-II.

**.......,** *el-İbhâc I*, Beyrut 1995.

**SÜYÛTÎ,** Celâlüddîn b. Abdirrahman b. Ebî Bekr, *el-Eşbâh ve'n-nezâir fî kavâidi ve furûi fıkhi'ş-Şâfi'iyye*, Kahire 1959.

**ŞA'BAN,** Zekiyyüddîn, *İslâm Hukuk İlminin Esasları* (çev. İbrahim Kâfi Dönmez), Ankara 1990.

**ŞAFAK,** Ali, *İslam Hukuku'nun Tedvini*, Erzurum 1977.

**ŞÂFİÎ,** Ebû Abdillah Muhammed b. İdrîs, *er-Risâle* (nşr. Ahmed Muhammed Şakir), Kahire 1979.

**.......,** *el-Ümm*, Bulak 1321-1325, I-VII.

**ŞÂTIBÎ,** Ebû İshâk İbrahim b. Musâ, *el-Muvâfakât fi usûli'ş-şerî'a* (nşr. Abdullah Dırâz), el-Mektebetü't-Ticâriyyetü'l-kübrâ, Kahire, ts., I- IV.

**ŞEHRİSTÂNÎ,** Ebü'l-Feth Muhammed b. Abdilkerim, *el-Milel ve'n-nihal* (İbn Hazm, *el-Fasl fi'l-milel* kenarında), Kahire 1317-1321, I-V.

**ŞEKERCİ,** *Osman, İslâm Şirketler Hukuku*, İstanbul 1981.

**ŞELEBÎ,** Muhammed Mustafa, *el-Medhal fi't-ta'rîf bi'l-fıkhi'l-İslâmi ve kavâ'idü'l-milkiyye ve'l-'ukûd fîh*, Beyrut 1983.

**.......,** *Ta'lîlü'l-ahkâm*, Beyrut 1981.

**ŞELTUT,** Mahmûd Muhammed, *el-Fetâvâ*, Beyrut 1983.

**ŞENER,** Abdülkadir, *Kıyas, İstihsan ve İstislah*, Ankara 1981.

**.......,** *İslam Hukukunda Hibe*, Ankara 1984.

**ŞENER,** Mehmet, *İslâm Hukukunda Örf*, İzmir 1987.

**ŞERBÂSÎ,** Ahmed, *Yes'elûneke fi'd-dîni ve'l-hayât*, Beyrut 1981, I-VII.

**ŞEVKÂNÎ,** Ebû Abdillah Muhammed b. Ali, *Fethü'l-Kadîr*, Kahire 1964, I- V.

**.......,** *Neylû'l-evtâr şerhu Münteka'l-ahbâr*, Kahire 1938, I-VIII.

**.......,** *İrşâdû'l-fuhûl ilâ tahkîki ilmi'l-usûl* (nşr. Ebû Mus'ab Muhammed Saîd el-Bedrî) Beyrut 1992.

**ŞEYBÂNÎ,** Muhammed b. Hasan, *Kitâbü'l Hucce 'alâ ehli'l-Medîne* (nşr. Ebû'l-Vefâ el-Efgânî), Haydarâbâd 1965-1971, I-IV.

**ŞİMŞEK,** Murat, *İslam Hukukunda Bağlayıcılık Bakımından Hz. Peygamber'in Tasarrufları*, Ankara 2011.

**ŞÎRÂZÎ,** Ebû İshâk İbrahim b. Ali el-Fîrûzâbâdî, *el-Mühezzeb fî fıkhi'l-İmâm eş-Şâfi'î*, Kahire 1959-60, I-II.

**.......,** *et-Tenbîh fi'l-fıkhi'ş-Şâfi'î* (nşr. İmâdüddîn Ahmed Haydar), Beyrut 1985, I-II.

**ŞİRBÎNÎ,** Muhammed b. Ahmed el-Hatîb, *Muğni'l-muhtâc ilâ marifeti me'âni'l-Minhâc*, Kahire 1958, I-IV.

**TÂNEVÎ,** Muhammed Ali b. Ali, *Keşşâfü ıstılâhâti'l-fünûn* (Kalküta 1862'den ofset), İstanbul 1984, I-II.

**TİRMİZÎ,** Ebû İsâ Muhmmed b. İsâ b. Sevre, *el-Câmi'u's-sahîh* (nşr. Ahmed Muhammed Şâkir-İbrahim Utve İvad-M. Fuad Abdülbâkî), Kahire 1975-1978.

**TOPAL,** Şevket, *İslam Hukuk Düşüncesinde Sedd-i Zerâî*, Van 2007.

**TÛSÎ,** Ebû Ca'fer Muhammed b. Hasan b. Ali, *el-Mebsût*, Tahran 1351, I-VIII.

**TÜRCAN,** Talip (ed.), *İslam Hukuku El Kitabı*, Ankara 2012.

**.......,** *İslam Hukuk Biliminde Hukuk Normu*, Ankara 2003.

**TYAN,** Emile, "La Procedure du "defaut" en droit Musulman" St. I, Vll (1957), s. 115-133.

**UZUNPOSTALCI,** Mustafa, *Hukuk ve İslam Hukuku,* Konya 1987-1990, I-II.

**ÜNSAL,** Ahmed, *İslam Hukukunda Fayda İlkesi,* İstanbul 2006.

**WAEL B. HALLAQ,** "On the Origins of the Controversy about ijtihad", *SI,* Paris 1986, s.129-141.

**.......,** "Was the Gate of ijtihad Closed", *IJMES,* London-New York 1984, s. 3-41.

**YARAN,** Rahmi, *İslam Fıkhında İhtiyaç Kavramı,* İstanbul 2007

**.......,** *İslam Hukukunda Borcun Gecikmesi,* İstanbul 1997.

**YAVUZ,** Yunus Vehbi, "Hanefî Müctehidlerinde İstihsan Metodu", *Uludağ Üniversitesi İlahiyat Fakültesi Dergisi* [*UÜİFD*], I/I (1986), s. 85-93.

**YAYLA,** Mustafa, *İslam Hukukunda İnsan Hakları ve Eşitlik,* Konya 2012.

**YIDIRIM,** Mustafa, *Mecelle'nin Külli Kaideleri,* İzmir 2001.

**YURDAGÜR,** Metin, "Fetret", *DİA,* XII, İstanbul 1995, s. 475-480.

**ZEBÎDÎ,** *Tâcü'l-'arûs,* Dâru'l-Hidâye, ts., XXXVI.

**ZELEMÎ,** Mustafa İbrahim, *Esbâbü ihtilâfi'l-fukahâ'fi'l-ahkâmi'ş-şer'iyye,* Amman 2005.

**ZEMAHŞERÎ,** Muhammed b. Ömer, *el-Keşşâf an hakâikı gavâmizi't-Tenzîl ve uyûni'l-ekâvîl fî vücûhi't-tevîl,* Kahire 1968, I-IV.

**ZERKÂ,** Ahmed, *Şerhu'l-kavâ'idi'l- fıkhiyye,* Beyrut 1983.

**.......,** *el-Fıkhu'l-İslâmî fi sevbihi'l-cedîd,* Dımaşk 1967-1968, I-III.

**ZERKEŞÎ,** Ebû Abdillah Bedrüddîn Muhammed b. Bahadır eş-Şâfiî, *el-Kavâ'id* (nşr. Teysir Faik Ahmed), Kuveyt 1982.

**ZEYDAN,** Abdülkerim, "Hâletü'z-zarûre fı'ş-şerî'ati'l-İslâmiyye", *Mecmû'a buhûs fıkhiyye,* Bağdat 1987, s. 141-214.

**.......,** *el-Medhal li-dirâseti'ş-şerî'ati'l-İslâmiyye,* Bağdat 1969.

**.......,** *el-Vecîz fi usûli'l-fıkh,* Bağdat 1973.

**ZEYLÂÎ,** Fahruddîn Osman b. Ali, *Tebyînü'l-hakâîk,* Bulak 1313, I-VI.

**ZÛHAYLÎ,** Vehbe, *el-Fıkhu'l-İslâmî ve edilletüh,* Dımaşk 1985, I-VIII.

# LÜGATÇE

**Âhâd Haber:** Mütevâtir derecesine ulaşmayan haber.

**Âm:** Bir kullanımda sözlük anlamına uygun olarak bütün fertleri istisnasız bir şekilde kapsayan lafız.

**Ecîr-i Müşterek:** Belirli bir işi görmek için kendisiyle akit yapılan usta, işçi vb. için kullanılan terim.

**Emir:** Bir eylemin yerine getirilmesi talebini gösteren söz.

**Farz:** Mükelleften yapılması kesinlikle istenen fiil.

**Fetva:** Bir meselenin dinî hükmünü yazılı veya sözlü olarak açıklayan cevap manasında kullanılır; yapılan işe de iftâ (fetva vermek) denir.

**Hâciyyât:** Ferdî veya içtimai hayat için mutlaka gerekli olmayan, ancak bunların düzenli olarak yürümesini temine yarayan hükümler.

**Hafi:** Manaya delaleti açık olmakla birlikte haricî bir sebepten dolayı kapsamındaki fertlerin bir kısmına delaletinde kapalılık bulunan lafız.

**Hakikat:** Kelimenin konulduğu manada kullanılması.

**Haram:** Yapılması din tarafından yasaklanan fiil.

**Has:** Tek bir vaz‘ ile tek bir manayı ifade etmek üzere konulmuş lafız.

**Hüküm:** Şâriin mükelleflerin fiillerine ilişkin hitabı.

**İcma:** İslam âlimlerinin dinî bir meselenin hükmü üzerinde fikir birliği etmelerini ve bütün Müslümanların ortaklaşa benimsedikleri dinî hükümleri ifade eden şeri delildir. İslam fıkhının Kur'an ve sünnetten sonra üçüncü kaynağını teşkil eder.

**İçtihat:** Kur'an ve sünnette açık olmayan bir meselenin şeri hükmünü delilden hareketle tespit edebilmek için olanca gücü harcamak ve karşılaşılan meselenin Kur'an ve sünnetteki temel ilkelerle bağlantısını kurarak şeri hükme ulaşmak.

**Îlâ:** Kocanın, eşiyle cinsel ilişkide bulunmamak üzere yaptığı yemin, kazâî boşanma sebeplerinden biri.

**İllet:** Hükmün kendisine dayandığı açık ve belirli bir standardı olan vasıf.

**İstihsan:** Karşılaşılan bir meselede, yerleşik genel kural veya açık kıyasa göre hüküm verildiğinde genel hukuk politikası açısından doğacak bir olumsuzluğun giderilmesi amacıyla o özel delili bırakıp üst ilkelere göre hüküm vermek.

**İstishâb:** Geçmişte sabit bir durumun değiştiğine dair bir bilgi bulunmadıkça söz konusu durumun devam ettiğine hükmetmek.

**İstislah:** İslam fıkhının genel ilkelerine, özellikle de şer'an onaylandığına veya reddedildiğine dair bir delil bulunmayan maslahata göre hüküm verme yöntemi.

**İttiba:** Delilini bilerek bir görüşe tabi olmak.

**Kıyas:** Hakkında açık hüküm bulunmayan bir meselenin hükmünü, aralarındaki ortak özelliğe veya benzerliğe dayanarak hükmü açıkça belirtilen meseleye göre belirlemek.

**Kitap:** Şeri hükümlerin ilk ve temel kaynağı olarak Kur'ân-ı Kerîm'i ifade eden terim.

**Liân:** Kadının, kendisini zina ile itham eden kocasıyla yeminleşmesini ifade eden bir fıkıh terimi.

**Maslahat:** Faydalı olanı almak, zararlı olanı (mefsedet) kaldırmak veya engellemek; şeri hükümlerin içerdiği veya akıl ve tecrübe yoluyla belirlenmekle beraber bunlarla uyum içinde olan faydalar.

**Mecaz:** Kelimenin hakikat manasında kullanılmadığını gösteren bir ilgi ve karine sebebiyle tayin edildiği manadan başka bir anlamda kullanılan lafız veya söz.

**Mefsedet:** Şer'an yasak fiillerin içerdiği veya hakkında özel hüküm bulunmasa da dinin temel amaçlarını ihlal eden zararlar ve kötülükler.

**Mekruh:** Şâri'in yapılmamasını kesin ve bağlayıcı olmayan bir tarzda istediği fiil.

**Mendup:** Şâri'in yapılmasını kesin ve bağlayıcı olmayan bir tarzda istediği fiil.

**Meşhur:** Bir sahâbî veya tevâtür sayısının altındaki birkaç sahâbî tarafından rivayet edilip daha sonra özellikle tâbiîn ve tebeu't-tâbiîn dönemlerinde yaygın kabul gören haber.

**Mezhep:** Dinin inanç esaslarını veya amelî hükümlerini anlama ve yorumlama konusunda kendine özgü yaklaşımlara sahip düşünce sistemi; bu yaklaşımlar etrafında meydana gelen ekolleşmenin ürünü olan ilmî ve fikrî birikim.

**Muhkem:** Te'vil ve tahsise asla ihtiyaç bırakmayacak ölçüde çok açık olan söz. Başka bir ihtimal taşımayan açık manalı ayet ve hadislerle fıkıh usulünde açıklık bakımından en üst düzeydeki lafız türü için kullanılan bir terim.

**Mübah:** Fıkıh usulünde mükellefin yapıp yapmamakta şer'an serbest bırakıldığı fiilleri; fıkıhta ibâha denen bazı yetki ve izinlerin konusunu yahut sonucunu belirtmek için kullanılan terim.

**Mücmel:** Sözün sahibi tarafından bir açıklama yapılmadıkça kendisiyle neyin kastedildiği anlaşılmayan lafız.

**Müevvel:** Zannî delile dayanılarak manalarından biri tercih edilen müşterek lafız.

**Müfesser:** Hükme açık biçimde delalet eden, te'vil ve tahsise kapalı olacak ölçüde manası açık olan söz.

**Müşkil:** Sîgasında bulunan kapalılıktan dolayı kendisiyle kastedilen mananın başka deliller yardımıyla veya derinlemesine düşünme yoluyla anlaşılabildiği lafız anlamında usûl-i fıkıh terimi.

**Müşterek:** Her biri ayrı kullanımlar ile olmak üzere birden fazla manaya gelen lafızlar.

**Müteşâbih:** Mana yönünden birden fazla ihtimal taşıdığı için anlaşılmasında güçlük bulunan lafız veya ifade. Bu tür lafızların ancak ilimde derinleşmiş olan âlimlerce anlaşılabileceği ifade edilir.

**Mütevatir:** Konusunun doğruluğu bilgisini bizzat kendisi veren haber anlamında kelam ve fıkıh usulü terimi.

**Nas:** Genelde, hüküm kaynağı olması yönüyle Kitap ve sünnetin ifadeleri anlamında, fıkıh usulünde lafzın açıklık düzeyini belirten terim.

**Nehiy:** Bir eylemden kaçınılması talebini gösteren söz.

**Nesih:** Şeri bir hükmün daha sonra gelen şeri bir delille kaldırılması.

**Nevâzil:** Klasik fıkıh eserlerinde daha çok mezhep imamlarından sonra ortaya çıkmış meseleleri, modern dönemde ise yeni fıkhî problemleri ifade eden terim.

**Örf:** Günlük hayatta insanların çoğunluğunun benimseyip alışkanlık hâline getirdiği eylemler veya duyulduğunda hatıra başka bir anlam gelmeyecek şekildeki sözlü anlatım biçimleri.

**Re'y:** Görüş, düşünce, kıyas, nasla düzenlenmemiş şeri-amelî bir meselede ortaya konan kanaat anlamlarında bir terim.

**Sahabe:** Hz. Peygamber'in sohbetine katılanlar anlamında bir terim.

**Sarih:** Çok kullanılması sebebiyle manası açık hâle gelmiş lafız.

**Sedd-i Zerâi:** Şer'an sakıncalı sonuçlara götürmesi kesin veya kuvvetle muhtemel olduğunda mubah fiillerin yasaklanması anlamında fıkıh usulü terimi; özellikle Mâlikî usulünde edille-i şer'iyyeden biri.

**Sulh:** Tarafların karşılıklı anlaşma (rıza) ile uyuşmazlığı sona erdirmeleri üzerine yaptıkları akit.

**Sünnet:** Hz. Peygamber'in söz, fiil ve onaylarının ortak adı, ikinci şeri delil.

**Şâri':** Din ve hukukun menşei anlamında kaynağını, hüküm koyma yetkisinin asıl sahibini belirtmek için kullanılan terim.

**Şer'u men kablenâ:** Hz. Muhammed'den önceki peygamberler vasıtasıyla bildirilen dinî hükümler.

**Tâbiîn:** "Bir kimsenin yolundan gidenler, onu izleyenler" anlamındaki tâbiîn (veya tâbiûn) sahabeyi Müslüman olarak gören ve Müslüman olarak ölen ikinci nesli ifade eden bir terim.

**Tahrîc:** Mezhep birikimini kaynak sayan fıkhî bilgi elde etme süreci, mezhep ilkeleri doğrultusunda istidlalde bulunma.

**Tahsîniyyât:** Hayatı güzelleştirmeyi hedefleyen ve insanı mükemmeli aramaya teşvik eden -zarûriyyât ve hâciyat düzeyine çıkmamış- düzenlemeleri ve bunların sağladığı faydaları ifade eden fıkıh usulü terimi.

**Taklit:** Bir âlimin görüşüne delilini bilmeden uyma (bu şekilde davranana mukallit denir).

**Te'vil:** Bir delile bağlı olarak sözün görünen manasından başka bir anlama çekilmesi. Naslarda yer alan bir lafza taşıdığı muhtemel manalardan birini tercih edip yükleme.

**Tebeu't-tâbiîn:** Tâbiîni Müslüman olarak gören ve Müslüman olarak ölen üçüncü nesli ifade eden bir terim.

**Teklif:** Allah'ın, kulunu bir işi yapma veya yapmama hususunda yükümlü tutması anlamında terim.

**Teklifî Hüküm:** Şâriin mükelleften bir işi yapmasını veya yapmamasını istemesi ya da onu muhayyer bırakması.

**Telfik:** Fıkhî bir meseleye ilişkin hükmü farklı mezheplerden seçilen unsurları bir araya getirerek oluşturmak.

**Vacip:** Şâriin mükelleften yapmasını kesin ve bağlayıcı biçimde istediği fiil. Farz ile eş anlamlı olup Hanefîlere göre delilinin zannî olması sebebiyle farzdan bir derece aşağıda olan teklifî hüküm anlamında fıkıh usulü terimidir.

**Zarûriyyât:** İslam dininin toplum ve bireyler için vazgeçilmez gördüğü değerlerin korunmasıyla ilgili düzenlemeler ve bunların sağladığı yararlar; dinin gözettiği gaye ve yararların zarûriyyât-hâciyat-tahsîniyyât şeklindeki üçlü ayırımında en üst dereceyi teşkil eden beş temel değer anlamında fıkıh ve usûl-i fıkıh terimi.